A DESCIDA DA POMBA

A DESCIDA DA POMBA

Uma breve história do Espírito Santo na Igreja

—

CHARLES WILLIAMS

Traduzido por Almiro Pisetta

Os textos das referências bíblicas foram extraídos da *Almeida Revista e Atualizada*, 2ª edição (RA), da Sociedade Bíblica do Brasil.

Edição
Daniel Faria

Revisão
Natália Custódio

Produção e diagramação
Felipe Marques

Colaboração
Ana Paz

CIP-Brasil. Catalogação na publicação
Sindicato Nacional dos Editores de Livros, RJ

W689d

Williams, Charles, 1886-1945
A descida da pomba : uma breve história do espírito santo na igreja / Charles Williams ; tradução Almiro Pisetta. - 1. ed. - São Paulo : Mundo Cristão, 2019.
288 p.

Tradução de: The descent of the dove : a short history of the holy spirit in the church
ISBN 978-85-433-0422-9

1. Espírito Santo. 2. Vida cristã. I. Pisetta, Almiro. II. Título.

19-57021 CDD: 231.3
CDU: 27-144.896

Categoria: Igreja
1ª edição: agosto de 2019

Publicado no Brasil com todos os direitos reservados por:

Editora Mundo Cristão
Rua Antônio Carlos Tacconi, 69
São Paulo, SP, Brasil
CEP 04810-020
Telefone: (11) 2127-4147
www.mundocristao.com.br

Aos Companheiros da
Coinerência

Sumário

Nota dos editores

O poeta inglês W. H. Auden assim relata o primeiro encontro que teve com Charles Williams: "No escritório de uma editora, conheci um leigo anglicano, e pela primeira vez na vida me senti na presença da santidade personificada". T. S. Eliot, poeta norte-americano e renomado crítico literário, dizia que Williams era o "homem mais próximo a um santo" que ele conhecera em sua vida. Já o escritor irlandês C. S. Lewis, que integrava com Williams e J. R. R. Tolkien, entre outros, o lendário grupo de discussão sobre literatura The Inklings, enxergava em seu amigo algo "divino; na verdade, ele se assemelhava a um anjo".

Quem foi, afinal, este homem que suscitava tamanha admiração de algumas das mentes mais brilhantes de seu tempo? Quais são os atributos que o levaram a ser descrito pela revista *Time* como "um dos mais talentosos e influentes escritores cristãos que a Inglaterra produziu" no século passado?

Nascido de família humilde em 1886, na cidade de Londres, Williams se notabilizou desde cedo como autodidata. Formado pela St. Albans School, foi premiado com uma bolsa de estudos na University College London, mas, aos 18 anos, incapaz de bancar as despesas como estudante, viu-se forçado a abandonar a graduação. Essa carência de uma formação universitária talvez ajude a explicar o estilo único de seus escritos, que se caracteriza tanto pela ampla erudição quanto por seu caráter elusivo e, até, enigmático. Sua relação profissional com o mundo da literatura se iniciou em 1908, quando foi contratado como revisor de texto pela Oxford University Press. Em pouco tempo, ascendeu à posição de editor, tornando-se responsável, entre outras importantes realizações, pelas primeiras publicações em língua inglesa das obras do filósofo dinamarquês Søren Kierkegaard, evidente influência em sua própria produção.

Mais que editor, é sobretudo como escritor com voz singular que Williams gravaria seu nome na história da literatura inglesa. Romancista, poeta, crítico literário, historiador, teólogo — sua versatilidade e prolificidade talvez só encontrassem páreo em C. S. Lewis, com quem estabeleceu profunda amizade e sobre quem exerceu notável influência (ao contrário do que aconteceu com J. R. R. Tolkien, um católico devoto que, embora próximo de Williams, repudiava muitas de suas ideias). Seu estudo crítico sobre a obra de Dante, *The Figure of Beatrice* (1944), é ainda hoje referência entre os especialistas, e seus livros de poesia *Taliessin through Logres* (1938) e *The Region of the Summer Stars* (1944), estruturados em torno da lenda do rei Artur e da busca pelo Santo Graal, revelam uma imaginação pródiga e invulgar.

No entanto, mesmo os romances mais acessíveis e bem-sucedidos de Williams — *War in Heaven* (1930), *Descent into Hell* (1937) e *All Hallow's Eve* (1945) — jamais atingiriam a aclamação popular que seus amigos Inklings obteriam com *As Crônicas de Nárnia* ou *O Senhor dos Anéis*. "O que ele tinha a dizer estava além de seus recursos, e provavelmente além dos recursos da própria linguagem, ou melhor dizendo, além de qualquer meio de expressão", escreveu a seu respeito T. S. Eliot. Há algo de impenetrável em seus textos, uma densidade quase mágica que demanda leituras e releituras e que, por vezes, parece resvalar no esoterismo.

(Nesse aspecto, não contribui muito para sua reputação entre os leitores cristãos seu estranho envolvimento, de 1917 até pelo menos 1927, com a Fraternidade da Rosa Cruz, uma ordem esotérica fundada por A. E. Waite em 1915 — muito embora também devamos lembrar que Williams permaneceu, durante toda a vida, membro dedicado da Igreja da Inglaterra e, de acordo com os relatos disponíveis, foi um anglicano dos mais típicos de sua época.)

O que nos interessa aqui, porém, é sua surpreendente produção teológica, que encontra o ápice em *The Descent of the Dove*, ou *A Descida da Pomba*. Publicada originalmente em 1939, não é exagero dizer que se trata de sua obra-prima, por reunir suas maiores virtudes como escritor — a densidade poética, a economia vocabular, a assombrosa erudição — a serviço de um projeto dos mais ambiciosos: relatar a história da atuação do Espírito Santo por meio da Igreja cristã, que é a corporificação na terra daquilo que é verdadeiro "fora do tempo". Atravessando todo o período desde a formação da Igreja primitiva no Pentecostes até alcançar as sinistras ameaças à fé cristã na forma do nazismo e do comunismo nas primeiras décadas do século 20, Williams procura iluminar os atos de amor do Espírito Santo de Deus em meio aos intermináveis debates teológicos e às sangrentas guerras religiosas que tanto confundiram e perturbaram o Corpo visível de Cristo neste mundo.

A chave para compreender esse *tour de force* é o princípio da coinerência, uma expressão que Williams extraiu da teologia patrística e que indica não apenas a essência comum compartilhada pelas três Pessoas da Trindade, mas também a "habitação" mútua recíproca do Pai, do Filho e do Espírito. O mesmo princípio de coinerência se aplica às duas naturezas de Cristo — a humana e a divina — na Encarnação, e também à própria ideia da Igreja, a Comunhão dos Santos. No Evangelho de João, Jesus diz a seus discípulos: "Crede-me que estou no Pai, e o Pai, em mim" (14.11), e mais adiante: "Naquele dia, vós conhecereis que eu estou em meu Pai, e vós, em mim, e eu, em vós" (14.20). Isso é a Igreja, e o modo de ser da Igreja deve consistir, nas palavras de Williams, em "substituições no amor, trocas no amor", em que o "si mesmo" e os "outros" são apenas os termos especializados dessa "técnica" capaz de "nos aproximar minimamente da santidade".

Foi assim, por meio da prática do amor, que a Igreja sobreviveu ao longo da história, e é assim que continuará a sobreviver. O entendimento disso é transformador. "Quando comecei a ler Williams", confessou o pastor e escritor Eugene Peterson, "eu era um sectário, 'relacionado' apenas a um pequeno grupo de pessoas que viviam e pensavam e oravam como eu. Quando terminei, eu fazia parte de uma congregação com séculos de profundidade e continentes de amplitude. Comecei com uma espiritualidade que era quase totalmente subjetiva; então, me descobri em algo maior, tanto do ponto de vista da criação quanto da encarnação."

Charles Williams casou-se em 1917 com Florence Conway, com quem teve seu único filho, Michael, nascido em 1922. Faleceu em 1945, poucos dias após o término da Segunda Guerra Mundial. Já é passada a hora de ser redescoberto, principalmente pelo público brasileiro, até então carente de seus escritos. Por isso, é com grande satisfação que a Mundo Cristão preenche essa lacuna em nosso mercado editorial publicando *A Descida da Pomba*, uma obra impressionante e nada convencional, com tradução esmerada de Almiro Pisetta.

Boa leitura!

Os editores

PARAÍSO, por Ludovico Brea

Wikimedia Commons

Prefácio

Minha intenção inicial era dar a este livro o título de *Uma História da Cristandade*: mudei para que leitor nenhum fosse induzido a erro. O frontispício é uma reprodução de um quadro de Ludovico Brea. A presidência do Espírito Santo sobre a "carne gloriosa e santa" ("*la carne gloriosa e santa*")[1] está ali exposta no alto; embaixo aparece a inumação da Carne consumada. Ao fundo do primeiro ponto encontra-se o estado conhecido como Visão Beatífica; abaixo do segundo, o princípio chamado de Tormento do Inferno. Entre os dois pontos extremos aparece a grande massa de almas criadas; as que estão na terra e, além da linha dos seres angélicos, as que estão "no céu". Há rostos reconhecíveis, mas são fugazes; são passageiros seguindo por uma ou por outra das Vias. Mas o quadro, em cima e em baixo, representa a coinerência de toda a Cidade remida.

As tímidas alusões a datas e as ainda mais tímidas citações da teologia relacionam-se em geral aos mesmos pontos. Fica a critério de qualquer leitor queixar-se da omissão de muitíssimos nomes, de pessoas e acontecimentos que tiveram imensa importância para a Cristandade. Mas, embora tenham sido importantes, a omissão deles aqui não tem importância. Era inevitável que este livro específico falasse de

[1] Dante, *Divina Commedia*, "Paradiso", XIV, 43. (N. do T.)

Dante e não de Descartes, uma vez que seus temas especiais estão muito mais presentes em Dante que em Descartes. Contudo, espero que a curva da história tenha sido seguida corretamente, como também espero que todas as datas e detalhes sejam precisos. Se cometi algum erro em alguma parte, não foi por falta de consultas aos especialistas, mas sim pela mera estupidez da natureza humana. Houve um esforço para garantir a proporção; não se permitiu que o capítulo final sobre os tempos modernos "roubasse o livro". Uma máxima que poderia ter aparecido na página de título, mas que, de forma mais discreta, está colocada aqui, é uma frase que eu outrora supunha ter sido extraída de Agostinho; dizem-me, porém, os peritos que não foi e, sendo assim, ignoro sua fonte. A frase diz: "Isto também és Tu; e isto também não és Tu". Como lema para a vida, ela é de valor inestimável, e ela — ou seu inverso — resume a história da Igreja cristã.

Peço permissão para acrescentar que os temas deste livro também são discutidos, de outros pontos de vista, em outros livros meus, como em *Descent into Hell* [Descida ao inferno], *He came down from Heaven* [Ele desceu do céu] e *Taliessen through Logres* [Taliessin através de Logres]. O primeiro é ficção; o segundo não é; o terceiro é poesia, seja isso ficção ou não.

A dedicatória destas páginas deve ser entendida genericamente; contudo, destina-se em especial a todos aqueles que, de um modo ou de outro, se interessaram por estudar comigo "a sabedoria pouco lida de imagens demoníacas", e de modo especialíssimo a D. H. S. N., que com nobreza e felicidade debateu comigo sobre a natureza do Amor:

Que fazeis vós? Por que lutais? De nós
Vos lembrais, ou nesse estado divino

Há só olvido? Não contam para vós
Os feitos do Grego e do Florentino?
— Lembramos muito bem. Não é convosco
Que bem guardado está nosso tesouro?

C. W.

I
A definição de Cristandade

O começo da Cristandade situa-se, rigorosamente falando, num ponto fora do tempo. Uma trigonometria metafísica localiza-o entre os segredos espirituais, onde se cruzam duas linhas em direção ao céu, uma traçada de Betânia e acompanhando a Ascensão do Messias, a outra de Jerusalém e encontrando-se com a Descida do Paracleto. Essa figura, a figura da eternidade em ação, da nuvem brilhante e do vento impetuoso, é virtualmente teologia.

A história da Cristandade é a história de uma operação. É uma operação do Espírito Santo voltada para Cristo, sob as condições da humanidade; e foi nossa humanidade que deu o sinal, por assim dizer, para aquela operação. O começo visível da Igreja está em Pentecostes, mas isso é apenas uma consequência de seu começo — e fim — concreto, no céu. De fato, todo o mundo externo, tal como o conhecemos, é sempre uma consequência. Nossas causas estão ocultas, e a humanidade torna-se para nós uma massa de efeitos conflitantes sem relação entre si. O esforço de relacioná-los de forma conveniente, sem tocar as causas, sem (muitas vezes) entendê-las, é que torna a vida difícil. A Igreja é, em sua própria aparência, a exibição e correção de todas as causas. Ela começou sua carreira discutindo sua própria causa — nos momentos que conseguiu roubar de sua mais importante ocupação: a de vir a existir.

Historicamente, seu começo foi bastante claro. Aparecera na Palestina, durante o governo do imperador Augusto e seu sucessor Tibério, um certo ser. Esse ser tinha a forma de homem, de professor peripatético, de orador taumaturgo. Havia muitíssimos dessa espécie na época, surgindo na paz recém-estabelecida do Império; mas esse especificamente tinha um potencial de poder mais elevado e um método muito mais dispersivo. Tinha um estilo verbal muito eficaz, particularmente em suas imprecações, a que se somava uma recorrente ambiguidade em suas afirmações. Ele sempre marcava pontos em debates, superando seus interlocutores. Por um lado, concordava com tudo e, por outro lado, denunciava tudo. Por exemplo, nada dizia contra a ocupação romana; insistia na obediência à hierarquia judaica; proclamava a santidade em relação ao Senhor. Mas comparecia a festas que eram duvidosamente santas; associava-se com gente rica e mulheres dissolutas; era áspero em seus comentários sobre os hábitos da hierarquia; e, embora estimulasse todos a pagarem suas dívidas, disseminava uma desaprovação geral, ou pelo menos uma dúvida, em relação a todo tipo de propriedade. Falava de amor em termos de inferno, e de inferno em termos de perfeição. Finalmente, com toda a força de sua penetrante voz, falava de si mesmo e de sua importância sem igual. Dizia que era a coisa melhor e pior que já havia acontecido ou que jamais poderia acontecer ao homem. Dizia que poderia controlar qualquer coisa e, mesmo assim, tinha de se submeter a tudo. Dizia que seu Pai no céu faria qualquer coisa que ele quisesse, mas que por si mesmo nada faria que seu Pai no céu não desejasse. E prometia que, quando houvesse desaparecido, mandaria outro Poder para iluminar, confirmar e dirigir aquele pequeno grupo de estupefatos e desamparados seguidores que ele, em meio a uma torrente de sublime ternura, se dignou chamar de amigos.

E ele desapareceu — ou pela morte e sepultamento, como acreditaram seus opositores, ou, como depois disseram seus seguidores, por meio de um método mais recente e menos usual. De qualquer modo, aqueles seguidores, de acordo com todas as evidências, permaneceram num pequeno grupo secreto em Jerusalém. Imaginaram que estavam esperando pela manifestação prometida para poderem assumir o trabalho que o Senhor lhes deixara. Segundo suas próprias provas, a manifestação aconteceu. Num momento específico e de modo algum secreto, os segredos celestes se abriram para eles, e foi comunicado àquele grupo de judeus, num jato de vento e num deslumbramento de línguas de fogo, o segredo do Paracleto na Igreja. Nosso Senhor, o Messias, havia desaparecido na carne; nosso Senhor, o Espírito, manifestou-se para a carne e o espírito dos discípulos. A Igreja, ela mesma um dos segredos, começou a existir.

O Espírito também teve sua epifania para o mundo mais amplo. Ele se havia manifestado perante as nações: aos cidadãos das regiões da Líbia em volta de Cirene, aos estrangeiros de Roma e aos demais. Antes que qualquer uma das missões oficiais começasse, os milhares de dispersos cidadãos que naquele dia captaram algo da visão e ouviram algo da doutrina, e que até — alguns deles — haviam sido convencidos pela visão e doutrina a submeter-se ao Rito, ao batismo, haviam voltado para suas terras, se não ainda como missionários, certamente como testemunhas. O Espírito serviu-se de seus próprios meios para fundar e difundir a Cristandade antes que um único passo apostólico houvesse sido dado para deixar Jerusalém. Ele preparou o caminho diante de si. No entanto, isso era apenas uma demonstração, por assim dizer; a verdadeira obra estava começando agora, e o peso dela foi aceito pelo grupo que estava na cidade. Essa obra era a regeneração da humanidade. A palavra, com demasiada frequência, perdeu sua força; ela seria recuperada. Os apóstolos começaram a gerar a humanidade novamente.

Eles não tinham a linguagem; não tinham as ideias; tinham de descobrir tudo. Eles tinham apenas um fato, e ele consistia nisto: *tinha acontecido*. O Messias viera, fora morto e ressuscitara; e eles haviam estado mortos em "delitos e pecados", e agora já *não* estavam. Estavam regenerados; o mesmo poderia acontecer com qualquer outro. "Para vós outros", gritavam eles à multidão em Jerusalém, "é a promessa, para vossos filhos e para todos os que ainda estão longe." "Arrependei-vos, e cada um de vós seja batizado em nome de Jesus Cristo para remissão dos vossos pecados, e recebereis o dom do Espírito Santo." Eles haviam acreditado em Jesus de Nazaré, sem entendê-lo com muita clareza; sua ressurreição parecera justificá-los, mas agora estavam muito mais justificados, ou melhor, ele estava justificado. A coisa acontecera. De todas as formas, era verdade que o Deus de Israel não deixaria a alma deles no inferno nem permitiria que seu Santo visse a corrupção.

Até esse ponto chegaram os apóstolos. Eles tiveram, por sua vez, de continuar a operação que o Espírito começara. Mas a operação teve de ser continuada sob certas condições; e as condições naquele momento eram três: religião judaica, ordem romana e inteligência grega. O Messias fora necessariamente rejeitado e denunciado em sua cruz nas três línguas e pelos três elementos: a piedade, o governo, a cultura. A Igreja, embora sem dúvida mais tarde tenha passado a considerar-se como sendo, desde a eternidade, a causa de Judá e de todas as salvações, apareceu naquele momento apenas como sucessora e substituta de Judá. No princípio ela se propunha continuar a consciência habitual de Judá. O próprio Messias havia sido um judeu; ele fora condenado à morte por blasfêmia, mas por blasfêmia judaica. Seus comentários sobre os gentios durante a vida haviam sido fortemente judaicos; e não se sugere que, depois de sua ressurreição, eles fossem menos judaicos, tendo em vista que ele havia perdoado seus executores. Os apóstolos e discípulos frequentavam o templo. Os missionários de Pentecostes eram judeus. Tudo isso gerou duas discussões, uma dentro e outra fora da Igreja. A discussão fora da Igreja dizia respeito aos judeus, e do ponto de vista judaico a Cristandade nada mais era que uma heresia judaica. A disputa entre judeus ortodoxos e judeus heréticos girava em torno de um único ponto: fora ou não fora realizada a missão temporal de Judá? Fora ela cumprida? Judá deve agora abdicar? Fica difícil para um indivíduo (como tantas vezes se verifica na vida familiar) e quase impossível para uma instituição abdicar em favor de seu filho e sucessor, especialmente em questões de filosofia. Os judeus não se propuseram tentar fazê-lo. Mantiveram a antiga visão ortodoxa da aliança em oposição à nova visão herética segundo a qual, na pessoa de Jesus de Nazaré, a aliança havia passado por uma violenta reforma. Havia sem dúvida seguidores de um partido de centro, que foram derrubados como geralmente acontece com os centristas. Gamaliel foi o primeiro, nos tempos cristãos, a formular a máxima demasiadas vezes esquecida de que não há necessidade de ser ardoroso demais contra as outras pessoas em benefício da Onipotência. Mas seu protesto, apesar de exitoso em seu começo, depois fracassou; e o açoitamento dos apóstolos foi seguido pelo apedrejamento de São Estêvão. Aconteceu por algum tempo uma perseguição ativa contra a seita transgressora; ela foi empurrada para outras cidades, e todos os esforços foram feitos para restabelecer a sublimidade da Divindade Única e Encarnada.

No seio da jovem Igreja houve outra discussão similar que não foi menos aguda. A visão geral entre os judeus era a de que Jesus de Nazaré fora primeiramente um blasfemo. Mas a visão geral dentro da Igreja era a de que ele fora primeiramente um judeu. Ele não havia renunciado especificamente a uma única letra da Lei; na interpretação liberal da Lei, ele mal havia ultrapassado alguns dos maiores rabinos. Concedera que a necessidade pode sobrepor-se às cerimônias, mas desestimulara qualquer renúncia fácil do cerimonial. A história apócrifa de seu comentário acerca do homem que foi visto apanhando gravetos no sábado ("Ó homem, se tu sabes o que fazes, és abençoado; mas se tu não sabes, és amaldiçoado") parece ter expressado sua intenção. "Tudo o que os escribas e fariseus te ordenarem, observa e pratica." Foi a essa máxima, e a outras iguais a ela, que a facção mais rigorosa se apegou. A máxima envolvia dois princípios: (i) que a missão da Igreja era exclusivamente para judeus; (ii) que, portanto, todo o cerimonial judaico devia ser preservado em sua plenitude. Deve-se admitir que eles eram almas nobres; rejeitados pelos judeus, preservaram na nova sociedade a mais importante ordem privilegiada dos judeus. E nos dão a impressão de que, no início, eles foram a facção dominante no seio da Igreja.

Mas eles fracassaram. A polêmica acabou sendo decidida contra eles, e decidida pelas vozes concordantes dos líderes da Igreja. O Concílio de Jerusalém expediu a decisão, com a ratificação de uma frase quase incrível em sua plenitude e, no entanto, natural em sua simplicidade: "Pareceu bem ao Espírito Santo e a nós". A sentença é, de certo ponto de vista, absurda; de outro, muito comum. Mas não é nem uma coisa nem outra; ela implica uma séria declaração feita por homens dizendo que existe uma união, uma união negada, derrotada, esquecida, frustrada, mas, no fundo de tudo, concretizada pelo consenso comum. Há momentos desvairados quando qualquer pessoa pode, com alguma verdade, se surpreender dizendo: "Pareceu bem ao Espírito Santo e a nós". Mas a Igreja nunca esqueceu, embora possa muitas vezes apostatar, que essa é a verdadeira alegação à qual ela deve, inevitável e indefectivelmente, aspirar e na qual ela, terrivelmente, acredita: "Pareceu bem ao Espírito Santo" — ó visão de certeza! — "e a nós" — ó visão de absurdidade! — ... e que mais? — "não vos impor maior encargo além destas coisas essenciais". É uma escolha de coisas necessárias; é a liberdade de tudo o que está além da necessidade. Mas a análise dessas coisas necessárias aguardou, e aguarda, uma visão mais ampla, talvez o entendimento das epístolas de Paulo.

As principais causas diretas da decisão foram a opinião de São Pedro, que declarou ter tido uma visão do método apropriado, a intensidade liberal bastante específica de São Paulo e (em data ulterior) a destruição de Jerusalém. Mas essas causas atuaram em favor de uma ideia, e a ideia já estava latente na controvérsia. A cristologia da Igreja já repousava em certas fórmulas obscuras e embrionárias. Mas essa era uma questão, não tanto sobre a natureza de Cristo (frase que poderia ter parecido estranha aos concílios apostólicos) quanto sobre a maneira de ver essa natureza. O Deus-Homem (a expressão não teria sido fácil para eles) devia ser visto como um judeu? Ou será que o judaísmo era apenas um acidente do Deus-Homem? Qual vinha antes, o judaísmo ou a humanidade? A Igreja, ou o Espírito na Igreja, corrigiu seus equívocos originais, causados pelos fenômenos da natureza humana do Messias. A graça devia ser mediada universalmente — para os gentios assim como para os judeus — por meio de toda a nova criação. A raça nada tinha que ver com isso; os ritos nada tinham que ver com isso. A decisão perdurou universalmente, apesar de todos os pecados de indivíduos cristãos ou de classes cristãs em várias épocas. Não se permitiu que nenhuma ideia, nenhuma nacionalidade, nenhuma crença, nem nada interviesse como uma condição fundamental e necessária do cristianismo. Não se permitiu que nenhuma experiência pessoal, independentemente de como ela pudesse ter precedido o cristianismo ou levado a ele, interferisse entre o Deus-Homem e a alma. Toda doutrina, todos os doutores foram relegados à subordinação.

Esse resultado foi em grande parte conseguido pelo acontecimento conhecido como a Conversão de São Paulo. Foi, sob todos os aspectos, um acontecimento notável. Em primeiro lugar, marcou o início de uma grande série de conversões e iluminações que formam parte da história da Cristandade: Agostinho, Francisco, Lutero, Inácio, Wesley e o restante. Sem dúvida isso acontece com todos os credos; este não é o lugar para discutir os outros. Não se pode supor que essas conversões provem a verdade de um credo. Em segundo lugar, a conversão de São Paulo claramente transformou um forte opositor da Igreja num forte defensor dela; mas aqui fez mais: produziu uma espécie de microcosmo da situação. Destruiu um intenso judaizante e criou um antijudaizante.

Juntou, por assim dizer, o judeu Paulo com o homem Paulo, e concedeu à humanidade o posto dominante. Mas também juntou o homem Paulo com o novo homem Paulo, e concedeu à nova humanidade o posto dominante. Fez tudo isso numa personalidade que tinha, além de muitos outros talentos, o desejo de entender e o desejo de explicar. Para entender e explicar o convertido, produziu um vocabulário praticamente novo. Chamá-lo de poeta seria talvez impróprio (além de ignorar o fato menor, mas importante, de que ele escreveu em prosa). Mas ele usou as palavras como fazem os poetas: ele as regenerou. E pela regeneração das palavras Paulo deu à Igreja cristã a primeira teologia.

É claro que isso então não era óbvio. As epístolas não apareceram num só volume ao custo de um xelim. Deve ter havido muitas igrejas fundadas por Paulo que eram tão analfabetas a ponto de não terem ouvido falar de suas passagens mais nobres. É possível que ele tenha mudado de ideia acerca de certos pontos; com certeza levou em consideração outros pontos de vista. A tola visão antiga segundo a qual ele contradisse Jesus Cristo em todas as questões importantes e nenhum dos outros apóstolos percebeu isso, ou que as fracas objeções deles sumiram de todos os registros, provavelmente desapareceu juntamente com outros obscuros mitos do evangelho simples. A única coisa praticamente certa acerca da Igreja primitiva é que todas as igrejas, fundadas ou dirigidas por quem quer que fosse, num sentido amplo concordavam entre si. E parece que elas concordavam com São Paulo acerca das explicações tanto quanto ele concordava com elas sobre o fato.

O fato então tinha acontecido. A doutrina da graça era a afirmação do fato; a nova moralidade era a adequação do indivíduo ao fato; a fé era a atividade que unia o indivíduo ao fato. E o fato era (entre outras coisas) que a lei — a lei da vida reta, da santidade, do amor — que não poderia ser obedecida pelo homem havia descoberto um modo de obedecer a si mesma em todos os homens que assim escolhessem. Se não obedecesse à lei, o homem pereceria. No entanto, a lei era impossível e não podia ser modificada, caso contrário ela não seria mais ela mesma, e isso não podia ser. Que fazer então? Como poderia o homem achar a existência possível? Com a impossibilidade fazendo seu próprio trabalho impossível em prol do homem; com o perdão (isto é, a redenção) dos pecados, com a fé, com a vida eterna; os estados passados, presentes e futuros formavam, todavia, um único estado, e o nome desse estado era "o amor de Deus, que está em Cristo Jesus, nosso Senhor". — "Toda a criação geme e suporta angústias até agora"; "Porque Deus a todos encerrou na desobediência, a fim de usar de misericórdia para com todos."

As grandes frases mostraram o homem no insondável inferno do corruptível para que o corruptível pudesse vestir-se com a incorrupção, a fim de que todos nós fôssemos mudados. "Semeia-se na fraqueza, ressuscita em poder." "As coisas antigas já passaram; eis que se fizeram novas." "Deus estava em Cristo reconciliando consigo o mundo [...] e nos confiou a palavra da reconciliação." "Aquele que não conheceu o pecado, ele o fez pecado para nós; para que, nele, fôssemos feitos justiça de Deus" — "eterno peso de glória, acima de toda comparação." Nessas palavras foi definido o novo estado de ser, um estado de redenção, de coinerência, concretizado por aquela substituição divina, "ele em nós e nós nele".

Foi então essa definição apocalíptica que se recusou, apesar de todo o passado judaico de Paulo, a ser contida quer no judaísmo quer na piedade original. Nem o judaísmo nem a piedade poderiam ser uma preliminar necessária. Com certeza, para onde fossem as cada vez mais numerosas missões da Igreja, por uma questão de cortesia elas procuravam primeiro a sinagoga em qualquer cidade a que chegavam. Era o véu do templo judaico que se rasgara em duas partes, e era por isso mais santo. Mas se os judeus se recusavam a reconhecer o fato, e mesmo que assim não agissem, os missionários então se dirigiam aos gentios. Não era apenas para os judeus que os testemunhos da Fé, do Ato, do Acontecimento e do Acontecido eram destinados.

Naquela época, de fato, a Igreja parece ter-se movido numa nuvem de portentos, como se o padrão exato da Glória fosse por certo tempo vislumbrado. Não apenas os seus ritos mais formais e centrais — o batismo e a eucaristia — foram preservados e difundidos e dados como garantia sacramental aos convertidos. Como se a Ascensão do Messias houvesse aberto o céu, como se a Descida do Paracleto houvesse revelado o céu, as línguas e os hábitos do céu pareceram, por alguns anos, algumas décadas, pairar no seio da Igreja de uma forma não mais percebida desde aquele tempo a não ser de modo ocasional e individual. Houve curas milagrosas e até destruições milagrosas. Naquela primeira visão e realização plena, os crentes permutavam poderes entre si. Como em outras grandes experiências, o senso fundamental dessa experiência renovava energias mais que mortais. Naquele tempo o Espírito na Igreja enviava "por meio de cada poder um poder dobrado além de suas funções e seus ofícios". E esse poder era reconhecido e aceito. "Depois da eucaristia, certas pessoas inspiradas começavam a pregar e manifestar perante a assembleia a presença do espírito que as animava. Os profetas, os estáticos, os falantes em línguas, os intérpretes, os curadores sobrenaturais, absorviam nessa hora a atenção dos fiéis. Havia, por assim dizer, uma liturgia do Espírito Santo nos moldes da liturgia de Cristo, uma verdadeira liturgia com a Presença Real e a comunhão. A inspiração podia ser sentida, provocando uma vibração pelos órgãos de certas pessoas privilegiadas, mas toda a assembleia ficava comovida, edificada e até mais ou menos extasiada por ela, e era transportada para a esfera divina do Paracleto."[1]

Essas coisas desapareceriam aos poucos. Havia entre elas outro método, também fadado ao desaparecimento, sendo no entanto do mais alto interesse e talvez ainda sendo uma preocupação que, embora perigosa, tinha um toque de celeste ousadia. Desenvolveu-se, ao que parece, naquele corpo jovem e ardente um esforço voltado a um experimento espiritual particular de, digamos, polarização dos sentidos. Nosso conhecimento dele é pequeno, e de fato se limita a uma famosa passagem de São Paulo, a uma carta de São Cipriano e a um ou dois cânones condenatórios de vários concílios. O método provavelmente não se restringia à Igreja; é provável que tenha existido em outros mistérios. O grande necromante Simão, o Mago, levava consigo em suas andanças uma companheira, talvez visando aquela finalidade, e a ela se atribuíam altos títulos.

Tu és Helena de Tiro
E foste Helena de Tróia, e foste Raabe,
A Rainha de Sabá, e Semíramis,
E Sara dos sete maridos, e Jezabel,
E outras mulheres de encantos parecidos,
E agora és Minerva, a primeira Éon,
A mãe dos Anjos.

[1] L. Duchesne, *Christian Worship*.

Mas dizem que Simão pregava que ele mesmo aparecera "entre os judeus como o Filho, mas na Samaria como o Pai e entre as nações como o Espírito Santo". Os cristãos, menos ambiciosos, tentaram o experimento sem sair do âmbito da doutrina ou da moralidade da Igreja. Isso está claro naquela passagem em que São Paulo mostra que em alguns casos o experimento sucumbiu porque o elemento sexual entre o homem e a mulher se tornou por demais pronunciado. O apóstolo é indagado se, em tais casos, o casamento é permitido, e ele responde dizendo que, considerando-se tudo (ele quis dizer precisamente *considerando-se tudo*), seria melhor se eles pudessem prosseguir na grande obra, porque o casamento significa a introdução de todos os tipos de agradáveis — mas menos urgentes — ocupações temporais; contudo não há nada de errado no casamento, nada contra a Fé e a Nova Vida. Se o sexo está se tornando uma inconveniência, que eles tratem disso da maneira mais simples e mais feliz; é melhor casar que viver abrasado.

Parece que houve, no primeiro ímpeto da Igreja, uma tentativa, incentivada pelos apóstolos, de "sublimar". Mas os experimentadores provavelmente a chamavam por outro nome. A energia do esforço concentrava-se no Redentor Crucificado e Glorificado, na obra da troca e substituição, uma união na terra e no céu capaz de dar e receber amor. Em alguns casos o esforço fracassou. Mas não sabemos nada — o que é muito lamentável — sobre os casos em que não fracassou; e que houve casos assim parece claro pela simples aceitação da ideia por São Paulo. Nos tempos de Cipriano, bispo de Cartago do terceiro século, as autoridades eclesiásticas tinham muito mais dúvidas. As mulheres — as assim chamadas *subintroductae* — aparentemente dormiam com seus companheiros sem terem relações sexuais; Cipriano não deixa exatamente de acreditar nelas, mas desestimula essa prática.[2] E o Sínodo de Elvira (305) e o Concílio de Niceia (325) proibiram totalmente essa prática. O grande experimento teve de ser abandonado por causa do "escândalo".

Tolstói incluiu a dura objeção na obra *Sonata a Kreutzer*, e ali Cipriano mais ou menos concordaria: "Mas então, permita-me a pergunta, por que eles vão para a cama juntos?". Esses dois sábios tinham razão levando-se em conta uma boa dose de lascívia sentimental e hipocrisia sensual. Mas nem mesmo Cipriano e Tolstói entenderam todos os métodos do Abençoado Espírito na Cristandade. A proibição era natural. Todavia, parece lamentável que a Igreja, que outrora percebera que tinha sido fundada sobre um Escândalo, não apenas para o mundo, mas também para a alma, sentisse agora nervosismo tão intenso em relação a escândalos. Esse foi um dos primeiros triunfos dos "irmãos mais fracos", aquelas ovelhas inocentes que por pura imbecilidade pisotearam muitas delicadas e atraentes flores na Cristandade. É a perda, assim tão cedo, de uma tradição cujo desaparecimento deu à Igreja uma consciência bastante exagerada em questões de sexo, quando poderia ter criado uma polaridade na qual o sexo fosse apenas parcialmente coincidente. A utilidade do sexo nesse experimento poderia ter sido a de atribuir a ele menos importância e libertar de uma vez no reino do Messias os deuses sombrios de D. H. Lawrence. Mas o experimento fracassou, e deve-se acrescentar que a previsão de São Paulo foi justificada. A Igreja abandonou aquele método em favor do método do

[2] "Precisamos interferir imediatamente em casos como esses, para que eles possam separar-se enquanto podem fazê-lo na inocência." *The Writings of Cyprian: Epistle lxi*, R. E. Wallis.

casamento, que o apóstolo havia desaprovado, e no fim ela ficou sem nenhuma tradição realmente ativa do casamento em si como um caminho para a alma. Isso ainda precisamos recuperar; trata-se, sem dúvida, de algo praticado num milhão de lares, mas não se pode dizer que seja algo esquematizado ou ensinado pelas autoridades. Em vez disso, o que se ensinou foi a monogamia e a submissão.

Contudo, em certo sentido esse experimento de polarização correspondia ao primeiro entendimento da Igreja: a grande experiência de uma alteridade e uma união, de uma vida a partir de outros ou de outro, e a fé nessa experiência. Os amantes daquele período — pelo menos alguns deles — sentiram o impacto do Amor e desejaram agir e crescer a partir disso. Era o começo, e eles o conceberam assim. O ponto central de sua descoberta era o de simultaneamente adotar uma prática e passar por uma transformação. O cristianismo é sempre a redenção de um ponto, um ponto particular. "Eis, *agora*, o tempo sobremodo oportuno, eis, *agora*, o dia da salvação." Nesse sentido, nada existe a não ser *agora*; não há duração. Nós nada temos que ver com a duração, e no entanto (sendo mortais) nada temos que ver com nada que não seja a duração; entre esses dois contrastes também se situa toda a história e doutrina da Cristandade.

A proximidade imediata e a devoção, que criaram aquele experimento perdido, haviam marcado a existência e expansão da Igreja em todas as partes. As epístolas de São Paulo levam aquele *Agora* ao ponto mais alto de exploração e expressão. Mas já nas próprias epístolas em si algo entrara em cena. "É assim!", diziam elas, mas depois tinham de continuar dizendo: "É assim!". Existia o tempo, e o próprio tempo tinha, por assim dizer, de ser convertido, de ser reduzido à coisa fora do tempo. Não só isso, mas ele tinha de ser convertido no caso especial de cada indivíduo cristão. Ouvimos muitas vezes falar de como a Igreja esperava a segunda vinda de Cristo imediatamente, e sem dúvida isso aconteceu no sentido literal comum. Mas com certeza ela era esperada também em outro sentido. Os convertidos de todas as cidades da Ásia e (em breve) da Europa onde foram fundados pequenos grupos haviam conhecido, em sua conversão, de um modo ou de outro, uma primeira vinda de seu Redentor. E então? E então! Essa era a tarefa e o problema consequente — o *então*. Ele viera, eles adoraram e acreditaram, eles comungaram e praticaram, depois esperaram que ele se mostrasse outra vez. O *Então* perdurou, e parecia não haver nenhum outro equivalente *Agora*. O tempo se tornou o problema individual e católico. A Igreja precisou tornar-se tão católica — tão universal e tão duradoura — como o tempo.

O tempo tem sido considerado o grande problema para os filósofos; não é diferente para os crentes. Como e com que preencher o tempo? Como e até que ponto saímos do tempo? Os apóstatas são apenas aqueles que abandonam o problema; os santos são apenas aqueles que o resolvem. A oração pela perseverança até o fim que a Igreja com tanta insistência recomenda é apenas seu desejo de permanecer fiel pelo menos ao problema — de recusar-se a desistir dele. Quais são as relações entre aquele *Agora* e o consequente *Então*? Quais são as condições da relação — não quais deveriam ser, mas quais *são*? "A conversão do tempo pelo Espírito Santo" é o título da grande atividade da Igreja.

No primeiro século, na própria época apostólica, aquele tempo que a Igreja devia redimir já estava se tornando a perdição da Igreja. A primeira divisão entre a Igreja e o que tem sido chamado de Reino começou a existir. O Reino — ou, na linguagem apocalíptica, a Cidade — é o estado para o qual a Cristandade é chamada. Mas, exceto em visão, ela ainda não é a Cidade. A Cidade é o estado em que a Igreja deve se transformar. No impacto do Messias, na evocação de seus elementos, no impacto do Espírito, na promulgação de sua unidade, ela por um momento se identificou com o seu estado. Todavia, mais que depressa ela praticamente se separou de seu estado. Era inevitável: se não tivesse sido assim, ela não teria razão para existir. Sua razão não está apenas no erro do mundo; está no seu próprio erro. Seu erro é exatamente sua oportunidade de ser. É disso que ela se ocupa.

Então o tempo existia, e ela se reconciliou com ele. O problema judaico fora solucionado. Mas as outras condições, a organização romana, a cultura grega, continuavam. Nenhuma delas era, para usar uma expressão política muito popular, "oposta por princípio" à ideia cristã. "Dezenas de obscuras seitas lutavam por sua existência entre as classes mais baixas"[3] e, poderíamos acrescentar, entre as superiores também. De modo geral, o governo romano aprovava inteiramente que seus cidadãos se preocupassem com suas fantasias religiosas pessoais. O papel do governo era manter seu mundo alimentado, manter seu mundo tranquilo e manter seu mundo "alegre". (Era a *Hilaritas Populi Romani*, a alegria de Roma, pela qual, num período subsequente, as moedas de Adriano, por assim dizer, felicitaram o imperador.) Por esse motivo foi necessário, num período posterior, concentrar a atenção formal na pessoa e providência do imperador. Mas o povo não sacrificava a ele todo o tempo, e em outros rituais

[3] *Origins of Christianity*, Charles Bigg.

os governos não estavam interessados. São Paulo viajava por um Império que era aprovado por ele e, em grande parte, o aprovava. Tinha o maior respeito pelos magistrados, e eles poucos defeitos viam nele. Tinha uma divindade esquisita, mas isso era bastante comum. Salvação, iniciação, segundo nascimento — esses eram assuntos comuns à mesa de jantar e temas de conversas em pontos de encontro. Nicodemos talvez tenha tido dificuldades com essa ideia, mas nenhuma pessoa comum do mundo não judaico teria evitado o assunto. Pilatos permanecera muito impassível — excluída uma leve curiosidade — diante das afirmações de que Jesus chamara a si mesmo de Filho de Deus; ele apenas se sentiu ligeiramente surpreso pelo fato de os judeus se ressentirem disso. O cristianismo, até onde se podia entender, devia ser naturalmente uma religião tolerante, tão tolerante como qualquer uma de suas rivais; sua intolerância enquanto credo, quando descoberta, era tão chocante então como o é na atualidade. As objeções judaicas tinham envolvido os apóstolos em perigos, mas a decisão final do governo de Roma no próprio caso de São Paulo parece ter admitido que o cristianismo era um credo permissível. *Grosso modo*, ele era visto como uma variação do judaísmo.

A quebra dessa mais ou menos agradável unidade deveu-se diretamente a Nero; não sabemos com exatidão em que medida ele foi influenciado. O Grande Incêndio de Roma irrompeu em julho de 64 d.C. A tendência natural de pôr a culpa em alguém impopular provocou boatos segundo os quais o próprio imperador era responsável pelo acontecimento, da mesma forma que os católicos romanos foram acusados do Grande Incêndio de Londres em 1666. O imperador e o governo transferiram a culpa aos cristãos, e a declaração foi aceita. Os cristãos foram acusados não apenas do ato específico, mas também do mal mais genérico de "ódio contra a humanidade". Renomados intelectuais como Tácito aceitaram essa ideia. Alguém disse que Tácito foi "um nobre estoico que odiava Nero e odiava os cristãos e que não sabia dizer a quem odiava mais". Alguém poderia supor que a primeira onda de perseguição teria levado todos os cristãos que vieram depois a hesitar em relação a boatos populares, garantias oficiais e história partidárias. Não tem sido assim. As cruzes em chamas dos jardins do Vaticano lançam uma sinistra luz sobre toda nossa credulidade fácil, sobre os "eu ouvi dizer" e os "ele disse" da nossa vida cotidiana; nossas repetições ladram como os cães aos quais os fiéis, envoltos em peles de feras selvagens, eram atirados. O cristianismo tornou-se suspeito e permaneceu suspeito. Era considerado com horror por muitos e com aversão por todos. Havia, contudo, algum motivo para a aversão (além do necessário escândalo espiritual e do fato de que os cristãos — ou pelo menos um deles — responderam à perseguição com aquele admirável mas extremo panfleto revolucionário intitulado *O Apocalipse de São João, o Divino*).

Essa suspeição obviamente existiu em diferentes graus, em diferentes tempos e em diferentes lugares. Seu efeito era inteiramente incalculável. Dependia do sentimento do povo, do temperamento dos magistrados, do progresso das atividades públicas, das preferências do imperador e de dezenas de outros fatores. Dependia também do temperamento e da conduta dos cristãos. Quantos mais convertidos houvesse, tantas mais variações na relação deles com seus vizinhos filosóficos ou religiosos. Houve (com o avançar do tempo) cristãos tímidos e cristãos tempestuosos, cristãos delicados e calmos e cristãos barulhentos e inclinados à discussão. A principal diferença, na verdade, era oficial e social, e até mesmo mais social que oficial. Na rede do vasto Império continuamente se ouvia o murmúrio da "adoração" formal do Gênio do Imperador. Mas, em contrapartida, nenhum culto de adoração poderia parecer-se menos com qualquer adoração religiosa que aquilo. Era sem dúvida uma coisa mais formal que as nossas genuflexões perante o Trono, mas era também tratada como algo mais absurdo. "Eu acho que estou prestes a me tornar um deus", disse o moribundo Vespasiano; foi embaraçoso para todo o mundo quando os cristãos solene e formalmente anatematizaram o que ninguém jamais sonhara em crer. É uma experiência bastante ruim a de ser contrariado acerca daquilo em que se acredita; é uma experiência intolerável a de ser contrariado — talvez com veemência ou ar de superioridade — acerca daquilo em que obviamente não se acredita. É verdade que os judeus não adoravam; mas todos conheciam os judeus. Eles estavam formalmente isentos; formavam um corpo racial, não um corpo religioso, ou apenas religioso por ser racial; e não eram absolutamente propagandistas. Era difícil ao extremo tornar-se judeu. Mas era cada vez mais difícil não ser atormentado por sugestões de que cada um devia tornar-se cristão. A Igreja atacava de todos os lados e de todas as maneiras: pela persuasão, pela argumentação, quase por ameaças. Seu objetivo (e sobre isso ela não fazia segredo) era evangelizar o mundo. Aos olhos da maioria dos cidadãos do Império, isso significava primeiramente uma separação das atividades oficiais, das celebrações sociais, das festividades e jogos, de tudo o que envolvesse a adoração do Gênio do Imperador e a aceitação da possível existência de outras divindades ou da iluminação por meio de outros mistérios. Os cristãos mais pacatos e cordiais usavam de tato para se manterem afastados nessas ocasiões; se compareciam, não indagavam sobre "carnes oferecidas a ídolos"; não exibiam sua consciência. Mas, uma vez que em última análise não queriam derramar libações aos deuses domésticos de seus amigos, eles eram aos poucos — ou de repente — levados a não comparecer a festas. Aos olhos de qualquer cidadão romano comum isso era excêntrico e bastante abominável.

Com o crescimento do número de cristãos, a excentricidade e a abominação tornaram-se mais evidentes. O governo tomou cada vez mais consciência da minoria de dissidentes. A posição era bastante parecida com a nossa própria posição internacional; a guerra poderia irromper a qualquer momento, mas durante períodos surpreendentemente longos não irrompeu. Domiciano, assustado por uma conspiração, castigou os cristãos mais próximos de sua pessoa. Plínio, quando governador da Bitínia, deparou com denúncias contra cristãos. Torturou alguns, para descobrir no que de fato acreditavam, e escreveu a Trajano. Este adotou a visão imperial apropriada. Os cristãos não deviam ser perseguidos; as delações contra eles não deviam ser estimuladas, e caso se descobrisse que os informantes eram simplesmente falsos estes deveriam ser punidos. O governo não tinha normalmente o hábito de encorajar a delação de um grupo de cidadãos por outros. Mas, seguindo o mesmo princípio de estimular uma vida pacífica em todas as partes, caso se descobrisse que a delação se justificava, caso fulano de tal realmente ameaçasse a segurança pública, o bem público, ele devia ser tratado como um criminoso. Ele era, obviamente, um criminoso. Os cristãos consideravam-se pecadores, e outras pessoas os consideravam criminosos.

É provável que a necessidade de uma denúncia formal explique "os irmãos" visitando confessores sob custódia, independentemente do óbvio suborno de guardas que acontecia. A viagem de Inácio de Antioquia para Roma é o grande exemplo. Um cristão que estivesse preso, exceto em tempos de rigorosa perseguição, era um homem culpado de determinado crime. Isso não significava que seus visitantes fossem culpados do mesmo crime. Sem dúvida, havia algum risco; mas também sem dúvida alguns cristãos poderiam ser visitados por amigos pagãos que, ante a exigência de sacrifícios, eles os ofereceriam. Qualquer delator comum contra eles poderia meter-se em encrenca. Adriano até insistia dizendo que o "delator" devia especificar algum ato de mau comportamento além do cristianismo. Mas em geral o cristianismo era suficiente para justificar uma investigação, e isso significava a morte.

Em contrapartida, os cristãos não eram perseguidos por motivos religiosos, e em certos aspectos eram até protegidos. Seus locais de inumação permaneceram tranquilos, rigorosamente protegidos pela lei romana para os sepulcros. Os cemitérios pertenciam aos *Dii Manes*, os deuses do mundo inferior, e a compaixão que o Gênio do Imperador negava à luz do dia romano as divindades sombrias do além-túmulo preservavam, como se houvesse um terrível reconhecimento do Deus que caminhara entre eles e retornara. As catacumbas nos foram preservadas por esse cuidado e pelo escrupuloso legalismo dos pontífices romanos que vigiaram o decoro dos mortos. Tampouco as igrejas, quando finalmente passaram a ser construídas, foram normalmente atacadas. A lei romana era cuidadosa em relação à propriedade. É possível que tenha havido medidas legais secretas na questão da formação de guildas para incorporar igrejas, mas elas se restringiram a isso e foram sanadas. Os velhos quadros em que soldados romanos invadiam templos para prender adoradores junto ao altar são definidos por esta admirável frase: "Meu caro, você está exagerando". "Aqueles que, em diferentes épocas, morreram pela fé cristã", disse Orígines, "foram poucos e podem ser facilmente contados." Ele falava em sentido relativo, sem dúvida, mas queria dizer mais ou menos isso. Delação, motins, mas pouca interferência por parte dos governantes oficiais de Roma. Foi só no terceiro século que Tertuliano pôde gritar aos quatro ventos: "*Non licet esse nos*", "Não nos é permitido existir". Virgílio e Pedro então se desavinham nas ruas de Roma.

Essa era a posição exterior, ao longo dos dois primeiros séculos, da Igreja em desenvolvimento — incerta, muitas vezes difícil, às vezes fatal, mas com frequência tolerável e às vezes até mesmo fácil. Enquanto isso, a Cristandade começara a entender a si mesma — ou pelo menos a entender um pouco de si mesma. A grande descoberta feita pela Igreja, expressada por São Paulo e promulgada com intenso entusiasmo, só havia começado a definir, da maneira mais geral, a sua própria natureza. "Lembrando-se de *como* ela se sentia, mas *do que* sentia não se lembrando"[4] — ou melhor, sem o conhecer com exatidão, a Igreja infante prosseguiu seu caminho, percorrendo uma distância muito pequena através dos tempos. Aconteceu com ela o que acontece com todas as tremendas experiências como essa. A descoberta romântica foi seguida por aquilo que poderíamos chamar de um grande movimento romântico intelectual. Era inevitável;

[4] Citação extraída do poema "O Prelúdio", de William Wordsworth. (N. do T.)

era apropriado. Mas, como acontece com o romantismo descontrolado, a coisa se desviou para os mais desvairados extremos. Foi quase um movimento literário; nos dias da imprensa teria sido um movimento literário. Tinha duas secções, uma inocente, embora não confiável; a outra perigosa e ainda menos confiável. A primeira consistia nos contos fantásticos de Cristo e dos apóstolos. Havia relatos da infância e de como o Senhor em tenra idade impôs violenta derrota a seu mestre-escola atrofiando-lhe um braço ou de como, de modo até mais contundente, chacinou um colega adolescente malcriado (e depois o curou). Havia histórias da Virgem Maria e do que aconteceu com o sumo sacerdote que interferiu no funeral dela. Havia contos mais ou menos críveis dos apóstolos e suas visões. Até então não havia nenhum cânone de documentos aceitos pela Igreja como inspirados, e esses textos circulavam livremente com escritos mais autênticos. Alguns edificavam, outros não, mas eles não diziam respeito a questões sérias.

A outra parte desse movimento romântico foi muito mais fatal. Era um romantismo mais filosófico, ou melhor, um romantismo que se expressava em termos de filosofia. Dos escritos dessa natureza já se disse que eram aqueles "que em círculos maiores ou menores eram colocados no mesmo nível com os do nosso Cânone, mas eram vistos pela Igreja em geral como são vistos hoje o Livro de Mórmon ou os escritos da Sra. Eddy".[5] Eles, bem como os professores a eles ligados, desenvolveram as marcas típicas do romântico perdido. O romântico perdido, ou o pseudorromântico, em todos os

[5] *Apocryphal New Testament*, M. R. James. ("Sra. Eddy" é uma referência a Mary Baker Eddy [1821-1910], a criadora do movimento religioso Ciência Cristã [N. do T.].)

tempos e lugares, apresenta as mesmas marcas, e ele já as mostrava nos primeiros séculos da fé. Era então chamado de gnóstico. As escolas gnósticas foram muitas. Surgiram do contato da fé com a metafísica grega menos respeitável e as invenções mais desvairadas do Oriente Próximo. Mas todas tendiam a desenvolver-se seguindo os mesmos princípios. Aceitavam a ideia da salvação; aceitavam a atuação de seres celestes; aceitavam uma Divindade suprema e impassível. Depois, procederam a purificar essas ideias das interpretações baixas e grosseiras que o cristianismo materialista havia introduzido nelas. Faziam isso sobretudo de três maneiras:

(1) Removeram daquela suprema Divindade deles qualquer tendência à criação, especialmente qualquer tendência à criação da matéria, e de modo especialíssimo qualquer tendência à criação de qualquer coisa capaz de praticar o "mal". Consideravam a criação na Divindade não tanto algo impossível quanto algo indecente. Mas admitiram nela certas emanações ou energias sobrenaturais, e nessas admitiram outras e mais outras, até terem chegado a imaginar "uma longa cadeia de criaturas divinas, cada uma mais fraca que sua causa", e no fim chegaram "a alguém que, embora seja poderoso o suficiente para criar, é tolo o bastante para não ver que essa criação é errada".[6] Esse era o Deus deste mundo.

(2) A relação exata da espiral de emanações diferia entre as escolas. Mas elas concordavam que de algum modo a luz pura do céu inferior se envolvera na desagradável questão da matéria e necessitava ser redimida. Ela foi libertada pela descida de uma Redenção que, todavia, se vestiu simplesmente com a aparência da matéria e a depôs muito antes que

[6] *Origins of Christianity*, Charles Bigg.

a paixão e a crucificação pudessem de algum modo manchar sua majestosa espiritualidade. No batismo, ou mais ou menos por essa época, a Divindade desceu e entrou no homem Jesus de Nazaré; na prisão, ou mais ou menos por essa época, ela se retirou. O que foi açoitado e assassinado não era ela. Em alguns casos era o homem Jesus; mas invenções mais fantásticas — não menos atraentes — foram apresentadas. O *Evangelho de Barnabé*, por exemplo (por mais tardio que seja), narrou como o Senhor havia transformado Judas Iscariotes em algo parecido consigo mesmo, de modo que os guardas na confusão prenderam Judas e finalmente, incorrendo no mesmo erro, o crucificaram; enquanto isso o Senhor lá do céu contemplava sua discreta vingança.[7]

(3) Começou a desenhar-se uma divisão definida entre os crentes gnósticos. Existiam as classes espirituais inferiores: o proletariado e a burguesia do céu, que viviam pela fé. E existiam as classes espirituais superiores que viviam pelo conhecimento: os iluminados, os perfeitos. Sem dúvida os iluminados começavam na parte inferior da escala, mas rapidamente subiam: eles enxergavam. Como se houvesse um paralelismo de nosso moderno sistema de educação, eles passavam, por meio de uma série de ensinamentos de iluminação, da escola elementar para a escola secundária e para a universidade. Outros, "não tão abençoados quanto eles", permaneciam nas classes em que haviam nascido. Como o homem de negócios de E. M. Forster, perdido na selva, eles contemplavam as gloriosas hierarquias e não conseguiam vê-las. Não tinham capacidade para atingir a *Gnosis*, o Mistério.

[7] Pressupondo, como está sugerido, que o texto atual do século 16 derivou do evangelho gnóstico perdido que outrora existiu.

Todas essas visões foram rejeitadas com veemência pela opinião geral da Igreja. A revolta contra a influência gnóstica dependeu de duas coisas. Houve o talento de autores individuais antignósticos, tais como Irineu de Lião. Houve também — e isso foi muito mais importante — a crença concreta das igrejas isoladas. Em muitos pontos ela ainda estava indefinida; havia pontos especulativos em que ela ainda não foi definida. Mas todos esses grupos de todas aquelas cidades, fundados na doutrina apostólica, deixaram claro que não acreditavam no que os filósofos românticos diziam; que essa não era a Fé que eles haviam recebido e mantido. Em que acreditavam as igrejas? Elas acreditavam que o Deus Todo-poderoso — a Divindade suprema — havia criado os céus e a terra e tinha, na condição de sua Causa Primeira e Única, a responsabilidade final por eles. Acreditavam que Jesus Cristo era o Filho do Pai — no seio daquela Divindade — e nascera materialmente na terra *ex Maria Virgine* [de Maria Virgem]. Ou seja, acreditavam que a Causa Primeira e Última iniciou, operou e concluiu a Redenção. Rejeitavam, com vigorosa energia, a ideia de que a causa pertencia a um demiurgo subordinado e a ideia de que havia um tipo especial de redenção superior para pessoas superiores. Sem dúvida havia profetas e falantes em línguas e mestres e assim por diante; sem dúvida o Deus Todo-poderoso operava de maneira peculiar por meio de certos indivíduos. Mas repudiavam qualquer oposição entre fé e visão. A fé não era um substituto pobre da visão; era, antes, a capacidade de integrar todo o ser com a verdade. Era uma disposição total e um ato total. Por definição, todos os homens careciam de salvação; por isso mesmo, careciam de fé e arrependimento na fé. A visão gnóstica deixava pouco espaço para os *illuminati* praticarem o amor nesta terra; "eles vivem como se fossem indiferentes", disse Irineu. A Igreja anatematizou as pseudo-heresias; não poderia haver nenhuma superioridade exceto na moral, no trabalho, no amor. *Vejam*, *entendam*, *desfrutem*, dizia o gnóstico; *arrependam-se*, *creiam*, *amem*, dizia a Igreja, *e se vocês virem alguma coisa de passagem*, *declarem-no*.

Em certo sentido, os gnósticos evitavam qualquer "escândalo" para a mente e para a alma. As pedras que eles ofereciam eram adequadas para fundamentar muitos templos; só que não os da Cidade da Cristandade. Deus não era de fato responsável pela assustadora podridão da miséria que chamamos de mundo. A alma e o corpo (para assim dividi-los formalmente) não eram responsáveis um pelo outro. Os homens não eram responsáveis uns pelos outros. Cortou-se o nó górdio da unidade, e os fragmentos se desintegraram. Dor de dente, câncer, ciclos menstruais, frustração em amor e sexo, esses e outros males não tinham relação com a atividade das esferas celestes. "No 15º ano de Tibério César, o Cristo desceu dos céus", escreveu Marcião, um dos últimos e dos maiores dentre os gnósticos, mas a resposta ortodoxa foi que, anos antes, ele fora gerado na terra: "o livro das gerações de Jesus Cristo".

Enquanto isso, o consenso geral da Igreja estava produzindo uma ortodoxia escrita, "sobre cuja autoridade", para citar os Artigos da Igreja da Inglaterra, "nunca pairou nenhuma dúvida dentro da Igreja". Nunca é um longo tempo. Mas é verdade que o cânone do Novo Testamento emerge mais ou menos por esse tempo, não por meio de decisões dogmáticas, mas pelo consenso comum, a partir da crescente massa de escritos cristãos. Essa é, de fato, sua única ratificação. Por que o Novo Testamento? Porque a Cristandade universalmente o produziu. Mas por que a Cristandade? *Grosso modo*, porque se a Cristandade é o que ela diz que é — por exemplo, no Novo Testamento —, então é uma natureza em que nós escolhemos acreditar, em oposição à integridade pessoal, à ordem social, à especulação cultural. Lá pelo final do segundo século, o Novo Testamento estava praticamente completo e era certamente autorizado; naquele mesmo período, a Cristandade estava organizada, e a grande batalha estava prestes a eclodir.

II
A reconciliação com o tempo

A partir da metade do segundo século, cinco nomes se destacam: Montano, Marco Aurélio, Tertuliano, Clemente e Orígenes. Juntos eles prefiguram uma espécie de reconciliação entre a Igreja e o processo ordinário das coisas, mesmo se numa instância essa prefiguração toma a forma de um conflito mais violento. Não seria verdade dizer que a Igreja consentiu ter suas graças sobrenaturais extraordinárias empurradas para a clandestinidade; seria mais verdadeiro dizer que ela fez preparativos para concentrar em si mesma toda a existência humana normal. Uma mudança de método, um consentimento já atuante tornou-se mais marcado. Ela sofreu, ela manipulou, ela hierarquizou, ela intelectualizou. Tudo isso ela já havia feito, mas agora ela o adotava como comportamento definitivo.

Em determinada instância a reconciliação prefigurada tomou sua forma oposta. No ano 161 do calendário juliano, subiu ao trono Marco Aurélio Antonino. Durante o governo desse racionalista enérgico e ético, a perseguição começou a mudar. A consciência do Império em relação aos cristãos tomou, em virtude da mente e pessoa do imperador, uma forma mais deliberada. O que fora irritação, fúria, reações sanguíneas, transformou-se num deliberado esforço intelectual e moral. A pressão da Cristandade sobre Roma havia se tornado pesada demais. O Império decidiu libertar-se desse problemático delírio mental, dessa assombrosa enfermidade do seu corpo. O esforço foi deliberado e prolongado. "As perseguições sob Marco Aurélio se estendem ao longo de seu reino. Foram cruéis e deliberadas. [...] Tinham a sanção pessoal direta do imperador. Elas irrompem em todas as partes do império: em Roma, na Ásia Menor, na Gália, na África, talvez até mesmo em Bizâncio."[1] Os "bons" imperadores haviam passado a considerar o cristianismo um mal, como tendem a fazer todas as tolerantes e nobres mentes não cristãs. Em parte, sem dúvida, os melhores imperadores tinham o mais alto conceito de seu dever em relação à segurança do Estado. Mas eles também tinham o mais alto sentimento do equilíbrio moral e o menor sentimento da necessidade de redenção. Os piores imperadores — Cômodo, Heliogábalo – tinham um impulso mais supersticioso, o que certamente estava mais de acordo com os dogmas declarados do evangelho. Os deuses e a natureza dos deuses são provavelmente mais bem entendidos por pecadores que pela mente de estoicos.

Policarpo na Ásia, Justino Mártir em Roma, Irineu na Gália e muitos outros pereceram. Junto com o nome de tais homens está registrado, sob o governo de Severo, o nome de uma escrava que não apenas sofreu o martírio, mas que também numa frase definiu a Fé. Seu nome era Felicidade; ela era cartaginense; estava na prisão, onde deu à luz uma criança. Em suas dores de parto, ela gritava. Os carcereiros lhe perguntaram como, se ela gritava por causa *daquilo*, ela esperava suportar a morte pelas feras. Ela disse: "Agora *eu* estou sofrendo o que *eu* estou sofrendo; depois outro estará em mim e ele sofrerá por mim, como eu sofrerei por ele".

[1] Lightfoot; citado por B. J. Kidd, *History of the Church*.

Dizendo isso, Felicidade assumiu para sempre seu lugar entre os grandes doutores africanos da Igreja universal.

Contra aquela perseguição, assim como contra as perseguições que vieram depois, a Igreja opôs aquela lealdade sobrenatural. Mas opôs também o protesto de uma profunda lealdade natural. Ela não apenas aceitou o Império, ela se refugiou no Império; sentiu o Império como uma proteção mesmo quando o temeu como um perigo. Isso fora assim, em certo sentido, desde o início. Roma não apenas resistira aos germanos; ela se opusera ao anticristo. "O mistério da iniquidade já opera e aguarda somente que seja afastado aquele que agora o detém; então, será, de fato, revelado o iníquo." Assim, Deus já se encontrava na própria Roma, na existência e na ordem de Roma. Enquanto esse mundo durou, e na mesma proporção em que o tempo se tornava cada vez mais uma necessidade da vida cristã, a ordem pública e a República assumiram valor quase equivalente. Logo depois que a perseguição de Aurélio fracassou e desapareceu sob o ignóbil Cômodo, Tertuliano proclamou novamente o valor daquela salvação temporal. Em seus escritos apologéticos *Contra os pagãos* ele declarou que os cristãos, longe de terem sido suprimidos, estavam em toda parte. "Dizem que o Estado está cheio de cristãos, que eles estão em seus campos, suas fortalezas, suas ilhas. Murmura-se que gente de ambos os sexos, de todas as idades, de todos os respeitos, de todos os níveis sociais está aderindo à seita." Ele protestava que os Senhores do Império não faziam uma avaliação correta do caso; não, "vós vos apressais a lavrar sentenças: A lei os proíbe de existir!".

No entanto, Tertuliano afirmou que ele, como quase todos os cristãos, deseja viver na inviolabilidade de Roma. "O fim do próprio tempo, ameaçando coisas terríveis e dolorosas, é adiado devido ao tempo concedido ao Império Romano." "O que Deus quis está nos imperadores; portanto, nós gostaríamos de ter o que Deus quis guardado em segurança." Ele protestava que os cristãos, embora não pudessem dirigir preces ao Gênio do Imperador, poderiam, deveriam e de fato faziam orações pela "boa saúde" dele. Muitos romanos não cristãos, alguns imperadores, e provavelmente o próprio Marco Aurélio, pensavam definitivamente que a boa saúde do imperador era muito mais importante que seu gênio ou sua conferida divindade. Entre as duas visões moderadas havia muita concordância. Mas a divisão delas era definitiva. A Igreja, organizando-se para aquele processo no tempo, havia adotado a visão de que seus membros, como ela mesma, sempre teriam de levar a vida baseados na "fé". E a exata condição dessa fé era que a Divindade era única, suprema e *diferente*. Sem diferença não havia nenhuma reconciliação. E a reconciliação era o objetivo supremo da fé.

Duas foram as consequências — talvez inevitáveis — dessa organização em busca de um processo. A primeira foi o desaparecimento dos extraordinários impulsos sobrenaturais. Pode ser que nosso Senhor, o Espírito, os tenha interrompido; quase somos levados a aceitar essa visão ao observar como a Igreja os desestimulava. A própria natureza da Igreja envolve a visão de que, independentemente do pecado da humanidade, o que acontecia era certo. Numa discussão, isso sem dúvida confere grande vantagem de argumento a qualquer mente hostil, inteligente e cética, mas a crença não pode ser abandonada devido a essa inconveniência intelectual. O Messias parece ter indicado que no seio da Igreja, assim como na vida cotidiana, o Deus Abençoado conformará suas ações — pelo menos até certo ponto — às decisões de suas criaturas. Se a Igreja decidiu sobre alguma coisa, então aquilo deve ter sido ou deve ser verdade; e pode-se provar que o Messias nasceu de uma Virgem pura tanto porque a Igreja acreditou nisso quando por qualquer outra razão — sendo assim todas as outras coisas ajustadas. De qualquer forma, as profecias e liturgias do Espírito começaram a desaparecer.

Houve um movimento. Ele aconteceu mais ou menos na mesma época da perseguição de Aurélio, começando na Frígia e depois se alastrando. Ficou conhecido como a heresia do montanismo, recebendo o nome de seu fundador, Montano. Essa é a primeira e última de semelhantes revoltas contra os hábitos da Igreja universal. Foi a última porque ainda estava definitivamente relacionada à vida concreta da jovem Igreja; não foi um esforço para voltar a alguma coisa que estivera perdida por séculos. Foi a última também no sentido de que ainda teve o privilégio de incentivar doutrinas centrais na Igreja. Foi a primeira no sentido de que foi seguida por outros movimentos, em tempos posteriores, que tentaram uma austeridade semelhante e uma semelhante liberdade. Quase se pode dizer que a derrota do montanismo exibe a Igreja como uma instituição mais claramente que qualquer outro momento, e uma instituição comprometida com a reconciliação (não o acordo) com o homem comum.

O montanismo foi, em primeiro lugar, um movimento altamente rigorista. Em questões morais, como em tudo, há duas posições principais opostas. A primeira consiste em dizer: "Tudo é infinitamente importante". A segunda consiste em dizer: "Sem dúvida isso é verdade. Mas a mera sanidade exige que não tratemos todas as coisas como se fossem tão importantes. Faz-se necessária uma distinção: o mais ou menos é necessário; a indiferença é necessária". Essa controvérsia é sempre acirrada. A visão rigorosa é vital para a santidade; a visão relaxada é vital para a sanidade. A união delas não é impossível, mas é difícil; pois qualquer uma das duas posições que ocupe o poder começa, depois dos primeiros cinco minutos, a defender-se de motivações perversas e indignas. A rigidez, o orgulho, o ressentimento estimulam a primeira; a indulgência, a falsidade, a detestável camaradagem estimulam a segunda.

Entre as duas boas (e más) posições já havia emergido a ideia do que os Artigos da Igreja da Inglaterra chamam de "obras de supererrogação". "Se fizeres alguma coisa boa fora dos mandamentos de Deus, tu conquistarás para ti mesmo uma glória mais extraordinária", escreveu Hermas. É uma posição perigosa e difícil — que não é facilitada pela linguagem bastante violenta de conquistar glória para si mesmo na qual Hermas se comprazia. No entanto, a ideia tem permanecido na Igreja e tem sido parcialmente formulada nas falas da Via dos Mandamentos e da Via dos Conselhos. A doutrina cristã tem sido a de que a exigida entrega a Deus deve ser por inteiro, e nesse caso não poderia haver nada supererrogatório. Todavia, também se tem sentido universalmente que havia, por assim dizer, atos de amor e devoção que não eram exigidos de modo absoluto. Como pode a entrega absoluta admitir potencialidades não absolutas? A resposta parece ter residido sobretudo na doutrina da vocação. Alguns são chamados à austeridade, outros à frouxidão. Aconteceu naturalmente que a austeridade, por ser mais difícil, foi considerada superior. Assim é, no que diz respeito à dificuldade; mas não é assim, no que diz respeito à vocação. O relaxamento não é menos santo e apropriado que o rigor, embora talvez seja difícil afirmar isso. Mas os doces confortos deste mundo de alguns talvez não deixem de ter sua participação nos nobres rigores de outros; as permutas da Cristandade são muito profundas; se prosperamos pela força dos santos, eles também podem se alimentar de nossas felicidades. A vida do Redentor está na raiz de tudo; está tudo dentro da Igreja, e (disse o mesmo Hermas, em estilo mais nobre:) "ela foi criada antes de todas as coisas e em benefício dela o mundo foi estruturado".

Para nós a moral mais relaxada da Igreja do segundo século é bastante austera. Mas aos olhos dos montanistas os fiéis pareciam ter-se afastado de seu dever a ponto de quase merecer a condenação. Os montanistas propunham reavivar a decência original — com muito jejum, excluindo o segundo casamento e relacionamentos amistosos com o Estado (tais como, por exemplo, na questão da educação). Eles assumiam a mais rígida atitude em relação aos pecados cometidos depois do batismo. Recusavam-se a permitir que algum dos fiéis pudesse fugir da perseguição. Com efeito, diziam à Igreja sobre a vida comum: "Saia dela, meu povo". Denunciavam a vida normal dos cristãos da época como sacrílega, profana e idólatra. Os cristãos normais com menos motivo mas com a mesma intensidade retaliavam. Para se justificarem, até inventavam detalhes fantasiosos contra os montanistas — tais como assassinatos de crianças e eucaristia canibal. As calúnias normais da hipocrisia voavam de um lado para o outro, encorajadas por outras duas diferenças de ênfase.

A primeira referia-se aos profetas. A inspiração direta do Espírito havia, como sempre acontece, originado abusos. Os oráculos eram pagos, uma coisa em si mesma inofensiva, uma vez que o dinheiro também é um meio de permuta, mas é perigoso. Os sacerdotes podiam ser pagos, embora normalmente não fossem; eles eram indicados para seus cargos. Mas fazia parte da essência do ministério profético o fato de que não poderia haver nem contrato, nem controle; o Espírito agia *proprio motu* [por iniciativa própria]. O contrato e o controle pertenciam ao ministério hierático dos primórdios da Igreja. Naquela época, de fato, em toda a atividade dos sacramentos que começou com o início da Igreja, o Senhor se dignava entregar-se nas mãos dos homens e preencher seu acordo segundo as ordens deles. O profeta no fim do primeiro século continuava sendo apenas "aqui e ali um personagem muito venerado, mas solitário".

Seu ofício, com efeito, havia mudado. A profecia fora outrora "uma Voz que transmitia uma revelação imediata. Para Policarpo bem como para Orígenes, é uma faculdade interpretativa que, sob o sentido literal da Escritura, descobre mistérios que não são visíveis aos olhos do mero sentido comum". Ela se transferira da casa de culto para o gabinete, embora ainda tivesse discípulos lá. Algo sem dúvida foi perdido; algo foi conquistado. Mas esse é o caso; em geral a profecia tinha mudado. Os montanistas propuseram trazê-la de volta. Eles eram ortodoxos; mantinham o sistema sacerdotal — as Ordens e as Fórmulas. Mas eles propuseram "vivificar" essas coisas (sem dúvida, mesmo então, por algum motivo) subordinando-as ao ofício profético e à elocução inspirada. Foram até mais longe: desenvolveram um grande princípio. Eles eram ortodoxos acerca da natureza de Cristo; disseram que foram os primeiros a usar a palavra *homo-ousion*, "da mesma natureza", que logo seria tão importante para a Igreja. Mas tinham devoção especial pela Pessoa daquele Espírito por meio do qual os profetas falavam. Diziam que a época especial de seu governo já havia começado. Afirmou-se que foram os primeiros a chamá-lo de Deus; se assim é, ele permitiu que lhe atribuíssem um nome no âmbito de um cisma e o definissem mediante um erro. Declaravam que ele exibiu sua austeridade moral por meio da conduta deles e sua vontade por meio de seus profetas. Na disputa geral os montanistas foram derrotados; os profetas desapareceram; a moralidade foi suavizada. A Igreja universal garantiu uma suavidade para os homens e preservou o contrato com Deus. Mas deve-se admitir que o Espírito Santo continuou sendo Deus.

Assim, enquanto, por um lado, a Igreja declarava sua lealdade e reivindicava a proteção da cidadania, por outro lado ela se organizava seguindo um método regular e confiável. Ela rejeitava (se posso usar essa expressão) as explosões irresponsáveis e o extremismo moral do Espírito Santo em benefício das fórmulas estabelecidas e a disciplina moral do Messias. Ela já havia estabelecido aquele sistema de penitência que é o único sistema de julgamento que desemboca, e visa desembocar, apenas no perdão. Os pecados não deviam ser esquecidos; deviam ser lembrados. Naquelas partes da Cristandade onde não se pratica a confissão sacramental, a prática da confissão a Deus ainda vigora. A falta, a falha, deve ser oferecida a Deus: a graça exige que tudo seja relembrado pelo homem, uma vez que para Deus tudo está presente. Juntos, o Homem e Deus podem saber de tudo com alegria; já o homem sem Deus...

Mas havia outro ajuste a fazer: o do intelecto. Não foi nada fácil para a Igreja, depois de derrotar o gnosticismo, decidir-se sobre sua atitude para com a filosofia. Nas dioceses, entre todos os seus doutores, era pensamento comum que a filosofia era insignificante comparada com o evangelho. Mas, admitido isso, a filosofia era um estudo a ser considerado com generosidade ou com reprovação? O cristão deveria entender e falar sua língua? Vozes importantes orientaram a Igreja de maneiras diferentes. Por volta do ano 200 foram formuladas na África as visões contrárias. A vigorosa retórica de Tertuliano (que logo se tornaria montanista) proclamou de Cartago a austera rejeição da inteligência deste mundo. "A filosofia", escreveu ele, "é o tema da sabedoria mundana, aquela precipitada intérprete da natureza e ordem divinas. E de fato as heresias são equipadas pela filosofia." Ele procedeu a explicar rapidamente alguns exemplos gnósticos. Valentino, um platônico! Marcião, um estóico! Os epicuristas, Zeno, Heráclico — filósofos e hereges gastam seu tempo indagando de onde veio o mal e por quê; de onde veio o homem e como; e até mesmo (como pelo que parece fizera Valentino) de onde veio Deus. "Infeliz Aristóteles, que lhes deu a arte da dialética!"

A resposta a Tertuliano veio de uma voz mais doce de outra cidade africana. Alexandria, o refúgio de todas as filosofias, também nutrira a filosofia católica. Lá, entre muitas outras, surgiu a Escola Catequética dos Cristãos. Fundada (conforme alguém teria dito, conquanto improvável) por São Marcos, e visando originariamente, como era o caso dessas escolas em toda parte, a instrução de crentes antes do batismo, ela se transformou na dialética de alta e sutil especulação. Os cultos, assim como os incultos, deviam ser convencidos; e eles não precisavam rejeitar sua educação e negar suas faculdades para o entendimento da Fé. Desde Atenas praticamente não houvera discussões como em Alexandria, e agora Alexandria tinha mais a discutir que Atenas. Desde Alexandria praticamente não houve essa liberdade intelectual de expressão até os dias de hoje, e embora nossa liberdade seja tão grande quanto a deles, nossa inteligência não é maior.

"A filosofia", escreveu Clemente de Alexandria, "torna-se um caminho para a piedade; sendo uma espécie de treinamento preparatório para aqueles que chegam à fé por meio da demonstração. Talvez a filosofia tenha sido concedida aos gregos direta e primeiramente até que o Senhor chamasse os gregos." A filosofia, pensava ele, era uma forma de preparação para o homem que depois atingiria "a perfeição de Cristo". Ele não hesitou em refletir e falar sobre a *gnosis*, o conhecimento. Seu próprio professor "havia engendrado na alma de seus ouvintes um elemento imortal de conhecimento". "A mim me parece", escreveu ele, "que existe uma primeira espécie de mudança salvadora: do paganismo para a fé; e uma segunda: da fé para o conhecimento." Mas não havia nenhuma distinção entre o gnóstico filósofo e o gnóstico cristão? Sim, com certeza, embora Tertuliano pudesse julgar isso insuficiente. Era "o exercício da beneficência", "o amor de Deus". O conhecimento, "à medida que se transforma em amor, começa imediatamente a estabelecer uma amizade mútua entre o conhecedor e o conhecido"; quem alcança isso torna-se "uma luz visível que dura para sempre". Talvez valha a pena observar que aqui já estão definidos os estágios do que passou a ser chamado de Via mística: de Purgação, de Iluminação, de União. A primeira mudança se dá na crença; a segunda, na descoberta. A doçura de Clemente, meditando sobre o Amor puro, não esconde a natureza da ordem celeste. "Por amor a cada um de nós ele entregou sua vida, cujo valor não é menor que o do universo. Em troca ele exige de nós nossa vida pelo amor de uns pelos outros." Isso é amor; isso é o que se deve descobrir; no mais luminoso conhecimento disso as almas existem. Outra voz que não a de Tertuliano havia explicado em Cartago, de modo mais simples, o grande fundamento: "Outro estará em mim que sofrerá por mim como eu sofrerei por ele". As duas cidades africanas proclamaram a rede universal da permuta, e se o grito da moça escrava é mais penetrante que a doutrina do filósofo, é mesmo assim a Clemente que devemos o começo daquele pensamento filosófico que dificulta a apostasia, se é que por si só não consegue impedi-la.

O vocabulário de Paulo e o vocabulário do Quarto Evangelho estavam nesse ponto unidos. O movimento que começou com Clemente e culminou mais tarde em Atanásio preservou o humanismo para a Igreja. Mas o sucessor imediato de Clemente, a fazer palestras na Escola e a conversar com seus discípulos em sua casa, foi alguém maior que Clemente, embora talvez menor que Atanásio; foi Orígenes. Orígenes sempre foi suspeito. Foi condenado e denunciado.

> No entanto, sempre predominou a opinião
> Na Igreja (de que Orígenes) foi um homem santo —

e não apenas santo mas sábio, e não apenas sábio mas correto. Ele tem sido vítima de suspeitas por sua grande ortodoxia, pois a Igreja nem sempre se sentiu muito confortável com os mais ortodoxos.

Ele continuou a tradição e a obra de Clemente. Seria impróprio — mas nem tanto — dizer que a marca da escola de Alexandria foi a de que eles eram todos cavalheiros. Não se deve negar esse título a outros santos e doutores. Todavia, existe a respeito deles uma sensação da *naturalidade* do cristianismo, que é distinta de sua catastrófica supernaturalidade.

Clemente insistia no arrependimento e na moralidade; e Orígenes, com sua herética mutilação, levou a moralidade a um extremo mórbido e imoral. Mas a obra deles, por assim dizer, não apresenta o macabro, o terrível cheiro da corrupção. Clemente amava a filosofia, e Orígenes dedicou-se ao estudo. Ele compilou o primeiro Antigo Testamento poliglota, de seis textos. Foi um grande comentarista, um profeta (no sentido novo), um grande crítico literário (no sentido mais nobre) de acordo com sua época. Foi o primeiro a desenvolver o método alegórico de crítica bíblica; o método pelo qual o sentido, significando literalmente uma coisa, significava outra do ponto de vista moral, ou místico, ou analógico. Seu valor depende de uma iluminação de grandeza; esses significados quando mostrados devem ser evidentes, pois não é possível prová-los. Como a oração, seu objetivo real está na convicção interior. Como nós contemplamos as imagens dos poetas, assim os alegorizadores estudavam os textos da Escritura. É óbvio que esse é o método mais valioso, talvez o único valioso, em relação a grande parte do texto bíblico. Mas é também óbvio que ele se presta às mais desvairadas excentricidades como, por exemplo, os adamitas, aqueles simplórios crentes na natureza que supunham que retornando à nudez (como no Éden) nós voltaríamos à inocência (como no Éden), e vice-versa. Orígenes, como todos os leitores inteligentes daquele tempo e de hoje, percebeu que precisava impor um controle a seu cérebro e o encontrou onde todos os cristãos o têm encontrado: nas decisões universais da Igreja. Essa autoridade ele reconheceu; essa relação ele desejou. O reconhecimento da autoridade é o desejo de união, mas é também o conhecimento de que o indivíduo sozinho está fadado ao erro. O "Estado" da Igreja era o "Estado" de uma Cidade. O cisma era o pior pecado, pois o cisma estava fadado a anular a justiça a partir da qual a Cidade poderia elevar-se. Por mais corretas que estivessem as ideias de alguém, elas estavam fadadas a dar errado se fossem nutridas pelo próprio indivíduo. O valor do dogma, além de seu registro factual, é a oportunidade que ele proporciona à mente isolada de ingressar na Comunhão dos Santos — isto é, das Inteligências. O pensamento pessoal é vitalizado por essa comunhão e a ela aspira. "Quem deixa de lado a tradição da Igreja", escreveu Clemente, "deixa de ser um homem de Deus e fiel ao Senhor."

Mas Orígenes fez mais que insistir na obediência apropriada à autoridade terrena; ele descobriu uma obediência central nos segredos do céu. Menos de cinquenta anos após sua morte, nasceram na África dois grandes opositores: Ário e Atanásio. Os seguidores de ambos reivindicaram Orígenes como o doutor deles. Essa curiosa reivindicação dupla surgiu de uma iluminação que talvez tenha em si mesma um valor ligeiramente diferente. A doutrina da Trindade estava, na época de Orígenes, mais ou menos estabelecida. O Pai era o Criador de tudo; o Filho era Deus e Homem; o Espírito Santo era... o Espírito Santo. Orígenes defendia isto; ele dizia do Filho Divino: "*Non est quando non fuerit*", "Não existe o tempo em que ele não existia" — nunca dois tempos verbais iluminaram a glória de um modo tão sublime. Mas ele fez mais. Afirmou com veemência, se é que de fato ele não descobriu, a voluntária subordinação do Filho; ele contemplou na Deidade em si a alegria da obediência: obediência que é um meio particular de prazer e o único meio desse prazer particular. O Filho é coigual ao Pai (como acreditava Orígenes e como ficou depois definido), mas o Filho obedece ao Pai. Algo deliciosamente conhecido em muitas relações amorosas humanas está presente, além da imaginação, nos mais profundos segredos do céu. Pois o Filho em seu eterno Agora deseja a subordinação, e ele a obtém. Ele quer que seja assim; ele coinere de modo obediente e filial no Pai, assim como o Pai de modo paternal e autoritário coinere nele. E as Três Pessoas são coeternas em seu conjunto — e coiguais. Os arianos mais tarde negaram isso, mas no último conflito Atanásio e os representantes dos humanitários venceram. É verdade que a oposição é ainda mantida pelas comunidades unitárias de hoje, que negam amor a Deus exceto por intermédio de sua criação. Mas a Igreja não tem praticado a crença de que falta em Deus qualquer experiência de amor (entendido analogicamente): de todos os amores mais santos do Amor, *non est quando non fuerit*.

A imaginação dos Padres Alexandrinos foi cortês; suas visões eram humanitárias. Orígenes ampliou essa visão a ponto de ensinar a restituição de todas as coisas, inclusive dos próprios demônios. É impossível que um sonho semelhante não permaneça em qualquer mente amável, mas ensinar isso como doutrina quase sempre resulta na negação do livre-arbítrio. Se Deus tem caráter, se o homem tem escolha, uma rejeição eterna de Deus pelo homem deve ser admitida como possibilidade; ou seja, o inferno deve continuar. A situação dos demônios (se é que eles existem) não é problema do homem. Assim a caridade de Orígenes foi longe demais em seu esquema; ele declarou como doutrina o que só pode permanecer como desejo. Essa foi uma das razões pelas quais ele foi denunciado; isso e, entre outras coisas, uma espécie de docetismo — um desaparecimento da carne. Ele não era maniqueu, mas em suas altas especulações as necessidades da matéria agitavam-se e caíam na inexistência; em alguma parte de sua obra ele fala do corpo de Nosso Senhor sendo fenomenologicamente diferente para cada observador. Em contrapartida, "ele foi o primeiro dos pensadores cristãos a falar livremente da alma divina de Cristo e o primeiro a descrever a união usando a palavra composta Deus-homem".[2]

Ele crescera à sombra da perseguição de Sétimo Severo no início do terceiro século: quase cinquenta anos mais tarde foi torturado na perseguição de Décio e morreu em consequência disso. Aquele século manteve, com intervalos tranquilos, o esforço de Marco Aurélio. Há relatos de que o próprio Décio teria dito que preferia ter a seu lado um segundo imperador a ter um bispo em Roma. Sob o governo de Sétimo, de Décio, de Galo e Valeriano, de Aureliano, foram publicados decretos contra os fiéis. Orígenes pudera dizer que o número dos que foram levados à morte por sua crença, desde o princípio, não havia sido tão elevado; depois de sua época, já não era possível dizer isso.

Certamente houve esforços para estabelecer um acordo. Heliogábalo desejava incluir o cristianismo em seu esquema geral dos mistérios, com o Deus-Sol e Paládio; e o mais ético Alexandre colocou uma estátua de Cristo em seu oratório ao lado de Virgílio, Orfeu e Abraão — ele até preferiu que uma disputa de propriedade de terras fosse decidida a favor da sociedade cristã e não em nome de uma guilda de cozinheiros. Ele achava que era melhor para Deus ser adorado "de qualquer modo".

As perseguições criaram outros problemas menores, e as relações da Igreja com o que se poderia chamar de senso comum ficaram mais marcadas. A encarnação desse senso

[2] *History of the Church*, B. J. Kidd.

comum foi Cipriano, também de Cartago; aquele que desestimulou as *subintroductae*. Três pontos podem ser mencionados de forma sucinta: a questão da fuga, a questão dos apóstatas e o caso dos confessores.

(i) Os montanistas, e outros, acreditavam que fuga e sigilo eram inadmissíveis. Irrompeu um desvairado entusiasmo pelo martírio. Os cristãos se apinhavam nos tribunais, exigindo a própria morte. Mas a mentalidade da Cristandade desestimulava isso. "Não temos nenhuma admiração por aqueles que denunciam a si mesmo", escreveu a igreja de Esmirna à igreja de Filomélio, "e o evangelho tampouco nos ensina isso." O próprio entusiasmo deve ser purificado; não se tem o direito de envolver a si mesmo ou de envolver o governo no "derramamento de sangue". Na sua época, Clemente de Alexandria fugiu; o mesmo fez Policarpo; o mesmo fez Cipriano. Os bispos dirigiam suas igrejas lá de seus esconderijos; não era o prejuízo ou a vantagem individual que importavam, mas sim a conveniência e a administração de todo o corpo. Aplicava-se a máxima primordial de São Paulo, um tanto alterada: "Estás ligado? Não procures separar-te. Estás livre? Não procures ligar-te". Nenhuma dessas coisas *tinha importância*; tudo o que importava era a crença, a oração, o amor.

(ii) A questão dos apóstatas foi tema de muitas discussões. Se alguém, sob tortura ou não, houvesse negado a fé, quais seriam as consequências? Talvez fosse um problema mais crucial do que parece. Por definição, os fiéis *poderiam* (em estado de graça) permanecer firmes; e não poderia haver mal maior que negar, por medo do sofrimento, o Caminho que era a base de toda a existência. Se isso fosse perdoado, qualquer coisa poderia ser perdoada, pois isso era o que mais se aproximava do que era normalmente apresentado como o pecado contra o Espírito Santo. Todavia, a dor e o medo realmente perturbavam e dominavam os homens, e a Igreja pendia para a compaixão e para uma realização mais completa de sua própria natureza, que é a do pecado redimido. Mas o problema se tornou mais complicado devido a uma espécie de permuta precipitada da parte daqueles que não haviam apostatado.

Como, por exemplo, (iii) os confessores que escaparam da morte eram vistos com apropriada admiração pelo resto da Cristandade. Supunha-se que eles haviam conquistado por seu sofrimento um poder sacerdotal; o sacerdócio lhes era atribuído. Um documento do terceiro século (os *Cânones de Hipólito*) estabeleceu isso por escrito: os confessores não precisavam ser ordenados, pois o Espírito Santo os havia ordenado de forma direta. Ocasionalmente eles conferiam a absolvição formal. Esse reconhecimento era natural; mas, se de fato a Igreja devia organizar-se como instituição, era muito perigoso. A tendência era que isso não só introduzisse um ministério irregular, mas também poderia facilmente transformar o ministério regular, infiltrado de confessores, num grau espiritual superior. Além disso, como a Igreja de Roma e Cipriano perceberam, poderia haver outro tipo de confusão. Alguém poderia ter a coragem de ser um confessor e até mesmo um mártir sem ter a determinação de ser santo ou sequer virtuoso. Também se acreditava que o sacerdote deveria ter alguma instrução, e os confessores poderiam ou não ser instruídos. Após muitas discussões, as autoridades impuseram seu ponto de vista. Que os confessores fossem ordenados — tantos quantos fosse possível e da forma mais rápida. Mas, se não fossem ordenados, que não exercessem as funções sacerdotais. Na ordem sagrada talvez lhes coubessem coisas maiores, mas as ordens sacerdotais *não* lhes cabiam. Ficou estabelecido para sempre que a ministração de coisas espirituais não depende do caráter do ministrador. Alguém pode dar a comunhão a outros, enquanto ele mesmo morre à míngua; alguém pode pregar para outros, enquanto ele mesmo é um réprobo.

Na Igreja de Cartago surgiu uma situação extraordinária. Ela foi estimulada por uma oposição local e clerical ao bispo São Cipriano, mas já continha as sementes de uma doutrina muito maior — a ideia comum da substituição e da permuta: igual àquela que fora epigramatizada por Felicidade e formulada por Clemente. Em Cartago os apóstatas eram muitos, e houve um movimento pedindo sua excomunhão completa e definitiva. Alguns dos apóstatas arrependidos entregaram-se aos magistrados imperiais. Mas a Igreja cartaginense também tinha confessores, e a eles se recorria em prol de outros pecadores. Os confessores eram persuadidos "a cobrir com seus méritos os deméritos dos apóstatas e a expedir *libelli pacis* [certificados de paz] para a readmissão deles". A oposição chegou até a publicar uma indulgência ou absolvição concedida por "todos os confessores a todos os apóstatas", e queria que Cipriano a promulgasse. Cipriano declinou: era contra a Ordem sagrada. A Igreja universal, nos concílios de Cartago e Roma, num sínodo em Antioquia, por intermédio do bispo de Alexandria, seguiu a orientação de Cipriano. Era na verdade uma proposta impossível, se a Igreja como tal quisesse manter algum controle sistemático sobre seus membros. No entanto, a proposta se baseava num segredo que era quase a essência mais profunda de tudo aquilo em que a Igreja acreditava, e séculos mais tarde a doutrina do

Tesouro dos Méritos e a prática das indulgências popularizaria regularmente o esforço misterioso e irregular visando a substituição feita pelos confessores de Cartago.

A última perseguição do terceiro século aconteceu em 275; durante esse incidente Sixto II foi martirizado em Roma enquanto ensinava em público, e o próprio Cipriano foi decapitado em Cartago. Mas em 261 Galieno revogou os decretos e tolerou a Igreja formalmente: "que ninguém vos moleste". Houve paz por quarenta anos, com exceções parciais em algumas ocasiões. Ao fim desse período o "senhor e deus" Diocleciano abriu o derradeiro e maior ataque, a Décima Perseguição Geral.

Independentemente de quais fossem as causas que levaram a ele, o desafio foi, com efeito, extremo. No início ele não propunha a morte; pelo contrário, colocava a fé mais uma vez *hors la loi* [fora da lei]. Destruiu igrejas; ordenou a queima de todas as Escrituras cristãs; rebaixou todos os oficiais cristãos. Logo depois ordenou que os membros do clero fossem presos. O ataque mais uma vez era contra a organização, e a inteligência de Diocleciano se absteve de inspirar um novo entusiasmo pelos martírios. A Cristandade devia perecer por falta de nutrição; igrejas, documentos, sacramentos deviam ser removidos; as cerimônias públicas foram eliminadas; a fé devia ser empurrada para a solidão, a pobreza, a ignorância, a inconveniência, a suspeita e o desprezo. Essa havia sido a prática em algumas das tentativas anteriores; e ela foi renovada.

É difícil não atribuir à situação mais do que talvez se possa justificar; é difícil deixar de ver nela uma semelhança com os acontecimentos dos nossos dias atuais, especialmente quando se consideram o esforço e o gênio do imperador. Ele "restaurou temporariamente a ordem dentro do Império, defendeu o Estado contra inimigos estrangeiros, estabeleceu limites à desenfreada corrente de paixões e ambições, e executou um prudente e extenso programa de reformas na vida pública e privada". O historiador que assim o descreve[3] passa depois a atribuir o fracasso dos esforços do imperador e do Império ao declínio do poder criativo: "Qualquer poder criativo remanescente desviava-se deste mundo e de suas necessidades e estudava como conhecer a Deus e unir-se com ele". Mas não foi bem assim; houvera uma decisão diferente quando os gnósticos foram derrotados e quando se descobriu que o tempo era uma condição necessária para a vida cristã. A nova heresia do maniqueísmo que estava se insinuando a partir do Oriente podia de fato excluir de suas considerações a matéria do mundo. Mas a Fé ortodoxa, baseada exatamente na união da matéria com a divindade, não poderia fazer isso. Sua sobrevivência e seu sucesso tinham sido em parte causados por sua entrelaçada caridade, seus hábitos de permuta de toda riqueza, seu profundo conhecimento da comunidade. Suas doutrinas foram definidas com precisão pela crença comum; seus bispos, apesar de todas as suas desavenças, formavam um colégio federativo, indicado em parte por especialistas e em parte eleito pela multidão; seus problemas eram problemas da organização do tempo e do mundo. Para conhecer a Deus era necessário amar os irmãos — primeiro, por assim dizer, por predileção e escolha, mas depois por ele e através dele. "Nós amamos porque ele nos amou primeiro." "Se alguém disser: Amo a Deus, e odiar a seu irmão, é mentiroso e a verdade não está nele." Felicidade havia afirmado a ordem divina: "Outro por mim e eu por ele". Clemente a

[3] *History of the Ancient World; Rome*, M. Rostovtzeff.

havia definido entre os fiéis: "Ele exige de nós nossa vida em benefício uns dos outros". O que a mártir e o doutor declararam outra voz também proclamou lá do deserto. Durante o reino de Diocleciano, São Antão, o primeiro dos eremitas cristãos, cuja biografia seria escrita por Atanásio, estabeleceu sua morada entre o Nilo e o mar Vermelho. Só, ascético, emagrecido, ele deu à Igreja a mesma fórmula: "Tua vida e tua morte estão no teu próximo".

Todavia, talvez o maior epigrama de todos esteja numa frase mais ambígua. Inácio de Antioquia no início do segundo século a proferira casualmente a caminho de seu martírio: "Meu Eros está crucificado". Gente erudita tem discutido sobre o significado exato dessa expressão; será que se refere, com sua intensidade de alusão, à paixão física, a Cristo? Ou será que em vez disso ela se refere à própria natureza física do mártir? Nós, que separamos demais nossa natureza física daquela de Cristo, não podemos facilmente atribuir uma identidade aos dois significados. Mas eles se unem, e outros nascem deles. "Meu amor está crucificado"; "Meu Amor está crucificado"; "Meu amor por meu Amor está crucificado"; "Meu Amor em meu amor está crucificado". O físico e o espiritual já não estão divididos: aquele que é *Theos* [Deus] é *Anthropos* [Homem], e todas as imagens do *anthropos* estão nele. O Eros que está crucificado vive novamente e o Eros vive de acordo com um novo estilo: essa foi a descoberta da operação da fé. O Eros de quinhentos anos da Grécia e de Roma deveria viver de acordo com um novo estilo: inesperado até então, o grande movimento romântico se aproximava. "*Meu*" Eros está crucificado; incrível até então, as grandes doutrinas da permuta, da Cidade, se aproximavam. "Outro está em mim"; "Tua vida e tua morte estão no teu próximo"; "Eles em mim e eu neles".

Do ponto mais remoto do Império, de além dos estreitos mares da Gália, da Bretanha e do Norte, outra figura estava se aproximando. O Império dividiu-se novamente em exércitos conflitantes; as perseguições cessaram, foram reativadas, hesitaram, desapareceram, foram novamente reativadas. Seis augustos governavam as várias províncias. Constantino, filho de Constâncio e Helena, depois cristão, apareceu na Gália, e lá a Igreja teve paz. Ele atravessou os Alpes; um dos augustos recebera de Constantino permissão para suicidar-se em Marselha, e agora outro caía derrotado junto à ponte Mílvia. Em Milão ele fez uma aliança com um terceiro, Licínio. O Edito de Milão declarou tolerância em relação a todas as religiões; em seguida os augustos aliados tomaram medidas contra o quinto, Maximino, o perseguidor do Oriente. Derrotado em Adrianópolis, ele fugiu de volta para a Ásia e na Capadócia ele também expediu um edito de tolerância. Mas as legiões dos conquistadores o perseguiram; ele fugiu para Tarso e lá, enquanto por todo o Império a Cristandade rendia ações de graças pela paz, o mais furioso dos inimigos dela morria em violento delírio. Também estava morto Diocleciano.

Os dois augustos remanescentes reconheceram de forma plena a existência da Igreja; seu culto foi estimulado, suas propriedades foram restauradas. Pelo fraseado do Edito de Milão não era a Igreja que era tolerada, mas sim as outras religiões: "o exercício franco e livre da religião deles é concedido igualmente a todos os outros da mesma forma que aos cristãos". As operações de Constantino incentivaram — intensamente — a moral dos cristãos e a unidade da Igreja. "A proteção de todas as religiões estava rapidamente se tornando o patrocínio de uma só." A fornicação e o cisma donatista receberam igualmente pesadas penas; os escravos ganharam o direito a uma liberdade contingente, e os criminosos já não precisavam ser marcados no rosto "porque ele é formado" — ordenava o imperador, antecipando Dante — "à semelhança da beleza celestial". Seu colega pendeu para os antigos deuses. O rompimento entre eles se aprofundou ao longo de dez anos; veio a guerra e, em 323, Licínio morreu em Tessalônica.

Constantino era dono do Império; e queria mais. "Fui escolhido", disse ele, "para ser bispo das relações da Igreja com o mundo em geral." Houve disputas no seio da Igreja; precisaram ser resolvidas. Ele já se via ocupando o mais problemático de todos os ofícios: o de coroado traço-de-união entre o sobrenatural e o natural. Convocou o primeiro concílio geral; em Niceia encontraram-se mais de trezentos bispos. Reuniram-se no grande salão do palácio imperial, e seu imperial — mas não batizado — patrono apareceu em todo seu esplendor. "Ele apareceu como um mensageiro enviado por Deus, coberto de ouro e pedras preciosas: uma figura magnífica, alta e esbelta, cheia de graça e majestade", escreveu o historiador Eusébio. Ele enrubesceu; manteve o olhar fixo no chão; os bispos acenaram para ele; ele se sentou no trono de ouro e falou. Ergueu diante da plateia um bloco de cartas de acusação escritas por muitos contra muitos outros; exortando todos ao perdão, à paz e à alegria, queimou solenemente as cartas. Depois sua augustitude se moderou; começava a teologia. Logo em seguida, passados dois meses, a grande Assembleia dirigiu-se ao mundo.

A imagem adornada do imperador, entronizado no meio de sessenta dezenas de prelados, ouvindo e declarando com eles o testemunho de todas as igrejas à tradição apostólica, significa muitas coisas. Ali a aceitação do tempo se manifestou por inteiro; ali uma nova base — uma base metafísica — foi estabelecida para a sociedade. O passado romano foi rejeitado; iniciou-se o esforço da Idade Média. Aceitou-se a inteligência; aceitou-se o casamento; aceitou-se a vida comum. Descobriu-se que a visão inicial de São Pedro tinha significados mais amplos do que se havia imaginado: "ao que Deus purificou não consideres comum". A natureza da Igreja não havia mudado, e apenas os tolos supõem que havia. Ela continuou sendo reconciliação e pecado redimido; "Meu Eros está crucificado"; "Outro está em mim". Isso foi agora declarado por toda a magnificência deste mundo, pelo quase-ídolo do episcopado. Tornara-se um Credo, e continuou sendo um Evangelho.

III
As compensações do sucesso

O cristianismo se propusera regenerar o mundo. O mundo romano a ser regenerado estava agora em suas mãos. Já não haveria em seu caminho nenhuma dificuldade extrema, exceto durante o nobre e malfadado esforço do imperador Juliano de restaurar o passado. Os antigos rituais pagãos só foram finalmente proibidos no ano 392, por Teodósio, e ainda houve muita oposição retórica e sincera. Mas a terra de ninguém da religião, todas as seções do Império, as casuais e as que seguiam a moda, tornaram-se mais ou menos formalmente cristãs. Toda a insinceridade tornou-se cristã; a culpa não foi nem de Constantino, nem da Igreja. O tempo constituíra um problema, e a Igreja se organizara para resolvê-lo; agora, espaço e números haviam-se tornado problemas semelhantes. O cristianismo viera se expandindo dentro do Império, e a aceleração já ultrapassara os níveis que a moralidade cristã conseguia perfeitamente controlar. A aceleração e a correspondente perda de moralidade haviam aumentado muito.

Infelizmente, haviam atingido esse nível muito alto precisamente no momento em que uma das mais profundas divisões irrompeu — mal se pode dizer (por definição) dentro da Igreja, mas sim dentro da Igreja aparente. A divisão começara com Constantino; fora, de fato, a causa exterior da convocação do Concílio de Niceia. Essas divisões haviam no passado dado ensejo à manifestação das piores emoções, até mesmo por parte de convertidos sinceros. As emoções dos que eram apenas semiconvertidos eram ainda mais perniciosas, e a capacidade humana de destruição desencadeou-se numa escala nunca vista no âmbito dos subitamente ampliados limites da Cristandade. Começara a grande controvérsia do arianismo.

O fato da simples possibilidade disso, três séculos depois de Cristo, mostra como a Igreja fora lenta em relação à definição dogmática exata; ela estivera, como sempre esteve, ocupada com alguma outra coisa. Cristo era o Redentor, isso era certo; ele também era, em algum sentido, Deus; e, pelo menos desde os montanistas e Orígenes, havia uma Trindade Divina formal. Mas em que sentido Cristo era Deus? No mesmo sentido do Pai (permitindo a existência das Pessoas)? Ou apenas em sentido semelhante ao do Pai? Ele era coeterno e coigual? A proposição alternativa foi apresentada pelo persuasivo, virtuoso e franco diácono de Alexandria, Ário: "Houve um tempo em que ele não existia". Se o Pai era realmente o Pai e a Fonte, o Filho realmente o Filho e o Resultado, deve ter existido um tempo em que ele não existia. Ele era "de Deus", e o resto era consequência. Era tudo tão lógico e tão simples.

O Sínodo de Alexandria discutiu a questão e excomungou Ário. Ele deixou a Cidade. O bispo de Nicomédia e outros o receberam com sua doutrina. A rixa se espalhou amargamente pelo Oriente. Os dois lados citavam Orígenes. O arquidiácono de Alexandria, um pequeno egípcio chamado Atanásio, escreveu contra ele em prol de seu bispo. O imperador, ao perceber a agitação, escreveu cartas a ambos os lados ressaltando que os cristãos deviam concentrar-se no bem-viver: "não pode estar errado quem vive praticando o que é certo". Lamentou as discussões por causa de fórmulas.

Não se pode censurá-lo. Ele acabara de derrotar Licínio e de restaurar a paz e a unidade no mundo romano; não queria que seu novo império cristão, suas multidões e seus magistrados, se enervassem devido a discussões abstratas. Mas o fundador de um império metafísico precisou tolerar as inconveniências da metafísica. Houvera guerras civis em Roma, mas nenhuma até então a respeito da natureza da divindade do imperador. Mas numa guerra vale tudo. O mundo fora preparado para a mudança, e Constantino o mudara. Três séculos do vocabulário desenvolvido por São Paulo haviam exercido seu efeito. O protesto de Constantino era natural; seu infortúnio foi que o ponto em discussão era um dos poucos mais importantes e não um dos muitos menos importantes. Isso agora é claro; naquela época não era igualmente claro em toda parte.

O imperador convocou o Concílio de Niceia; os Pais da Igreja começaram a trabalhar. O resultado é conhecido. A questão que lá se levantou podia ser traduzida em todas as categorias, inclusive a da permuta. Havia, no sumo Segredo, no único Adorado — havia ali aquilo que se pode descrever apenas com tão infelizes palavras mortais como uma relação igual, uma boa vontade igual, um amor igual? Isso estava em sua essência? O Filho era coeterno com o Pai? Se não houvera criação, o Amor teria praticado o amor? E o Amor teria tido um objeto adequado para amar? Niceia respondeu que sim. Confirmou, independentemente de toda a criação, no incompreensível Só, o grito de Felicidade: "Um outro está em mim". A Divindade em si consistia na coinerência. A doutrina de Ário havia negado a Deus a possibilidade de uma permuta igual — fora da criação. É verdade que Ário, assim como Atanásio, defendeu a outra doutrina do livre-arbítrio e que, nesse sentido, cada alma tem a possibilidade de estabelecer uma permuta com Deus. Mas Niceia foi mais longe. Catorze séculos mais tarde, a doutrina foi epigramatizada por um doutor anglicano quando o Dr. Hawarden, perante a rainha de Jorge II, perguntou ao Dr. Clarke: "O Deus Pai pode aniquilar o Deus Filho?". O fato de essa questão ser absurda constitui precisamente a definição da ortodoxia. O Filho Divino não é apenas "de Deus"; ele é "Deus de Deus".

Niceia atingiu então um apogeu duplo. O espetáculo da magnificência foi acompanhado por uma ostentação intelectual dogmática. "O grande e sagrado Sínodo" exibiu-se em dois mundos. Cristo foi entronizado no céu e em Constantinopla. No entanto às vezes, como as joias parecem apenas joias, assim as palavras parecem apenas palavras. "Pai", "Filho", "Espírito Santo", "Pessoa", "essência e natureza", "igual e desigual" — que é que esse padrão de definições tem a ver com o Ser que deve sempre existir em sua incompreensibilidade? Não surpreende que a mente humana se revolte contra as joias e as palavras. É, por certo, uma revolta de sensibilidade imatura, uma ignorante revolta jovem e romântica, mas é natural. "O grande e sagrado Sínodo" surge sublime e antipatético. De revoltas assim surgiram devoções igualmente românticas e imaturas voltadas ao simples Jesus, ao gênio espiritual, ao tolerante trabalhador judeu internacional, ao Jesus dos pássaros do céu e da erva do campo. Elas não servem. A ideia cristã desde o começo acreditara que a natureza de Jesus reconciliou a terra e o céu; nele se juntaram todas as coisas, Deus e o Homem. Um Wordsworth confucionista neste caso não resolve. Joias e palavras são apenas imagens, mas pensando bem o mesmo acontece com a erva do campo e as aves do céu. E joias e palavras não são nem menos nem mais necessárias que o algodão e o silêncio.

Todavia, a Cristandade sentira a revolta até mesmo antes de Niceia — só que não como revolta, mas como movimento de compensação. Antão partira para o deserto, e muitos o haviam seguido. Ele os organizara, e lá no sul do Egito outro eremita, Pacômio, fizera a mesma coisa por outros grupos. O grande e sagrado trabalho no palácio imperial foi contrabalançado pelo sagrado e ascético trabalho dos solitários. Sono e comida e bebida e roupas foram reduzidos ao mínimo indispensável — e até menos. O repúdio competitivo alastrou-se pelo deserto, e os boatos sobre as figuras macilentas e santas de seus praticantes infiltraram-se nos bazares das grandes cidades. "O sinal dos ascetas solitários", escreveu Atanásio (o Atanásio de Niceia, de Alexandria, do humanismo, da corte e da Igreja) em sua obra *Vida de São Antão*, "prevalece de um extremo a outro da terra." Ele dominou os impressionáveis por toda parte; alguém teria afirmado que havia numa cidade "mais de duas mil virgens levando uma vida de excelência ascética". Os que admiravam essas coisas eram mais numerosos que aqueles que as praticavam, mas muitos as praticavam. A ideia do método da completa rejeição, da redução do corpo e da alma a um estado que, aos olhos de Deus, se aproximasse o máximo possível da anulação, estranhamente ganhava terreno em relação à vida. As cabanas, as cavernas, as colunas dos ascetas de fato abrigavam os que não se concentravam em mais nada que não fosse sua relação com Deus, e para eles todo o mundo exterior e (com exceção de um único pensamento) todo o mundo interior se transformaram em tentação. Surgiram novas tentações — de rivalidade, de orgulho, de *accidia*. Mas até os relatos mais desvairados de que dispomos mostram como eles também foram reconhecidos e denunciados. "Deus não perdoou teus pecados", disse o eremita Bessarion à prostituta Taís, "por causa do teu arrependimento, mas por causa do teu pensamento de te entregares a Cristo." E da mesma forma disse um certo Elias: "Tudo aquilo que tem seu ser por amor de Deus sempre tolera os que são sinceros e com eles convive".

A permuta, portanto, para eles sempre estava a ponto de surgir no Caminho, como acontece com viajantes apressados. Era uma permuta de humildade e ternura e (muitas vezes) de excepcional inteligência. Um perigo, mais óbvio talvez para nós que para eles, estava na consciência que tinham da virtude; eles às vezes têm aquela sensação de tensão que foi denunciada num século subsequente pelo autor de *A Nuvem do Não Saber*. É por isso que eles viam o demônio com tanta frequência. Seus comentários sobre a humildade examinam aquela virtude de modo demasiado febril para serem totalmente convincentes. Mas os maiores dentre eles se destacavam pela lucidez. Macário disse a Arsênio: "Conheço um irmão que tinha algumas hortaliças em sua cela, e para evitar qualquer sensação de gratificação pessoal eles as arrancou com raiz e tudo". Arsênio respondeu: "Muito bem; mas cada um deve agir de acordo com a sua capacidade, e se ele não tiver forças suficientes para viver sem hortaliças, talvez seja melhor plantar outras". Eles também adotavam o princípio remoto. Certo irmão disse: "É correto que alguém tome sobre si o fardo daqueles que estão a seu redor, seja lá o que for, e que, por assim dizer, coloque sua alma no lugar daquela de seu próximo e se torne, se possível, um homem duplo; e ele deve sofrer, e chorar, e lamentar-se com o próximo, e no fim ele deve considerar a questão como se houvesse assumido o corpo real de seu próximo e como se houvesse adquirido seu semblante e sua alma; e deve sofrer por ele como se sofresse por si mesmo. Pois assim está escrito: *Somos todos um só corpo*, e essa passagem também nos informa a respeito do beijo sagrado e misterioso".

A antiga visão gnóstica de que a matéria era má sem dúvida os havia afetado, e o gnosticismo mais recente havia começado, sob a forma do maniqueísmo, a insinuar-se a partir do Oriente. Ele fora proibido por Diocleciano por ser uma importação persa, não europeia, antes de ser rejeitado pela Cristandade como um luxo diabólico, não cristão. Mas dentre todas as heresias essa é uma das poucas que de modo geral e extremamente sutil é alimentada por nossa natureza comum. Sempre há nela uma energia emocional renovada. É devido ao maniqueísmo que se desenvolveu na Cristandade — apesar do mito da Queda em Gênesis — a vaga sugestão de que o corpo de algum modo decaiu mais que a alma. Essa sugestão com certeza foi alimentada dentro da Igreja pelos ascetas do deserto, sobretudo com seu franco repúdio do sexo. Essa é provavelmente a única coisa que geralmente se conhece a respeito deles — excetuando-se a coluna de São Simeão Estilita —, e o desprezo e ódio que eles sem a devida reflexão expressaram pelo sexo lhes foram cordialmente retribuídos por um mundo posterior. Aquilo era apenas uma parte de sua paixão genérica pelo isolamento da alma, mesmo que esse isolamento tendesse a tornar-se uma singularidade. O sexo, pensavam essas pobres e ignorantes criaturas, era uma das maiores, mais sutis e mais duradouras de todas as loucuras; a Igreja tampouco havia demonstrado — pelo menos desde a supressão das *subintroductae* — qualquer sinal de pretender exibi-lo como sendo às vezes a maior, a mais esplêndida e a mais autorizada de todas as atrações.

No entanto, até mesmo na Tebaida, a rejeição foi, na melhor das hipóteses, considerada apenas um método do Caminho. "Um monge encontrou-se com as servas de Deus numa estrada das montanhas e, ao avistá-las, saiu do caminho. E a abadessa lhe disse: 'Se tu houvesses agido como um monge perfeito não terias olhado com tanta atenção a ponto de perceber que nós éramos mulheres'."[1] A observação teria sido perfeita se ela houvesse dito: "Tu não terias percebido que nós éramos mulheres". Talvez ela tenha feito isso.

Há sem dúvida um estado mais nobre que esse: observar com adoração todos os corpos, inclusive as mulheres; mas a reprimenda foi — ou pelo menos pode ter sido — fascinante e mostra, tanto no deserto quanto na cidade, o desejo que é a Glória da Cristandade. "Veja", disse o primeiro fundador ao morrer, "Antão termina sua jornada; ele vai para onde quer que o leve a Graça Divina."

Neutralizando o ascetismo que ela admirava, a doutrina formal da Cristandade sobre a matéria permaneceu constante. Dois antigos cânones, que se diz datarem do segundo ou terceiro séculos, iluminam a visão oficial. Dizem o seguinte: "Se algum bispo ou sacerdote ou diácono, ou algum clérigo qualquer, se abstiver do casamento e da carne e do vinho, não por motivo de disciplina, mas por desprezo, e se, esquecendo que todas as coisas são muito boas e que Deus criou o homem e a mulher, injuriar com blasfêmias a criação (*blasphemans accusaverit creationem*), que ele seja admoestado ou deposto e expulso da Igreja (*atque ex Ecclesia ejiciatur*). E o mesmo se aplica a qualquer leigo".

[1] *The Desert Fathers*, Helen Waddell. (As outras citações foram extraídas de *The Paradise of the Fathers*, E. A. Wallis Budge.)

"Se algum bispo ou sacerdote ou diácono não se alimenta de carne e vinho em dias de festa, que ele seja deposto, para que sua consciência não se endureça e ele seja motivo de escândalo para muitos."[2]

"Injuriar com blasfêmias a criação" — se toda a Cristandade houvesse partido para o deserto e vivido entre os leões, continuaria sendo verdade que a autoridade dos altos pontífices teria sido forçada a afirmar que o casamento e a carne e o vinho eram coisas muitos boas, "*valde bona*". A rejeição devia ser rejeição, mas não recusa, assim como a aceitação devia ser aceitação, mas não subserviência. Os dois métodos, a Via Afirmativa e a Via Negativa, deviam coexistir; quase se poderia dizer, coinerir, uma vez que uma devia ser a chave da outra: no intelecto assim como na emoção, na moral assim como na doutrina. "Tua vida e tua morte estão com teu próximo." Nenhuma afirmação poderia ser tão completa a ponto de não precisar de definição, disciplina e recusa; nenhuma rejeição tão absoluta a ponto de não admitir (literal e metaforicamente) alimentos indispensáveis, uma pele de animal e um pouco de água. Os que rejeitavam coisas materiais talvez se ativessem ferrenhamente a fórmulas verbais; os que olhavam de través para as fórmulas talvez captassem mais facilmente as imagens divinas da matéria. A comunhão da eucaristia, ao mesmo tempo imagem e Presença, era comum e necessária para as duas posições. Uma Via consistia em afirmar todas as coisas ordenadamente até que o universo pulsasse cheio de vitalidade; a outra consistia em rejeitar todas as coisas até que nada existisse exceto Ele.

[2] *History of the Church Councils*, Hefele; o original grego está aqui traduzido para o latim.

A Via da Afirmação criaria a grande arte e o amor romântico e casamentos e filosofia e justiça social; a Via da Rejeição revelaria continuamente os profundos documentos místicos da alma, os registros dos grandes mestres psicológicos da Cristandade. Tudo dizia respeito à Cristandade, e entre as duas vias, por assim dizer, atuava a rede da hierarquia eclesiástica, trabalhando, ordenando, expressando, confirmando e muitas vezes interpretando mal, mas sempre necessária a qualquer organização temporal e particularmente necessária naquela época no espaço recém-expandido.

Há dois documentos, com data de um ou dois séculos mais tarde, que apresentam a divisão entre as Vias no mundo das definições e no que diz respeito à natureza de Deus. Um é a grande ode humanista "geralmente chamada de Credo de São Atanásio"; o outro é a obra *Teologia Mística* de Dionísio Areopagita. Sem nenhuma dúvida, o Credo fala sobre a Incompreensibilidade e Dionisío mapeia os céus. Nenhum dos dois documentos sustenta a visão do bispo Eunômio de Cízico, que "transformou a teologia em tecnologia" e que, segundo relatos, declarou: "Eu conheço a Deus tão bem como ele se conhece a si mesmo".[3] Mas o "humanista" objetivo pode servir como divisão; o apogeu de um é o que é conhecido, aceitando o desconhecido; o apogeu do outro é o que deve ser desconhecido, aceitando o conhecido. A união dos dois está na frase de Inácio, citada por Dionísio e, do ponto de vista dogmático, declarada no Credo: "Meu Amor está crucificado".

O Credo é a definição da salvação, e ele estabelece uma condição básica indispensável: a de que se deve crer na

[3] *History of the Christian Church*, Kidd.

existência da salvação e em sua natureza própria. Ele não retrocede àquela outra exigência de uma decisão de crença na própria existência individual que é quase sempre uma preliminar desejável. Nós sentimos, nós pensamos que nós existimos, mas quase nunca fazemos um sério ato de fé na nossa existência, visto que se poderia crer que a própria Cristandade seria composta de gente que acredita que, por meio de Deus, existe, mas sem pensar nisso ou sem senti-lo de modo perceptível. Todavia, o Credo Atanasiano, sendo um documento mais avançado, começa pelo Criador. Ele resume naqueles artigos cruzados e vibrantes toda a questão do relacionamento no seio da Divindade. Assim, a Divindade é um único Deus — a palavra triunfa sobre o plural reduzido: "não há três deuses, mas um só Deus". Daí passa à Encarnação: "é necessário que creia corretamente". É com relação a isso que o Credo produz uma frase que é exatamente a máxima da Via Afirmativa: "Não pela conversão da Divindade na carne, mas pela elevação da humanidade em Deus". E isso não se aplica apenas à Via religiosa particular, mas a todo progresso de todas as afirmações: é a própria humanidade que deve ser elevada, e não a altura que deve ser trazida para um plano inferior. Todas as imagens devem, cada uma em seu grau, ser elevadas; a mente nunca é separada da matéria; toda experiência deve ser recolhida. As imagens podem ser didáticas assim como a ausência delas; sua rejeição em si pode ser uma tentação. Mas a Substituição e o Sacrifício, as "boas obras" devem todas ser prolongadas e recolhidas, e os que participam disso encontrarão a vida eterna. Esse é o princípio que deve ser observado "íntegro e impoluto"; e quem pode fazer isso? Ninguém. Portanto, ele se observará a si mesmo, ele se corrigirá e iluminará a si mesmo. Sem essa grande união — "Deus perfeito e homem perfeito, com alma racional e carne humana" — o homem está condenado a escorregar de vaidade em vaidade, de ilusão em ilusão, eternamente perecendo, eternamente perdido. "Mas a Fé católica é esta..."

O outro documento é muito diferente.

No ano de 533, em Constantinopla, o patriarca de Antioquia, Severo, um monofisita, falou sobre os escritos de Dionísio Areopagita. Os livros que assim foram invocados de modo herético tinham naquela época, assim como tantos outros escritos, uma autoridade quase apostólica que lhes era incorretamente atribuída; dizer "falsamente" seria implicar uma intenção moral, e ninguém na época pensou nisso. Dionísio era supostamente um ateniense, um discípulo direto de São Paulo, e foi, por ordenação dele, o primeiro bispo de Atenas. Escreveu um livro sobre a Hierarquia Celestial, outro sobre a Hierarquia Eclesiástica, um sobre os Nomes Divinos e outro sobre Teologia Mística. Hoje se pensa que ele provavelmente foi um monge da Síria do século 5, discípulo de um certo Hieroteu, mais ou menos identificado com outro sírio, Estêvão bar Sudaili. Desde o ano 533 esses escritos sempre pairaram sobre a Cristandade quase como a ápode Ave-do-Paraíso: admirados, amados, mas sendo, mesmo assim, alvos de alguma desconfiança. Dionísio foi invocado como ortodoxo pelo papa Vítor I no Concílio de Latrão, de 649; em 757, seus livros foram enviados pelo papa Paulo à Igreja da Gália; e o imperador do Oriente, Miguel Balbo, os enviou também ao rei Luís, o Pio. João Escoto Erígena os traduziu, para Carlos, o Calvo, da França e para o Ocidente. São João Damasceno aprendera com eles e os anotara; no apogeu do escolasticismo, Tomás de Aquino citou passagens deles como se se tratasse de qualquer outro doutor da Igreja com autoridade estabelecida; e o anônimo autor de *A Nuvem do Não Saber*, em sua sublime rejeição das imagens, ao escrever sobre o fracasso final da perspicácia espiritual na presença do Só, evocou um parágrafo de Dionísio para confirmar seu próprio derradeiro grito.

Esses escritos de fato constituem o apogeu de uma grande modalidade de especulação e experiência; eles mal estão, mas estão, dentro da ortodoxia da Cristandade. Eles fornecem as grandes definições negativas infinitamente satisfatórias para certos tipos de mente que contemplam intelectualmente o Princípio Divino. A conclusão da *Teologia Mística* eleva-se e penetra numa grande escuridão, vagamente iluminada pelas próprias frases que a obra rejeita.

> Mais uma vez, subindo ainda mais, nós sustentamos que Isso não é alma, ou mente, ou algo dotado de imaginação, conjectura, razão ou entendimento; Isso também não é nenhum ato de razão ou entendimento; Isso tampouco pode ser descrito pela razão ou percebido pelo entendimento, pois não é número, nem ordem, nem grandeza, nem pequeneza, nem igualdade, nem desigualdade, sendo que Isso não é imóvel e não está em movimento, nem em repouso, e não tem força e não é nem força nem luz, e não vive e não é vida; Isso não é essência pessoal, ou eternidade, ou tempo; tampouco pode ser captado pelo entendimento, pois Isso não é conhecimento ou verdade; Isso não é realeza ou sabedoria; tampouco é uno ou uma unidade; Isso não é Divindade ou Bondade; tampouco é um Espírito, como nós entendemos o termo, uma vez que Isso não é Filiação nem Paternidade; Isso não é qualquer uma dessas coisas que nós ou qualquer outro podemos conhecer; tampouco pertence à

categoria da não existência ou da existência; os seres existentes não conhecem Isso como Isso de fato é; tampouco Isso os conhece como eles de fato são; a razão não pode atingir Isso, dar-lhe um nome ou conhecê-lo; Isso não é escuridão, nem luz, ou erro, ou verdade; nenhuma afirmação ou negação se aplica a Isso, pois mesmo empregando afirmações ou negações àquelas ordens de ser que se aproximam dIsso, nós não empregamos em relação a Isso nem afirmações ou negações, porquanto Isso transcende todas as afirmações sendo a Causa única e perfeita de todas as coisas, e transcende todas as negações por meio da preeminência de sua natureza simples e absoluta — livre de todas as limitações e situando-se além de todas elas.

Alguém disse que essa não é a espécie de ser a quem o homem possa dirigir orações. Não, mas sem essa revelação não há nenhum tipo de coisa a que os homens possam *orar*, e as orações da Cristandade ficarão demasiado circunscritas. E o próprio Dionísio conhecia a outra Via, e seu livro sobre os *Nomes Divinos* se assemelha mais a ela — como, por exemplo, quando ele se refere a São Paulo, na discussão de "Meu Eros está crucificado". "E assim o grande Paulo, forçado pelo Anseio Divino [...], diz, com palavras inspiradas: 'Já não sou eu quem vive, mas Cristo vive em mim'; verdadeiro bem-amado que era e (como ele mesmo diz) estando fora de si em Deus e não possuindo sua própria vida mas possuindo a vida de Deus por quem ele ansiava." Pois aquilo que está além de todas as categorias e só tem dentro de si sua necessidade de ser, "é tocado pelo doce fascínio da Bondade, do Amor e do Anseio, e assim é atraído lá de seu trono que transcende todas as coisas para morar no coração de todas as coisas, por meio de uma força superessencial e extática e com isso ele ainda permanece dentro de si mesmo".[4]

No entanto, talvez nem os eremitas e monges egípcios, nem os sírios no "topo de sua especulação" interior, totalmente divorciados das confusões, dos motins, dos exílios e das excomunhões que aconteceram imediatamente após o Concílio de Niceia, constituam a verdadeira compensação e contrabalanço daquele evento. Os arianos se dividiram em arianos e semiarianos; as declarações do "grande e sagrado Sínodo" foram ardorosamente discutidas, e se o Espírito Santo havia lá controlado a voz, ele não tentou calar as vozes da Cristandade. Bispos foram banidos e depostos; o imperador oscilou perigosamente perto do ponto de vista ariano, mais compreensível; Atanásio tornou-se bispo de Alexandria, fugiu, voltou e acabou expulso. Refugiou-se com os monges do deserto fanaticamente ortodoxos. Ário voltou para Alexandria, caiu de sua mula e morreu, mas a morte não pôs termo a sua doutrina. Acidentes envolvendo líderes tão distintos eram, aos olhos de seus opositores, quase sempre milagres de julgamento, e durante esse período incentivou-se na Cristandade a visão que tentava discernir em acontecimentos exteriores um indício da verdade espiritual interior. Em épocas subsequentes a falsa devoção inventou aterradores leitos de morte para ateus e agonizantes moléstias para quem não observasse o sábado. Isso, que em si mesmo é bastante perigoso, é piorado ainda mais pela fatal tendência humana a apressar a obra de Deus para suprir, por ele, as mortes e agonias que os homens acham que a inescrutável paciência de Deus temerariamente adiou. Assim, instigada ao fogo e ao derramamento de sangue, a controvérsia

[4] *Dionysius the Areopagite*, C. E. Rolt.

ariana seguiu seu caminho durante o governo imperial de Constantino, que, sob outros aspectos, foi pacífico.

Este, porém, foi o resultado de Niceia. Por volta de meados do século, mais ou menos na época da morte de Antão e do terceiro exílio de Atanásio, a verdadeira compensação de Niceia nasceu em Tagaste, na Numídia; seu nome era Agostinho. Ele veio para corrigir (ou, na opinião de alguns, para perturbar para sempre) o equilíbrio da Igreja. No Oriente a especulação subira do pé do trono imperial para as alturas celestes, e a ideia da permuta havia sido seguida até os mais remotos confins do céu. Com Agostinho a teologia voltou-se para o homem e o pecado. A Igreja sempre soubera sobre o pecado; alguns doutores (como Tertuliano) conheciam muito sobre o assunto. Mas em sua totalidade, especialmente depois dos doutores alexandrinos, ela havia enfatizado a Redenção. Agostinho, sem dúvida, fez o mesmo; veja as *Confissões*. Todavia, exatamente as *Confissões* parecem conter tudo, exceto uma coisa: a *anima naturaliter Christiana* [alma naturalmente cristã]. Elas dividem, agonicamente, o corpo natural do corpo espiritual, e seus leitores e seguidores fizeram essa divisão de modo ainda mais fervoroso. Quando Santa Mônica separou Agostinho da que era sua amante e mãe do filho dele, então com dezoito anos, e a fez voltar de Milão para a África, algo foi embora com ela, algo de que talvez a Cristandade e Agostinho precisassem quase tanto quanto precisavam de Santa Mônica, embora não tanto quanto a Cristandade precisava de Agostinho. A Cristandade não a entendeu. Entendeu em vez disso o estilo de Agostinho, e esse estilo nunca deu a impressão de perceber direito que o homem poderia desenvolver-se, de forma suave e natural (e não menos suave e natural apesar de todos os estágios de arrependimento necessariamente envolvidos), transformando-se de homem em novo homem. Com certeza tem menor probabilidade de fazer isso quem insiste muito na possibilidade. Mas o movimento existe e a grande energia agostiniana da conversão, contrição e aspiração situa-se um pouco à margem dele. Formalmente Agostinho não errou; mas informalmente? Ele também, apesar de toda sua cultura, seguiu a Via da Rejeição das Imagens e inspirou os séculos posteriores a retornar para essa Via. Ele sempre tem sido um perigo para os devotos, pois sem sua genialidade eles perdem de vista seu escopo. Desloquem-se alguns de seus dizeres apenas um pouco para longe do centro de sua paixão, e eles indicam o caminho da perdição. O *anthropos* que é Cristo fica meio ocultado pelo *anthropos* que foi Adão. Em Agostinho isso não aconteceu porque seu olhar estava fixo em Cristo. Mas ele quase conseguiu, embora de fato não intencionalmente, direcionar de forma perigosa os olhos da Cristandade para Adão.

"Agostinho, lá de sua pequena cidade portuária na costa do Norte da África, agitou toda a Igreja Ocidental exercendo o papel de seu ditador intelectual."[5] Ele se convertera como São Paulo; se apoderara de Cristo por meio de Paulo. Surgiu na Cristandade a partir do que lhe pareciam ser catástrofes. E a grande catástrofe fundamental era a situação em que todos os homens nascem; o novo nascimento era a libertação dessa catástrofe. Dois famosos dizeres epigramatizam a mudança. O primeiro é este relutante suspiro: "Faz-me casto, meu Senhor; mas não já!". O segundo é esta alegria reconciliada: "Ordena a castidade; concede-me o que ordenas, e ordena o que quiseres!". Ambos provêm das *Confissões*, que

[5] *The Idea of the Fall*, N. P. Williams.

(disse Agostinho com desdém) os homens leem por curiosidade, ou (poderia ele acrescentar) por uma consciência humana do que é humano; não é isso que o grande Recusador das Imagens desejava. Poucas coisas lhe pareciam mais imbecis que o fato de que sua biografia fosse admirada por todos os motivos, excetuando-se toda a conclusão, o ápice e a causa dessa obra. Mas nosso Senhor, o Espírito, permitiu que uma frase dela — a segunda das duas citadas acima — ocasionasse mais controvérsias e importantes decisões na Cristandade.

Houve um encontro em Roma, talvez uma assembleia clerical ou algo desse gênero. Um certo Pelágio, um cristão irlandês, participou do evento. Ele não era sacerdote, mas estava em Roma empenhando-se numa campanha para reavivar e estimular a religião; estava conduzindo uma missão para os romanos. Seu método particular consistia em encorajar os homens a serem *homens*. Era bastante ortodoxo e estava repleto de verdadeiro amor por seus semelhantes e desejava o bem deles; mas julgava que seus semelhantes eram perfeitamente capazes de cumprir a vontade de Deus e de serem castos (ou qualquer outra coisa) se assim quisessem. Os homens não precisam pecar, a menos que escolham fazê-lo; e se eles não escolherem isso, não precisam pecar. Isso era bastante ortodoxo. Obteve algum êxito, e sua influência se alastrava. À assembleia compareceu "um certo irmão, um de meus colegas de bispado", diz Agostinho. O bispo durante a assembleia citou a frase, já muito conhecida, tirada das *Confissões*: "*da quod iubes*", "concede o que ordenas". Isso, acrescenta Agostinho, *Pelagius ferre non potuit* — Pelágio simplesmente não podia tolerar esse tipo de coisa. O homem não estava absolutamente naquele tipo de situação; sem dúvida ele era tentado, mas podia resistir à tentação. "Anime-se, meu caro colega", disse ele com efeito, e de fato afirmou que dizer que a virtude é difícil ou dura, ou dizer que não poderia ser praticada, ou queixar-se da fraqueza da carne era contradizer a Deus pura e simplesmente e fingir ou que ele não sabia o que havia criado ou que ele não sabia o que estava ordenando: "como se [...] ele houvesse imposto ao homem ordens que o homem não pudesse suportar".

Mas isso, que para Pelágio parecia tão escandaloso, para Agostinho parecia ser a pura verdade. Casto é o que a lei mandara que ele fosse e o que ele não tinha conseguido ser. A lei era precisamente impossível. O homem não estava precisamente *numa* situação — nem mesmo numa situação difícil. Ele mesmo era a situação; ele mesmo era a contradição; ele mesmo era a morte-em-vida e a vida-em-morte. Ele era incompetente. Agostinho sentira isso agudamente; desde a conversão ele vinha ensinando isso — que o homem era a situação e apenas a graça de Deus poderia alterá-la. Ele assim como Pelágio sentia profundamente a desejabilidade da superação humana do pecado, mas o problema era saber o que era o pecado e qual a melhor maneira de superá-lo. Expandindo-se em círculos a doutrina espalhou-se para longe de Roma e de Hipona. Nunca antes a Cristandade sentira a evolução dessas duas visões de modo tão pleno e tão honesto. Previamente ela aceitara uma noção geral de que os homens se encontravam num estado "decaído", mas não havia forçado nenhuma definição do caso. As definições que o caso produzira tenderam a relacionar-se com a Pessoa que redimiu os homens tirando-os daquele estado. Isso, no fim das contas, foi o que preocupou as maiores mentes e as mais nobres almas. O choque entre Pelágio e Agostinho alterou tudo isso.

Que o homem, na pessoa de Adão, havia caído era ponto pacífico. Pelágio, com efeito, dizia que (i) Adão fora criado num estado de bondade natural; (ii) que ele de algum modo pecara e dera o mau exemplo de pecar, de modo que uma espécie de hábito social de pecado se desenvolvera e nele todos os homens eram iniciados durante o crescimento, antes de atingirem a idade da razão; (iii) mas que qualquer homem a qualquer momento podia deixar esse lamentável hábito social simplesmente sendo firme consigo mesmo — "tenha coragem, meu rapaz, de dizer não"; (iv) e que portanto não era preciso obter nenhuma graça especial de Deus para iniciar a mudança, embora a graça fosse um auxílio conveniente e necessário, que sempre seria encontrado pelo homem que buscasse o que é certo.

Opondo-se a isso, a visão agostiniana — com grande colaboração do próprio Agostinho — afirmava (i) que o homem foi criado num estado de bondade sobrenatural, com consciência específica de Deus; (ii) que Adão saíra desse estado por meio do pecado, e o pecado foi de "soberba" — isto é, "o ato de abandonar o verdadeiro 'princípio' da alma e de constituir-se a si mesmo como seu próprio princípio".[6] Ele havia, por assim dizer, alegado ter em si mesmo uma necessidade de ser e se comportava de acordo com isso. Ele, de algum modo e em algum momento, se portou como se fosse Deus. (iii) Seus descendentes, portanto, não tinham apenas o hábito social de pecar; eles não pecavam simplesmente; eles eram pecadores, o que não é absolutamente a mesma coisa. Não, mais que isso, todos eles haviam sido envolvidos naquela primeira iniquidade original e em sua consequente

[6] *St. Augustine and French Classical Thought*, Nigel Abercrombie.

culpa. "*Omnes enim fuimus in illo uno quando omnes fuimus ille unus*" — estávamos todos naquele indivíduo quando todos fomos aquele indivíduo. Assim, sendo todos culpados, todos merecemos o inferno e estávamos caminhando para lá, pela simples questão de termos nascido, embora não, naturalmente, *por* termos nascido. Essa era precisamente a agonia: nascer foi uma coisa boa, mas aquela coisa boa significou o mal supremo, a vida-entrando-na-morte e a morte-entrando-na-vida. Alguns que conseguiram morrer novamente antes da idade da razão possivelmente depois disso sofram menos. Mas os outros homens eram *corruptos*; eles existiam na noite da assustadora ignorância e na tempestade do amor perverso; eram para todo o sempre partícipes daquela catástrofe fundamental que resultou de Adão imaginar que tinha um princípio e uma necessidade de existência dentro de si mesmo. (iv) Era, portanto, um absurdo herético e blasfemo falar do homem como se ele estivesse moderada e socialmente habituado a pecar: ele estava em pecado, e dele não podia sair por sua própria escolha. Ele não podia se mover, exceto pela graça, por aquele princípio que não estava dentro dele. Para Agostinho, Pelágio estava praticamente ensinando os homens a acompanharem aquela antiga catástrofe original e a mergulharem nela; ele estava quase declarando que o homem era seu próprio princípio, que ele praticava suas próprias boas obras. Mas toda a Cristandade, e especialmente Agostinho, sabiam que somente Cristo podia fazer o papel de Cristo.

Mas se somente Cristo faz o papel de Cristo, quem faz o papel do anticristo? Se todas as nossas boas ações resultam da ação de Deus, de quem resultam nossas más ações? Elas são nossas? Exatamente. Deus, por assim dizer, determina e se predestina a praticar certas boas ações em certas vidas; isso é sua graça. E o que acontece com as vidas em que ele não determina e não se predestina a praticar boas ações? Bem... ele simplesmente não o faz. Aquelas vidas vão então se perder? Bem... vão sim. Deus salva a quem ele escolhe e os outros se condenam a si mesmos. "A equidade dele é tão secreta que está além do alcance de toda compreensão humana." É sumamente importante perceber que, nessa frase, Agostinho do fundo do coração quis dizer "equidade" e quis dizer "além da compreensão humana".

"O primeiro moderno", como Agostinho tem sido chamado, proferira a palavra "graça" com nova ênfase. Adão de repente voltara. "A graça de nosso Senhor Jesus Cristo" devia ser analisada como o fora a natureza de nosso Senhor Jesus Cristo. Os segredos da corrupção humana deviam tornar-se tema da inteligência investigativa da Cristandade na mesma medida em que o foram os segredos de sua Redenção. A inclusão do Salvador na Divindade foi seguida pela exclusão de Adão, pelo menos até a porta do inferno, e de todos os seus filhos a quem a imprevisível equidade, dentre tantas miríades, não escolheu para redimir. No entanto, pode-se observar que Agostinho, talvez pondo em risco o próprio pensamento e certamente pondo em risco o pensamento de seus sucessores, visava o mesmo princípio do inevitável relacionamento que em tantos outros aspectos norteava a ortodoxia da Igreja. "*Fuimus ille unus*", disse ele; "nós estávamos naquele indivíduo quando fomos aquele indivíduo." Por mais numerosas que sejam as camadas de tempo entre nós e Adão, mesmo assim nós estávamos nele e éramos ele; mais ainda, nele pecamos e sua culpa está em nós. E se de fato toda a humanidade se mantém unida devido a sua rede existencial, então as diferentes épocas não podem separar-se umas das outras.

Permuta, substituição, coinerência são um fato natural assim como uma verdade sobrenatural. "Outro está em mim", disse Felicidade; "nós estamos num outro", disse Agostinho. A coinerência retrocede até o começo assim como se estende até o fim, e o *anthropos* está presente em toda parte. "Porque, assim como, em Adão, todos morremos, assim também todos serão vivificados em Cristo." A coinerência não começou com a Cristandade; tudo o que aconteceu então foi que a própria coinerência foi redimida e revelada pela própria redenção como um princípio sobrenatural bem como natural. Fomos feitos pecado em Adão, mas Cristo se fez pecado por nós, e nele fomos tirados do pecado. Negar a antiga herança de culpa é excluir-se da humanidade assim como certamente equivale a recusar o novo princípio. É necessário submeter-se livremente a uma e a outra realidade.

O novo princípio fora introduzido na rede e só ele podia separar uma alma da outra, ou separar qualquer alma da multidão. O princípio não se aplicava apenas ao espírito, mas também à carne do homem. Pelágio declarou que o homem tinha liberdade moral, assim como Nestório declarou mais tarde que havia em Cristo dois seres unidos por um vínculo moral e não uma única Pessoa divina. "O Deus nestoriano é o Salvador apropriado do homem pelagiano."[7] Foi isso que levou Nestório a negar que a Bem-aventurada Virgem era *theotokos*, mãe de Deus. Mas ele também negou, inevitavelmente, que ela era *anthropotokos*, a mãe do Homem. A escola contrária defendia que ela era as duas coisas, pois a Queda e a Redenção aconteceram na alma e no corpo. O mistério estava na carne e no sangue. Foi essa profundidade de

[7] *Our Lord's Human Example*, citado por N. P. Williams, *The Idea of the Fall.*

permuta e substituição, natural e sobrenatural, que o zelo de Agostinho profundamente expôs para a Cristandade. A Cristandade nunca se entregou completamente a Agostinho; passou séculos fugindo de suas frases. Mas sem Agostinho ela poderia ter deixado de ser Cristandade.

Ele fez mais. Muito mais. "Vistos no contexto da filosofia cristã como um todo, até mesmo pensadores como Clemente e Orígenes são apenas precursores de Agostinho; pois eles filosofam sobre Deus e a natureza humana, mas não sobre a própria esfera divina, sobre a esfera da comunhão com Deus, o que não existia como problema para a consciência filosófica antes da *Civitas Dei.*"[8] Não foi apenas o livro desse título que expressou esse conceito; tampouco Agostinho foi o único a imaginar um estado celestial. Uma centena de apócrifos do apocalipse haviam imaginado *aquilo*; a Igreja nunca havia deixado de afirmar *aquilo.* Havia em Agostinho dois pontos de maior grandeza. Ele, por assim dizer, fizera a Redenção da natureza humana retroceder quase — praticamente — ao ponto em que o erro humano começou. O próprio pecado que um homem cometera em Adão antes de nascer foi o ponto inicial da graça da predestinação que aguardou o momento de seu nascimento para começar imediatamente a agir. A Cidade de Deus se apodera de seus cidadãos, presidindo como o deus Vaticano sobre o primeiro gemido da criança, separando-a para sempre das transitórias cidades terrenas, transformando-a em peregrino e hóspede. A equidade da Redenção entra imediatamente em ação; ela predestina a quem escolhe, e não predestina a quem não

[8] "Platonism in Augustine's Philosophy of History", Ernst Hoffman (*Philosophy and History*, organizado por R. Klibansky e H. J. Paton).

escolhe. Mas sua escolha (que ultrapassa o pensamento humano) está inextricavelmente entrelaçada com a escolha pessoal de cada ser humano. Ela quer o que ele quer, porque ela tem a liberdade de agir assim. A predestinação é o outro lado de sua própria liberdade. As palavras não acompanham essa união inescrutável, que pode ser a inescrutável separação.

E esse estado celeste era uma esfera de operação. A equidade da predestinação era para um estado de amor. Agostinho empregou seu gênio não para descrever, mas para sugerir esse *estado* de amor. A sensibilidade das *Confissões* vibra com isso; os universais da Cidade de Deus fazem um esforço para diagramatizar sua relação com a história — isto é, com o tempo como ele é conhecido pelo homem. Agostinho hipotetizou a história nas obras da Divina Providência, e sua hipótese foi, com demasiada significância, transformada em algo enfadonho do ponto de vista intelectual. Mas sua verdadeira importância estava no vasto acidente, o vasto sentido de oportunidade. É o sentido de oportunidade de Agostinho que entra em ação em tudo, e em tudo esse lampejo de visão revela tudo o que essa oportunidade contém. Cristo fora uma oportunidade; São Paulo criara um vocabulário para essa oportunidade; Agostinho transformou o vocabulário em linguagem, em arte verbal, em estilo. O discurso atanasiano foi o mais altamente especializado; o de Agostinho foi o mais universal. Ele renovou a boa-nova; o homem era absolutamente corrupto, e seu escopo era o amor. Ele renovou a Cidade; possibilitou a humildade a todos. "A perfeição consiste não naquilo que damos a Deus, mas naquilo que dele recebemos."[9]

[9] *The Life of the Church*, organizado por M. D'Arcy, S. J., Livro II; *Christianity and the Soul of Antiquity*, por P. Rousselot, S. J. e J. Herby, S. J.

A crise exterior do mundo em sua época nos mostra a expansão da palavra apostólica no momento em que o mundo estava desmoronando. No dia 24 de agosto, no ano 1164 da Cidade e no ano 410 da Frutífera Encarnação, os godos de Alarico entraram em Roma e a saquearam. "Sinto um nó na garganta", disse Jerônimo, "e os soluços me sufocam enquanto vou ditando. A própria Cidade que fez o mundo inteiro cativo é agora tomada." Ele exprimiu a sensação de todos, cristãos e pagãos. Desde aquele dia a Europa não sofreu choque igual a esse. Os refugiados fugiram para a Sicília, para a Síria, para a África (neste último grupo, Pelágio: Agostinho o viu em Cartago). Vinte anos mais tarde, "em seu septuagésimo sexto aniversário, trigésimo quinto de seu episcopado, Agostinho morria, no dia 28 de agosto de 430, de olhos fixos nos salmos penitenciais e tendo nos ouvidos o ruído de um exército de vândalos sitiando a cidade. [...] Em seu enterro foi oferecido um Santo Sacrifício".[10] Foi o resumo e a consumação de sua vida e doutrina; ele salvou a Cristandade no momento em que Honório, imperador do Ocidente, perdeu Roma.

[10] *History of the Church*, Kidd.

IV
A guerra das fronteiras

Não muitos anos após a queda de Roma, o último imperador do Ocidente morreu em Ravena. Os poucos senadores que o acompanhavam fugiram da Itália e, em Bizâncio, depositaram aos pés do trono o preito de lealdade do Ocidente. O Império era novamente um só, como fora nos dias do Divino Augusto.

Mas as diferenças em relação àquele estado anterior eram muitas. A alteração do centro havia mudado as fronteiras. A própria Itália era agora uma fronteira para o governo de Bizâncio, e a Gália não era muito mais que a terra de ninguém onde se travava alguma batalha. A Pérsia e o Oriente Próximo agora representavam perigo, embora por enquanto tratava-se apenas de um prestígio secular que ameaçava o imperador secular e sagrado. Outros dois séculos passariam antes que a voz do Profeta começasse a soar cada vez mais perto da nova Roma. A antiga ideia de Roma fora traduzida numa nova linguagem, e sua palavra mais nova e retumbante era a forma viva do imperador, "o Rei Sumo Sacerdote", "o principal Bispo fora da Igreja", a única figura em que se exibiam os dois ofícios complementares dos homens, o sagrado e o secular, como as duas naturezas haviam sido unidas em Cristo. O Trono e a Cidade durariam mil anos, e quando finalmente caíssem, cairiam não diante da rebelião de qualquer principado ou patriarcado do Ocidente, mas diante do déspota do Oriente que expressava em sua própria pessoa a separação das duas naturezas, da mesma forma que o imperador expressava a união delas.

Todavia, enquanto na nova Roma do Oriente aparecia a sucessão de quase pontífices-imperadores, a abandonada e profanada cidade da velha Roma ficava praticamente entregue a seus pobres e seu bispo. A fuga dos notáveis ante a chegada de Alarico a tinha deixado "vazia" para o retorno do papa Inocente I de suas negociações em Ravena, e no novo contexto do Império sua autoridade era grande e parecia maior ainda porque no Ocidente havia apenas uma Sé com essa eminência. Os tronos de Antioquia, Alexandria e Jerusalém rivalizavam entre si no Oriente, mas do Egeu ao mar do Norte havia apenas uma Cátedra Apostólica. Seu prestígio secular caíra um pouco desde a Remoção, exatamente como o prestígio de Bizâncio subira. A Sé de Bizâncio não fora mais que episcopal antes que lá se estabelecesse o centro do Império, mas a dignidade do imperador exigia algo maior para saudar e assombrar, e no Concílio de Constantinopla (381) ordenou-se que a Sé tivesse precedência situando-se logo depois de Roma. O título concreto de patriarcado só foi conferido no Concílio de Calcedônia.

Mas, deixando de lado essas medidas semidiplomáticas, a Sé de Roma tinha sua tradição particular de julgamento. Seu prestígio político e apostólico já fizera disso, desde os primeiros séculos da Igreja, um teste especial de ortodoxia. A Fé era constituída e mantida pelo consenso comum da Igreja, e desse consenso os bispos eram os guardiões. *Quis custodiet custodes* [Quem vigiará os vigias?]. Em todas as disputas a resposta, num ou noutro sentido, tendia cada vez mais a ser *Roma*, e fosse qual fosse o lado apoiado pelo bispo de Roma ele tinha uma vantagem grande, embora nem sempre decisiva. Santos e teólogos muitas vezes discordaram de Roma e algumas vezes a denunciaram, mas seus bispos recebiam, dos quatro cantos do Império, apelos aos quais no fim conferiam um direito divino.

No Ocidente todas as estradas, pelo menos as de controvérsias, conduziam para Roma; e se no Oriente elas às vezes tendiam para outras cidades e até para concílios gerais — Constantinopla, Calcedônia, Éfeso — permanecia o fato de que as estradas que por sua vez chegavam de Roma a esses pontos vinham de todo o Ocidente. As delicadas sutilezas do pensamento teológico grego não eram sempre apreciadas na Itália, mas a decisão era mais fácil para a mentalidade latina que a discussão, e a firmeza da sentença romana sempre encontrava o apoio de "igrejinhas" orientais. (Essa evolução dos fatos deixa, por certo, intacta a hipótese sobrenatural da Sé Apostólica.)

A tiara do pontífice-imperador e a tiara do bispo de Roma ergueram-se acima do novo mundo. Mas houve outras mudanças mais espetaculares, algumas privadas, como no ritual envolvendo o imperador, outras públicas, como na alteração das cruzes. Quando São Paulo pregou em Atenas, o mundo estava repleto de cruzes, fincadas fora das cidades, todas elas exibindo corpos de homens agonizando lentamente. Quando Agostinho pregou em Cartago, o mundo também estava repleto de cruzes, mas agora elas ocupavam exatamente o centro das cidades, eram erguidas em procissões e sobre altares, adornadas e cravejadas de joias, e todas elas ostentavam a imagem da Identidade do Homem agonizante. É quase impossível que tenha ocorrido — isso é uma obviedade — uma reversão mais espantosa que essa na história do mundo. Não causa surpresa que a Cristandade seja às vezes vista como a mais tenebrosa das superstições, quando se considera que uma prática marcada pelo mais abjeto e indecente horror foi elevada, iluminada e monstruosamente adorada, e isso não simplesmente de modo sensacionalista, mas mediante o assentimento intenso e filosófico dos grandes intelectos do mundo romano. A adoração em pântanos e florestas, a intoxicação de mistérios orientais, não havia escondido com incenso e litanias um ídolo mais chocante. O Corpo mutilado e ensanguentado surgia em toda parte; Justiniano construiu para ele a Igreja de Santa Sofia em Bizâncio, e o papa diante dele entoava a missa sobre as colinas da fundação de Roma. Cravejadas de joias, as cruzes ocultavam apenas uma coisa: a indecência. Mas a crucificação original foi precisamente indecente. As imagens que ainda preservamos escondem — talvez por necessidade — a mesma coisa; elas preservam a dor, contudo não têm a obscenidade. Mas a agonia final do Deus-Homem mostrou os dois aspectos; há camadas e mais camadas de significado naquela frase — "Meu Eros está crucificado".

No entanto, se a imagem era sinistra e horrível, os sacrificantes não eram assim. Ainda havia muitos altares, como houvera antes, mas a antiga adoração republicana dos deuses do lar tinha desaparecido, assim como as ofertas de libações em sua homenagem. O Oriente havia subjugado Roma, como os patriarcas civis haviam temido quando proibiram que Cibele entrasse na Cidade. Mas o próprio Oriente havia mudado durante o processo. Em toda parte oferecia-se "o sacrifício limpo". Já não havia necessidade de que homens morressem, porque o Homem havia morrido; as orgias já eram dispensáveis para a celebração mística de núpcias divinas, pois isso devia ser um processo secreto de enérgica decisão; o êxtase já não era especialmente desejável, pois Ele estava tão presente à luz comum do dia quanto nas trevas de uma noite extraordinária. Até mesmo a noite escura da alma já não era, por assim dizer, algo fora do comum. A inação, assim como o drama, devia ser transportada nas asas do espírito, e a Igreja pendeu fortemente para a ideia de que a inação era mais confiável que o drama. Na verdade, uma das objeções contra a fé havia sido o fato de que ela originariamente se prestava mais a escravos e pequenos comerciantes. Seus antagonistas modernos ainda a denunciam como uma superstição burguesa; e certamente São Paulo e São Agostinho pediam precisamente que seus convertidos se tornassem a burguesia da Cidade. O problema em geral tem sido o de impedir que a mentalidade burguesa imaginasse que ela entendia de modo satisfatório as experiências celestiais vividas pela alma burguesa.

Pouco se discutira, até esse ponto, sobre a natureza do alimento eucarístico. O rito, com algumas variações de cerimônias, era igual em toda parte — de Delfos a Mona, de Cartago a Antioquia. Os elementos do pão e do vinho eram apresentados, a invocação a Deus correspondia a sua vontade e obedecia a sua ordem; e a realidade da morte do Messias de algum modo acontecia entre os fiéis. Em virtude daquela morte eles se comunicavam com ele vivo. A morte não se repetia, pois isso era impossível. À medida que a Igreja se acomodava a seu tempo em suas negociações com o mundo, ela também se afastava e saía do tempo em sua união com sua Vítima e seu Caminho. Ele lhe ordenara que ela lhe desse ordens, e ela o fazia; lá, no *aqui e agora* de cada rito particular, realizava-se a sagrada permuta. Ela se comunicava e adorava.

Mas se, por todo o Império, o visual estava tão mudado, o mesmo acontecia com o audível. A alteração mais impressionante consiste na maneira de ler. Agostinho "comenta sobre o fato — para ele, aparentemente, notável — de que Ambrósio, quando lia, lia em silêncio. Podia-se ver o movimento dos olhos, mas nada se ouvia. Nessa passagem temos o solene privilégio de presenciar o nascimento de um mundo novo. Atrás de nós está aquele período inimaginável, tão inflexivelmente objetivo que nele até mesmo a 'leitura' (no nosso sentido) ainda não existia. O livro era ainda um *logos*, um discurso; pensar ainda era *dialegesthai*, conversar. Diante de nós está o nosso próprio mundo, o mundo da imprensa ou da página escrita, e o leitor solitário que está habituado a passar horas na companhia silenciosa de imagens mentais evocadas por caracteres escritos. Esta é uma nova luz [...] sobre aquele voltar-se para dentro. [...] Eu sugeriria que esse é o exato momento de uma transição mais importante que qualquer outra comumente registrada em nossas obras de 'história'".[1] Era "um sinal exterior e visível" de algo que estava acontecendo, que o próprio Agostinho desenvolveria, a agitada distância interior, "a graça espiritual e voltada para dentro" que realmente era, para a Igreja cristã, o mundo da graça. Naquela figura silenciosa de Ambrósio, a graça fechava a boca para o mundo.

Ela estava, ao mesmo tempo, abrindo a boca com novos sons. O Messias, dizem os estudiosos, falava aramaico. Mas quando a fé emergiu no Império, ela já estava falando grego. *Charis*, graça, era grego; *agape*, amor, era grego; *tetalestai*, está consumado, era grego. No entanto, Pentecostes já havia interferido e o Espírito Divino fizera propaganda em muitas línguas. Seus missionários humanos seguiram aquele

[1] *The Allegory of Love*, C. S. Lewis.

sublime exemplo, e dentre todas as línguas que eles usaram, aprenderam, modificaram e ampliaram, a maior foi o próprio latim. A Fé tinha de falar latim. Os mistérios eram celebrados, pelo que parece, em grego e latim. Por volta do final do segundo século os Livros Sagrados haviam sido traduzidos para o latim. Na mesma época, Tertuliano fez da África "a Pátria-Mãe da literatura latina cristã". Por volta do fim do terceiro século Jerônimo estava cotejando a Vulgata. A remoção da corte para Bizâncio deixou livre o reavivamento do latim no Ocidente, e o que foi reavivado foi o latim traduzido da Igreja cristã, assistido pela fala comum de pessoas comuns. A separação das línguas abriu mais uma brecha na grande unidade imperial e causou algum dano à unidade da própria Igreja, uma vez que significados que eram ortodoxos na língua do Ocidente ou do Oriente tornavam-se heréticos na tradução.

O latim literário sempre fora uma espécie de língua à parte, e a Igreja não se preocupara em incentivá-lo. "Eu sou cristão", disse Jerônimo em sonho à hoste celestial; e "não, tu és ciceroniano", foi a resposta que ouviu. Quando Milton, em *Paraíso Reconquistado*, rejeitou a cultura e a língua da cultura, ele estava apenas seguindo ilustres predecessores. O que a Igreja não podia usar ela tendia a desprezar: "Quem não é por mim é contra mim". E o latim literário mal tinha o alcance desejado pela Igreja. Ele não podia declarar, sem sofrer alterações, que o Amor podia amar, que o Amor podia ser amado, que nosso Anseio foi crucificado, que Outro coineria em nós e nós coineríamos uns nos outros. Até mesmo os belos e estranhos sentimentos que perpassam o que tem sido chamado de os "pontos elegantes" de Virgílio precisaram no fundo confinar-se dentro dos muros de sua própria

Roma; eles não conseguiam encontrar um espaço maior em outra Cidade. Talvez não tenha sido apenas por um sentido estético, mas também por um sentido teológico que Dante foi obrigado a fazer seu grande Mestre retroceder do Paraíso da substituição. Uma ambiguidade se instalara em tudo; a dor era algo além da dor, a alegria algo além da alegria. Dizer isso não é dizer que os cristãos, naquele tempo ou hoje em dia, sempre sentiram ou deveriam ter sentido isso; não é que eles não pudessem sofrer ou alegrar-se de forma direta, mas é que todo um mundo de indireção havia sido descoberto. Eles podiam, simples e satisfatoriamente, dormir, comer ou fazer amor. Mas aproximadamente uma vez por semana essas satisfações simples tinham a oportunidade — e o dever — de se verem iluminadas pelo Amor que coineria neles.

Portanto, o grande movimento romântico religioso — o maior de todos os movimentos românticos — fora inaugurado, na literatura assim como na vida, antes de ele saber o que estava acontecendo. Outros fatores colaboraram para o surgimento de um novo som que algum ouvinte antenado e imortal teria gradativamente ouvido emergir de todo o Império do Ocidente. "A aristocracia dos metros gregos, com sua delicada música de sílabas quantitativas, mantivera um controle precário sobre o verso latino, cujas raízes naturais estavam profundamente arraigadas nos acentuados ritmos campesinos das eiras, da roca de fiar, da dança do campo, dos provérbios sentenciosos dos rústicos oráculos e das passadas pesadas dos legionários em marcha."[2] Com a fuga das medidas gregas, esses acentos retornaram. Foram desenvolvidos por literatos e poetas, cristãos ou não, e também por cristãos,

[2] *The Birth of the Middle Ages*, H. St. L. B. Moss.

poetas ou não. Ambrósio revisou a estrutura do verso. Agostinho compôs cânticos anti-heréticos "para serem cantados pela comunidade reunida, com sua escansão tosca e estribilhos retumbantes. [...] A rima e a assonância, marcas já familiares na poesia popular, tornaram-se simultaneamente distintas".[3] "Antes do fim do quarto século, Prudêncio transformou o hino ambrosiano numa ode cristã",[4] e introduziu o culto dos mártires em seus versos, talvez com mais devoção mas com a mesma mudança de técnica com que nós recentemente introduzimos as máquinas. Um pouco mais tarde, Paulino de Nola compôs o primeiro epitalâmio cristão,[5] e na Gália, antes do ano 600, Venâncio Fortunato havia introduzido a nova paixão pela cruz em sua poética quando compôs o *Vexilla regis prodeunt* [Os estandartes do Rei avançam]; ou transformou a marcha do canto das legiões no realismo e adoração totalmente novos do hino *Pange, lingua* [Canta, ó língua]. "Meu Eros está crucificado"; a passada militar transformada respondeu: "*dulce lignum, dulce clavo, dulce pondus sustinens*" [doce madeiro, doce cravo, doce o peso que sustentas]. Místicos e históricos, os espaços do céu e da terra e todos os movimentos dos homens marchavam exibindo o Troféu.

Era esse Império cristão e católico — em todos os sentidos ainda um só — que recebia continuamente o impacto e a infiltração das raças mais bárbaras. O processo no início foi tríplice. Consistiu no colapso da administração, nos movimentos centrípetos dos bárbaros e nos movimentos centrífugos da Igreja. Quase no mesmo ritmo em que os bárbaros diluíram e aviltaram as fronteiras do Império, a

[3] Ibid.

[4] *Christian Latin Poetry*, F. J. E. Raby.

[5] Ibid.

Igreja anexou e doutrinou as fronteiras dos bárbaros que avançavam. Os grandes chefes pagãos tiveram de tornar-se cristãos antes de poderem tornar-se cidadãos, e cidadãos, embora certamente cidadãos patrícios, era o que a maioria deles queria ser. Tiveram de aceitar os dogmas antes de poderem exibir seus lictores. Algumas vezes eles se tornaram o tipo errado de cristão; outras vezes, aceitaram a espécie errada de dogma. A heresia ariana se fortaleceu entre os principelhos tribais da Gália e da Germânia, e a noção católica foi atacada em seus baluartes tanto metafísicos quanto físicos. Mas a discussão filosófica estava, de fato, entabulada; ali também acontecia a guerra das fronteiras. A energia da Igreja invadia as regiões incultas na mesma proporção em que as tropas das regiões incultas invadiam as regiões civilizadas. Fronteiras de povos, de culturas, de religiões desapareceram naquele turbilhão de acontecimentos.

O fato de que a energia do Império cristão era a força dominante de um lado teve uma consequência notável. A administração civil no Ocidente estava em processo de esfacelamento da mesma forma que no Oriente estava em processo de transformação. As casas senatoriais e patrícias perderam sua antiga reputação romana. As funções civis perderam qualquer atrativo que jamais tinham tido. Os detentores de funções sacerdotais da ideia metafísica triunfante tomaram em grande parte o lugar dos funcionários seculares. Não havia uma Marinha digna desse nome no Ocidente; o direito, devido à mistura de vários códigos, estava se tornando impraticável; o serviço diplomático, como entidade em si, praticamente não existia. Que poderia fazer um jovem de boa família que precisasse escolher uma carreira? Ele poderia, naturalmente, levar uma vida tranquila em suas terras;

poderia tornar-se comerciante. Poderia tentar vincular-se a algum exército provincial, que às vezes era imperial e às vezes anti-imperial. Ou poderia ordenar-se e, com um pouco de sorte, tornar-se um dignitário eclesiástico.

Com certeza não era assim tão simples. Tampouco isso significava a escolha de uma carreira segura, respeitável e opulenta; pelo contrário, significava quase sempre a escolha de uma carreira difícil, perigosa e talvez fatal. Mas as Sagradas Ordens estavam rapidamente se tornando não apenas o ingresso numa carreira, mas quase a única entrada numa carreira útil e progressiva qualquer que ela fosse. Como clérigo, o indivíduo poderia ser enviado para qualquer parte em qualquer missão: para controlar, lutar, exercer a diplomacia, manipular, exortar, discutir, converter. Como sempre acontece, também naquele tempo era preciso achar carreiras para os filhos, especialmente para os mais jovens. As exigências que, em tempos tranquilos, se podem razoavelmente impor ao ordenandos — que eles tenham consciência de sua vocação especial — eram menos prementes, embora continuassem prementes, que a exigência de que fossem organizadores inteligentes e combativos no âmbito da Igreja bem como das cidades. Leigos inesperados — e inesperantes — viam-se eleitos pelo clamor popular ou pela escolha clerical para o episcopado: Ambrósio, Sinésio, Sidônio. Eles protestavam; *nolo episcopari* [não quero ser bispo] era, naquela época, uma frase sincera. Estabeleciam condições. As condições eram aceitas, ou então eles se submetiam à pressão da necessidade local. Os sacerdotes eram violentamente empurrados a assumir funções seculares, e o laicato era violentamente arrastado para o sacerdócio. Antes que a Idade Média estivesse consolidada, já existia uma tradição muito forte: uma hierarquia preservando os bens deste mundo e eclesiásticos ocupados na administração leiga. Gregório Magno em seu epitáfio foi chamado de "Cônsul de Deus". É um título digno de nota, que explica muito da história subsequente do papado e do Império posterior; o magistrado leigo precisou reaver suas funções resgatando-as da organização eclesiástica à qual, por necessidade, elas foram entregues.

Todavia, talvez se possa admitir que essa necessidade acompanhava a tendência natural de qualquer organização a rivalizar com a realidade que ela supostamente está organizando. A crença de toda a Igreja cristã é que o Espírito Santo nunca permitirá que essa tendência tenha êxito dentro dela; "as portas do inferno não prevalecerão contra ela". A salvação organizada ainda estava ocupada com a propagação no mundo do Fato que era a salvação; os missionários promoviam o evangelho precisamente como os sacerdotes das paróquias batizavam bebês. A Cristandade voltava-se para fora no espaço em sua tentativa de avançar no tempo. Não há nenhuma outra instituição que sofra tanto os efeitos do tempo como a religião. No momento em que é remotamente possível que toda uma geração tenha aprendido alguma coisa com a teoria e a prática, os aprendizes e seu aprendizado são levados pela morte, e a Igreja se defronta com a necessidade de começar tudo de novo. Todo o trabalho de regeneração da humanidade precisa recomeçar a cada trinta anos ou mais ou menos isso. Todavia, apesar de todas as suas tentações e dificuldades a Cristandade havia de fato adquirido uma natureza própria. Ela começara submetendo-se a quatro condições: nacionalidade judaica, cultura grega, ordem romana e pecado humano. Ela invertera as relações entre ela mesma e os judeus, embora não as tivesse realmente facilitado muito.

O judaísmo se parecia agora com uma heresia cristã assim como o cristianismo se parecera originariamente com uma heresia judaica. O cristianismo havia anexado e transformado um grande número de ideias gregas e denunciado e banido outras tantas. O cristianismo havia reorganizado e restabelecido a singular ordem romana numa ordem dupla, de duas faces, uma ordem ambígua, baseada mais uma vez na coinerência, pois o outro mundo certamente coineria neste mundo, e este coineria no outro. Que essa relação tinha de ser expressa em termos de tempo não alterava a realidade de que ela era, propriamente, uma coisa que incluía o tempo. O Messias não voltara de modo visível; sua vinda original estava cada vez mais distante. A Igreja, com extrema inteligência, desenvolvera, em grande parte com a ajuda de Paulo e Agostinho, uma doutrina que incidentalmente explicava qualquer fracasso aparente de sua própria parte, a doutrina da Queda do homem. Adão não desempenhara grande papel entre os judeus, que haviam preferido Abraão. Mas os doutores cristãos haviam recuperado Adão; eles expandiram a ideia mais confortável da corrupção da natureza humana, e da redenção livre que poderia corrigi-la, no corpo e na alma. Mas, com redenção ou sem redenção, concordando-se ou não, crendo-se nisso ou não, o tempo realmente coineria na eternidade; era isso que a coinerência implicava. "Tu prestarás conta por todas as palavras frívolas" era um mero fato filosófico, não uma ameaça moral — de fato, não era sequer uma ameaça moral; pois o próprio Messias prestaria conta por todos os que o desejassem, em sua infinita misericórdia, separando o que era joio do que era trigo.

Durante todos aqueles séculos de fronteiras conflitando e se alterando, a Cristandade em termos de tempo e espaço se expandiu. Seus missionários foram bem-sucedidos entre os bárbaros assim como haviam sido entre os povos cultos, e uma assembleia como a do Sínodo de Whitby, no distante mar do Norte e quase nos confins do antigo Império, repetiu a seu modo o Concílio de Niceia. Tanto o Evangelho quanto o Credo dominaram o novo mundo. Mas o método de conversão talvez houvesse mudado um pouco. Nos tempos antigos, os indivíduos haviam sido convertidos, ou por persuasão intelectual ou por violência espiritual, pela graça, pela inteligência e (no nível mais rasteiro) pela moda. Mas agora comunidades inteiras eram abruptamente anexadas. O prestígio, o poder, e sem dúvida às vezes a piedade da Cristandade subjugava uma dinastia após outra; uma súbita chuva de cultura e cristianismo caía sobre seus territórios, e muitas vezes o cristianismo nada mais era que a mais importante interferência cultural. A massa dos convertidos seguia seus senhores entrando no território da Cidade espiritual bem como da temporal. A lealdade a seus chefes sem dúvida contribuía para que isso acontecesse; não se tratava de modo algum de uma compulsão tirânica, mas era quase uma fidelidade "democrática" que os governava, e a recepção da Fé não era sempre subserviente; em certas ocasiões, deve ter acontecido algo semelhante à aceitação da tradição europeia por parte dos judeus. Mas com frequência a Fé era imposta depois de uma derrota, embora ela fosse às vezes aceita depois de uma vitória. Em ambos os casos ocorria o que se pode chamar de conversão em massa, ou seja, conversão sem instrução. Isso não quer dizer que os convertidos não fossem sinceros. Mas não se poderia ensinar a filosofia da Fé antes do batismo a multidões de camponeses, marinheiros e guerreiros; tampouco é provável que se pudesse convencer a maioria sobre a situação agostiniana, sobre a necessidade que eles tinham de um Redentor, ou sobre a presença dele. Certa firmeza foi empregada pelos grandes missionários; eles tendiam a dizer, como muitas vezes se tem afirmado de outros estados: "O amor virá em seguida". O complexo hierárquico da Fé dominou aquelas fronteiras invasoras, dominou aquelas fantasias sobrenaturais, as lealdades naturais e a tragédia universal. Coube inevitavelmente aos sacerdotes cristãos estimular a vitalidade da nova religião: Martinho de Tours, Cedd em Essex, Wilfrid na Nortúmbria. As massas subordinadas não eram condenadas, como aconteceu com os cristãos sob o Islã, a trabalhar e pagar. Com exceção do caso dos judeus, e até mesmo nesse caso, o cristianismo visava nada menos que uma mudança orgânica. Ele sempre se propunha regenerar o mundo de novo. Ele ainda censuraria a violência. Mas seus missionários reais e leigos não eram muito obedientes. Olavo varreu a Noruega e Carlos Magno a Saxônia; Alfredo compeliu os dinamarqueses à conversão. Esses cristãos se viam diante do canibalismo, da bruxaria e da fatalidade, e suas mentalidades honestas mas imprudentes determinaram acabar, de um jeito ou de outro, com os perigos do mal sobrenatural. Muito se falou em seu favor; talvez o que eles fizeram tenha sido para eles a única saída possível. Mas o método tinha suas desvantagens.

De fato, não se sabe com certeza se a Cristandade jamais se recuperou das conversões em massa das classes elegantes de Roma e das raças bárbaras fora de Roma. Aquelas conversões prepararam o caminho para a Igreja da Idade Média, mas a violência das conversões também preparou o caminho para a Igreja de todas as épocas subsequentes. Pode-se no mínimo argumentar que a Igreja cristã precisará retornar a uma situação anterior a Constantino para poder recuperar adequadamente os espaço que conquistou demasiado rápido. Suas vitórias, entre outras desvantagens, produziram em seus filhos uma grande tendência a conscientizar-se do mal mais que do pecado, o mal significando a maldade praticada por outros, o pecado significando a maldade praticada pelo próprio indivíduo. A realidade do mal não desculpa totalmente a atenção febril e histérica que se lhe presta; especialmente a que se presta àqueles que parecem beneficiar-se dele; especialmente os benefícios que o espectador cristão intensamente desaprova ou intensamente deseja. Até a contrição pelo pecado tende a encorajar um desejo não muito caridoso de que outras pessoas deveriam exibir contrição semelhante. Crescer e integrar-se na vibrante rede da coinerência universal e sobrenatural é tão difícil como solicitar a coinerência direta e particular do Deus Todo-poderoso. A massa natural não é a rede sobrenatural — nem mesmo quando ela se chama de Cristandade. Se na primeira energia da jovem Igreja esse amor renovado havia fracassado com a frequência que as epístolas de São Paulo sugerem, o que provavelmente aconteceria quando as massas fossem anexadas à Igreja de épocas posteriores? Parece provável que a resposta seja que *nós* fomos anexados e de fato fracassamos. Ainda somos a massa; não nos parecemos muito com uma rede. Todavia, não se pode supor que algum outro método, se um método fosse possível, teria produzido resultado mais satisfatório. Houve, no fim das contas, uma alteração da atenção. Houve uma diferenciação entre a eucaristia e o sacrifício humano. Houve uma diferenciação entre uma Divindade autossacrificada e uma Divindade que não era autossacrificada; entre o Deus que morreu por sua própria vontade visando a salvação dos homens e o Deus que morreu pela vontade dos outros visando a produtividade dos legumes. A atenção dispensada ao caso poderia, por muito tempo, ter a mesma qualidade que tinha antes, mas o objeto da atenção de fato a afetou — de qualquer maneira, até o ponto de produzir em muitos um momento do que era quase uma decisão. Os ritos de bruxaria que, segundo se acreditava, eram praticados não tinham como seu único objetivo, mesmo que remotamente, a criação de uma nova disposição em relação ao amor; os novos ritos cristãos não tinham nenhum outro objetivo essencial. Finalmente, o sentido do heroico e do total desespero que pairava, ao que parece, no coração dos homens e no gênio dos poetas passou a existir a partir daquele tempo na presença de uma profunda contrariedade, como ainda acontece. Ele foi altamente definido como sendo, na melhor das hipóteses, um estado de espírito e, na pior, um pecado. Toda a tendência da vida humana e do pensamento humano foi assim radicalmente contestada. A contestação, bem-vinda ou não, foi imposta à massa. A Cristandade sofreu com seus convertidos; eles se apossaram dela, a matizaram e quase a destruíram. Mas nunca mudaram as grandes bandeiras metafísicas desfraldadas sobre ela; nunca tocaram as Definições. Os Evangelhos talvez tenham sido negligenciados, mas o Credo nunca fracassou.

Dos documentos que sobrevivem daquele período, dois ou três representam a mudança: *A Consolação da Filosofia* de Boécio e os poemas nórdicos *Beowulf* e *O Sonho da Cruz*. O primeiro foi escrito por um patrício romano que foi duas vezes cônsul e foi encarcerado como conspirador por Odorico (ostrogodo e ariano) quando este dominou a Itália. Tornou-se um dos grandes livros da Idade Média. Traduzido para o inglês pelo rei Alfredo, por Chaucer e pela rainha Elisabete, o livro ainda pode ser lido como a obra de um homem que ensina a si mesmo a *crer*. É um grande exemplo do que fatalmente acontece antes que a massa possa tornar-se a rede; embora não seja formalmente cristão, trata-se de Cristo. Boécio claramente é alguém que passou a "crer"; e logo em seguida ele se vê no cárcere, e a Sra. Filosofia vem perguntar-lhe por que ele se sente tão infeliz: "Não és tu o homem que aprendeu e se nutriu em minha escola?".[6] Essa pergunta leva o romano de volta a seu exame de consciência. O que é ele? "Sei que pertenço ao grupo dos homens vivos, inteligentes, mas condenados a morrer." Ele também confessa saber que "Tudo vem de Deus". Pode-se porém dizer que essas duas frases representam duas *espécies* diferentes de conhecimento; a grande pergunta é se a segunda resposta pode ser conhecida como é conhecida e primeira — "sentida no sangue e sentida no fundo do coração". A discussão procede seguindo princípios que eram de fato conhecidos dos pré-cristãos, dos judeus e gregos, como eram conhecidos dos cristãos, mas a mentalidade cristã havia sido obrigada a defini-los de uma forma até mais nítida. E o rei Alfredo — aquele que no seu tempo também foi feito pelo papa cônsul de Roma —, ao fazer sua versão para seu povo, de fato os definiu daquela forma. Acrescentou frases como "Mas naturalmente a ti te pertencem coisas celestiais, não coisas terrenas" e "o Caminho é Deus" e "Mas eu digo, como fazem todos os homens cristãos, que o que os governa é um propósito divino, não a Fatalidade". Não havia jeito de evitar o resultado, e o romano encarcerado não o evitou; ele seguiu suas meditações

[6] As citações foram tiradas da versão do rei Alfredo, traduzidas por W. J. Sedgfield.

até seu exato fim — "Então toda fortuna é boa". "Todo destino é bom [...] seja ele cruel, seja ele agradável." Assim falava a Filosofia; e Boécio: "Diante disso eu me senti temeroso e disse: 'O que tu dizes é verdade; no entanto, eu não conheço ninguém que ouse dizê-lo a homens tolos, pois nenhum tolo poderia acreditar nisso'".

Esse é, por assim dizer, o epigrama exterior do epigrama interior: "Meu Eros está crucificado". Diferia muito da antiga tolerância estoica em relação as coisas que aos olhos dos sábios eram indiferentes; essa é a primeira faísca do fogo da caridade e da alegria. Era outra forma de conversão, e era precisamente a conversão que era, devido à pressão dos eventos, forçada a ser uma coisa exterior em vez de interior. O mundo do norte transformou-se assim como havia acontecido com o mundo do sul. *Beowulf* contempla um passado pagão; a existência fatal, de deuses e homens, sitiados e fadados a serem derrotados por monstros das trevas: "toda glória termina em noite". E embora a doutrina mudasse, e a escuridão da mortalidade se transformasse na distância infinita da imortalidade, o temperamento do norte permaneceu por muito tempo. "*O Sonho da Cruz* é uma visão em que a história da crucificação do Evangelho é traduzida de tal forma que nada sobra exceto a devoção do jovem herói (como ele é chamado) e a glória; a visão não é representada em nenhum cenário histórico, mas sim nalgum lugar espiritual onde não se distingue a Paixão do Triunfo."[7] De fato, a Paixão fora o Triunfo; a própria ressurreição havia começado antes que as trevas se aclarassem e os homens fossem libertos de sua morte espiritual.

[7] *English Literature, Medieval*, W. P. Ker.

A Cristandade em si havia encontrado outro lugar de propaganda, quase (do ponto de vista humano) de gênese. Além dos confins do Império, uma região que tinha seu direito e cultura, a Irlanda, havia recebido o Evangelho. Uns dizem que o recebeu do Oriente; outros, de imigrantes fugitivos da Gália; todos dizem que foi de São Patrício. E os irlandeses estavam impregnados do fogo de nosso Senhor, o Espírito. Santa Brígida esteve presente na Natividade; São Colman convocou anjos a fim de organizar provas esportivas para seus monges impedidos de participar da grande festa. À medida que a situação do que havia sido o Ocidente do Império ia piorando, e o distante governo bizantino se preocupava cada vez mais com seus riscos imediatos, os santos irlandeses, lá da extremidade do mundo por onde nunca haviam passado as legiões romanas, renovaram um Pentecostes de missões. Columba chegou até a Ilha de Iona em 563; em 635 "a primeira cruz da fronteira inglesa foi erguida por gente de Iona numa planície pagã chamada Heaven-field, junto aos contrafortes do Muro Romano".[8] Em Lindsfarne, na Gália, na Suíça e na Itália estabeleceram-se os monges irlandeses; Columbano viajou até Roma e foi recebido por Gregório, "o cônsul de Deus". As altas marés da Cristandade se encontraram.

Os missionários irlandeses eram geralmente monges. Outra parte da mesma vocação havia povoado o sul com seus conventos. Os países onde grassava a guerra das fronteiras foram colonizados pela religião. O Egito produzira outra espécie de trigo diferente daquela que na antiguidade havia chegado aos mercados romanos. As espigas vivas dessa produção haviam-se espalhado pelo Oriente, e Basílio, o

[8] *Irish Nationality*, Sra. J. R. Green.

Grande, escreveu lá uma Regra para o futuro delas. Dizem que antes de sua morte, em 379, a Regra fora aceita por oitenta mil monges. No Ocidente, eles haviam avançado até a Ilha de Lerins, perto da costa da Riviera, onde um grupo de ascetas seguiu sua Via logo depois do ano 400. Seu estilo e reputação se espalharam, e mais ou menos um século mais tarde, alguém que na Itália fora um solitário criou a primeira grande Regra para o Ocidente: Bento fundou o mosteiro de Monte Cassino. Ele modificou as austeridades extremas; até reconciliou os monges com um estilo de vida no século; desestimulou fantasias; ensinou a paz. Pediu a seus irmãos que ficassem na abadia adequada a sua posição social e confiou a emulação semisselvagem das excentricidades individuais à obediência equilibrada à santa ordem. Também pregou a regra da coinerência seguindo sua maneira particular: os irmãos não deviam conhecer ninguém que não fosse Cristo um no outro e em todos. A Regra se espalhou; cruzou-se com a Regra mais rígida de Columbano e a suplantou, e os monges mais dedicados se estabeleceram no sossego de determinadas localidades. Essa foi a fronteira da Cristandade que se manteve mais firme ao longo de todos os séculos mais difíceis.

Bento morreu por volta do ano 550; Columbano morreu em 615. Um pouco antes de sua morte houve uma noite em que, a se acreditar nas crônicas posteriores de outro povo, as cruzes sobre todas as igrejas de Bizâncio começaram a oscilar, lanças ensanguentadas brilharam sinistramente num céu sem lua, o santo imperador foi perturbado em seu sono e duas criaturas monstruosas saíram rastejando do Nilo. Foi a noite em que, em Meca, um arcanjo gritou a Maomé ibn 'Abdullah, ibn Abdalmuttalib, ibn Hashim, da tribo do Quraish:

"Vai; começa a pregar".[9] Tenham as cruzes oscilado ou não, elas certamente poderiam tê-lo feito se objetos materiais podem sentir alguma coisa sobre seu futuro, se há alguma comunicação entre uma era e outra.

O Profeta tinha então cerca de quarenta e três anos de idade; fora convertido ao Único Deus uns três anos antes e tinha quase vinte discípulos. Sua atuação começou no dia seguinte e continuou. No ano 628 um mensageiro árabe entrou em Jerusalém onde Heráclio, o imperador do Oriente, se encontrava e lhe apresentou uma carta assinada por "Maomé, Mensageiro de Deus", convidando-o a abandonar sua crença e apresentar sua renúncia. No ano 630 o primeiro Exército da Resignação e do Único Não Encarnado ofereceu batalha à Cidade central do Coinerente e Encarnado. Por volta de 642 todo o Império Persa havia caído, junto com a Síria, a Palestina e o Egito. Os patriarcados de Antioquia, Jerusalém e Alexandria estavam sob a bandeira verde do Islã, e o trono e o patriarcado de Bizâncio sofriam ameaças islâmicas que partiam do outro lado dos mares estreitos. Por volta de 695 o resto do Norte da África havia sucumbido de forma tão definitiva que agora é difícil lembrar que outrora essa região continha grandes províncias romanas, e Agostinho, Cipriano, Tertuliano, Clemente e Orígenes, embora considerando-se leais em cada fibra de seu ser à Cidade europeia, viveram na África e de lá formularam o pensamento da Europa cristã. A fronteira que mais se opunha à Cristandade fora traçada tanto em questões militares quanto em questões metafísicas. A Cristandade se encontrava, e ainda se encontra, apesar de todas as suas vitórias, em estado de sítio. Bizâncio naquela

[9] *Mohammed*, Essad Bey.

época, assim como Londres hoje em dia, estava na iminência de uma guerra, que quase aconteceu em 717. A Espanha caiu em 711; o sul da Gália estava quase ocupado em 732. O imperador Leão III no Oriente e Clóvis, o rei dos francos, no Ocidente, em batalhas separadas derrotaram o Islã, e as grandes incursões da cavalaria inimiga foram controladas. A fronteira situava-se, incerta e vibrante, ao sul dos Pirineus, estendia-se ao longo das costas da África, subia a costa da Ásia, adentrava e contornava a Ásia Menor (o último precário bastião do Império do lado oposto do Chifre de Ouro) e seguia ao longo do Cáucaso até o mar da Pérsia. Presos num estranho debate entre aquelas fabulosas montanhas, os dois Poderes brigavam pela doutrina da alma.

Naqueles tempos em que quase tudo era discutido em termos de alma, essa proximidade tinha um nítido efeito, mesmo que acidental: ela aguçava a consciência acerca de falsas doutrinas no âmbito interno, especialmente a consciência em relação aos judeus. Judeus e muçulmanos poderiam discordar sobre Maomé. Mas ambos igualmente rejeitavam não apenas o Evangelho de Cristo, mas a própria natureza de Cristo. A crescente devoção à Mãe de Deus era uma abominação para ambos; o problema agudo da união da humanidade — ou seja, da matéria — com a Divindade constituía um insulto contra ambos, e contra a assombrosa Alteridade da Divindade em que ambos acreditavam. Sem dúvida, os judeus, os muçulmanos e os cristãos poderiam conviver confortavelmente, desde que nada acontecesse. Mas bastava o mínimo sinal de escárnio... e as fogueiras e os massacres podiam acontecer em toda parte. A conversão em massa de cristãos e muçulmanos e o egocentrismo racial dos judeus durante séculos proporcionaram um material perigoso.

Os blocos acabados e definidos dos três Credos poderiam conviver sem serem perturbados por faíscas dos céus; mas tendiam a incendiar-se por faíscas da terra.

Um sinal, talvez uma consequência, dessa rixa latente foi o aparecimento de um cisma no seio da própria Cristandade: a chegada dos iconoclastas, dos destruidores de imagens. Na mesma década foram baixados decretos contra todas as imagens pelo califa do Islã em seus domínios e pelo seu inimigo, o imperador Leão, nos dele. A milagrosa imagem de Cristo foi retirada por um soldado do Portão de Bronze do Salão do Palácio Imperial; uma multidão, sobretudo de mulheres, derrubou a escada do soldado e o matou a pauladas. Afirmou-se que, por meio desse ataque contras as representações da Carne Divina e de Sua Mãe, o imperador e seus amigos estavam negando a Encarnação; a resposta foi que, devido à unicidade da Carne, as representações eram proibidas. "A imagem é o símbolo de Cristo", disse São João Damasceno; "a honra que se presta à imagem passa para seu protótipo", disse São Basílio. "Nenhuma imagem pode representar as duas naturezas", responderam seus opositores; "todas as imagens são, portanto, heréticas. Sua única representação apropriada está na eucaristia, que é Ele". De fato, a controvérsia não era apenas filosófica; era também psicológica. Existe um ponto em que a idolatria tende a começar? Um ponto em que a atenção dispensada à Pessoa começa a ser dispensada à Representação, em que o fervor começa a visar a imagem e não mais a ideia? Toda consciência mais pura do homem respondia afirmativamente. A experiência percebera que era assim, e o bispo de Marselha mandara destruir as estátuas em sua diocese por esse motivo. O perigo não deveria ser eliminado? O bom senso da Cristandade recusava essa solução; as consciências mais puras teriam de tirar a máxima vantagem de uma realidade negativa que sem dúvida era a humanidade. Os patriarcas de Bizâncio e de Roma eram unânimes; os monges e as mulheres os apoiavam. O imperador Constantino V dedicou-se à orientação política de seu pai; convocou uma assembleia de mais de trezentos bispos que se declararam contra as imagens; enviou soldados contra os monges; mas dos aposentos secretos do palácio sua esposa Irene (filha de um monarca oriental) apoiava os ícones. Os ícones — os que eram milagrosos — tudo fizeram em defesa da própria causa; coisas assustadoras aconteceram em razão de seu poder ultrajado. Os papas se recusaram a pedir qualquer sanção do imperador para sua consagração; o Oriente e o Ocidente se dividiram por causa desse problema. Constantino morreu; Irene, em nome de seu filho mais novo, apoderou-se do governo, e por meio de um novo patriarca fez convocar um novo concílio. Dele participaram legados do papa. A assembleia anterior foi estigmatizada como um "sinédrio judaizante" e a posterior restaurou todas as imagens. Em 786 o Concílio emitiu seus decretos para toda a Cristandade. A imperatriz Irene, tendo estabelecido a propriedade das homenagens prestadas ao protótipo por meio da imagem, procedeu a estabelecer sua própria homenagem depondo, cegando e encarcerando seu filho imperador. Mas, embora ela houvesse suprimido a iconoclastia em seu reino até 802, o fenômeno irrompeu mais tarde; e a rixa só terminou, com a restauração das imagens, quando em 842 outra imperatriz (devido à morte — natural — de seu filho) estava ocupando o trono. Uma enorme procissão pela ruas de Bizâncio, seguida a pé pela própria imperatriz, as restabeleceu numa festa que a Igreja grega celebra até hoje como a Festa da Ortodoxia.

Durante séculos se aceitou na Cristandade (apesar da relutância de Carlos Magno em promulgar a decisão de 786 no Ocidente) que a afirmação daquelas imagens reais era boa e justa. Os homens devem usar sua piedade e inteligência para evitar a idolatria; eles não podem e não devem obter a salvação mediante a Rejeição das Imagens, excetuando-se os ditames de suas vocações privadas. Mas as vocações privadas não devem estabelecer as leis da Cristandade. As imagens — alguém poderia acrescentar, também as imagens vivas — deviam ser alvo de "*proskunesis*", reverência especial. Estava demarcada a fronteira.

Enquanto isso, no Ocidente, começavam a emergir outras figuras, aquelas dos primeiros semi-imaginários reis cristãos. Eles aparecem durante um curto espaço de tempo, e depois suas dinastias fracassam, e nós perdemos de vista suas breves culturas. Aparecem distanciados talvez por um século ou mais ou menos isso, mas aparecem; exatamente da mesma forma que, um pouco mais tarde, as cidades da Itália começam a assomar novamente com seus magistrados; ou da mesma forma que se percebeu que as universidades de repente perceberam que tinham passado a existir, e nossa atenção é desviada de William Rufus ou da Primeira Cruzada pela voz de Abelardo lecionando em Paris. Mas os reis vieram antes, e o maior dos reis é Carlos Magno. No gelo e na neve do inverno dos francos, um rapaz de doze anos, ele aparece pela primeira vez diante de nossos olhos encontrando-se com o papa Estevão II, que viera de Roma pedir a ajuda de Pepino, o Breve, contra os lombardos. Pepino consentiu e derrotou o inimigo; tomou dele vinte e uma cidades e as entregou ao papa; depois, retirou-se novamente para o outro lado dos Alpes. Doze anos mais tarde, seu filho

Carlos Magno o sucedeu, com a decisão já tomada de conseguir três objetivos de poder: poder militar para esmagar seus inimigos, poder religioso para orientar as almas, poder intelectual para instruir tanto as almas quanto as mentes. Essas três coisas, pessoalmente ou por meio de seus servos, ele propôs e tratou de realizar. Carlos Magno fundou a Sociedade. "Nele aquilo que havia sido informe e desarticulado conseguiu forma e lucidez, e a grande estrutura da Europa cristã foi enfocada e apareceu nítida aos olhos dos homens."[10] Ficou determinado por ele (mais que por qualquer outro ser humano, excetuando-se Gregório Magno) que a nova ordem política deveria, na melhor das hipóteses, ser, e na pior tentar ser, cristã durante mil anos. Mas também ficou determinado por causa dele, se não por atuação dele — não sabemos dizer —, que a nova ordem política deveria ser independente tanto em relação à antiga ordem imperial quando à nova ordem eclesiástica. Houvera, desde Augusto, muitas revoltas nas províncias contra o governo central romano. As legiões da Gália e da Bretanha, da Panônia e da Síria muitas vezes elegeram e aclamaram imperadores. O próprio Constantino viera a Roma, e portanto a Bizâncio, por meio de algo muito parecido com uma revolta. Agora, porém, as legiões que a aclamavam já não seriam militares, mas sim clericais; as forças eclesiásticas do Ocidente escolheram um imperador. Não se tratava de nada novo, e no entanto era uma coisa muito nova. Não havia nenhuma intenção imediata de substituir o monarca de Bizâncio pela figura que fora escolhida; mas a própria coroação implicava uma substituição. No dia do Natal do ano 800, o fato aconteceu.

[10] *Charlemagne*, Douglas Woodruff.

Na Basílica de São Pedro, em Roma, o papa entoou a missa. O rei dos francos lá estava ajoelhado, vestido por cortesia seguindo o estilo romano. O papa cantou a última frase do rito; após uma oração pessoal, o rei estava prestes a se levantar, quando viu o papa vindo em sua direção. Ficou ali parado. O papa pôs-lhe na cabeça uma coroa e disse em voz alta, com toda a congregação repetindo com ele: "Vida e vitória a Carlos Augusto, coroado por vontade de Deus, poderoso e pacífico Imperador!". O papa se ajoelhou. O que chegou como o rei dos francos partiu como o imperador.

Carlos Magno afirmou mais tarde que não sabia que aquilo estava planejado. Mas viveu de acordo com o ocorrido. Em seus despachos ele dizia: "Carlos, pela vontade de Deus Imperador romano, Augusto [...] no ano I de nosso consulado". Exigia que todos os funcionários, leigos ou eclesiásticos, lhe prestassem juramento. Enviou embaixadores para atenuar a irritação de Bizâncio; em 812, a corte oriental o reconheceu. No entanto, assim como nos tempos antigos o imperador eleito pelas legiões tinha especialmente de aplacar e satisfazer (ou subjugar) as legiões, assim durante os séculos subsequentes os novos imperadores tiveram de satisfazer (ou subjugar) o poder eclesiástico que os havia nomeado. "Pela vontade de Deus..." Mas diretamente, ou por meio do bispo de Roma? As formas, pessoais ou documentais, eram novas, mas a rixa era muito, muito antiga.

A renovação da dignidade imperial no Ocidente nada fez para eliminar a tendência ao cisma entre o Oriente e o Ocidente; talvez tenha até acelerado seu ritmo. Muito tempo já havia transcorrido desde que a Igreja de Roma passara a considerar-se, e a ser considerada, como a protetora da ortodoxia. "Desde os primórdios a Igreja romana se apossara, como que por uma intuição criativa, da ideia de Ordem como sendo a base do universo. [...] A apresentação espiritual da teoria, porém, não veio da Europa, mas sim da África. [...] O lançamento da fundação espiritual é representado por Tertuliano; a edificação da estrutura eclesiástica, por Cipriano; a consolidação e o acabamento do edifício inteiro, por Agostinho."[11]

A energia missionária dos papas decretara o avanço dessa ordem; estabelecimentos e igrejas foram absorvidos nesse avanço. Mas a solidariedade desse movimento eclesiástico no Ocidente fracassou ante a igualmente antiga, igualmente erudita, igualmente determinada e igualmente devota tradição do Oriente. A glória sacerdotal do Sagrado Imperador apresentava uma expressão até mais simbólica da união mística da Cristandade com Deus que aquela apresentada pelo sumo pontífice sobre o monte Célio. As línguas acentuavam as diferenças e despertavam suspeitas de heresias; toda uma distinção entre culturas se manifestou, e enquanto as meditações especulativas do Oriente enfocavam a Encarnação, a atenção mais jurídica do Ocidente discutia a Expiação. Já estavam presentes todos os elementos fissíparos que originam uma fronteira.

Como habitualmente acontece nesses períodos de divisão, várias rixas irromperam ao mesmo tempo. Novos acontecimentos e infelizmente novos incidentes já conhecidos — incidentes de fronteira — foram desafiados. Talvez o mais sério tenha sido o incidente doutrinário, por ser em certo sentido o mais desprezível. Definira-se havia muito tempo que a natureza sagrada de nosso Senhor, o Espírito Santo, procedia do Pai; o fato era aceito por todos. Também era

[11] *Literary History of the Early Church*, Cruttwell.

quase universalmente aceito que o Espírito também procedia do Filho. Mas a frase que definia isso não havia sido incluída na formulação final do Credo, e os concílios ecumênicos haviam decretado que não se poderia fazer nenhum adendo ao Credo. O ardor de um concílio na Espanha (cujo fervor tem sido muitas vezes inconveniente à Europa!) defendeu a deidade do Filho contra alguns ensinamentos não ortodoxos declarando que alguém que negasse a emanação do Filho devia ser anátema. Aquele de quem Deus procede deve ele mesmo ser Deus. Os espanhóis devotos e ortodoxos começaram a inserir o artigo *Filioque* ao entoarem o Credo, e esse hábito se espalhou. Carlos Magno o adotou para sua capela real em Aix, e o mesmo aconteceu em seus domínios. O papa Leão, que mandara gravar o Credo original em placas de prata em grego e latim e depois as expusera na Basílica de São Pedro, recusou-se a adotá-lo. Mas o fato estava consumado, e o Oriente, tão ortodoxo quanto a Espanha, ouviu com horror um Credo revisado e expandido utilizado no Ocidente. A ofensa cresceu mais ainda quando se soube que finalmente a Sé romana, quando ocupada por Nicolau I, aceitara ratificar a interpolação.

Mas se houve uma interpolação verbal no Ocidente houve uma interpolação de outra natureza em Bizâncio. Tendo o Sagrado Imperador cometido incesto, o patriarca se recusou a dar-lhe a comunhão. Por essa e por outras ofensas, o patriarca foi deposto, e um leigo erudito chamado Fócio foi compulsoriamente ordenado e imposto na Sé. Ele anunciou sua eleição ao papa, a quem Inácio, o patriarca original, também havia apelado. O papa enviou legados que, num concílio (disse ele), "o traíram" e concordaram com a deposição. As discussões irritadas prosseguiram. Em 867 Fócio denunciou o Ocidente em oito artigos, mas o Sagrado Imperador foi assassinado naquele ano, e Fócio foi deposto.

Já se disse que "é difícil saber se foi Fócio ou Inácio quem foi mais maltratado". As causas de ofensas entre o Oriente e o Ocidente se multiplicaram, e uma disputa territorial somou-se à teológica e à eclesiástica. Havia uma grande briga diplomática para saber se a Bulgária deveria fazer parte do eixo dos patriarcas orientais ou do único governo autocrático de Roma. Os Bálcãs e a Espanha, de um jeito ou de outro, sempre perturbam a Europa. Uma paz inquieta se estabeleceu por dois séculos; depois de repente Miguel Cerulário, patriarca de Constantinopla, provocou uma tempestade. Ele acusou o Ocidente de heresia; fechou as igrejas de rito latino. Os papas declararam a ortodoxia do Ocidente e a primazia de Roma; mantiveram abertas na Itália as igrejas de rito bizantino. O patriarca suprimiu o nome do papa das orações. Os legados papais, entrando na Igreja de Santa Sofia em Bizâncio, momentos antes da celebração da liturgia divina, subiram por entre a multidão até o altar e sobre ele depositaram solenemente a excomunhão do patriarca e de todos os seus seguidores, excluindo-os da coinerência de sua Cristandade. A fronteira de mil anos foi traçada no dia 16 de julho de 1054.

V
A imposição da crença

Por volta do século 11 as guerras das fronteiras lentamente chegavam ao fim. Mental e corporalmente elas continuariam através da Idade Média, mas restringindo-se às fronteiras de algo secular estabelecido, o corpo concreto da Cristandade, que se estendia do mar Negro até a Irlanda e da Escandinávia até Aragão. O Messias não havia, até agora, voltado; e a expectativa de sua vinda já mudara. Iluminações interiores eram desestimuladas. Exteriormente, a Segunda Vinda se transformara em algo similar e, no entanto, diferente; entre todas aquelas massas convertidas ela era apresentada como o Dia do Juízo. O sucesso da Cristandade de modo muito adequado se controlava servindo-se da lembrança de seu fim perigoso e certo; Cristo que era o juiz tornou-se o Juiz que era Cristo. Uma catástrofe de esperança e terror ameaçava o mundo; mas ameaçava de longe e (falando em geral) ameaçava sem a iluminação que, nos primórdios da Igreja, matizara a catástrofe com tons de alegria. Admitia-se que as duas Cidades com que Agostinho incentivara os cristãos de seu tempo — a Cidade que era de Deus e a Cidade que não era de Deus — haviam-se mais uma vez misturado e precisavam ser separadas. *Dies irae, dies illa* [dia da ira, aquele dia]... Até Beda imaginara que estava vivendo no último período do mundo, e com a aproximação do ano mil da Frutífera Encarnação os olhos da Cristandade em toda parte esperavam o fim.

Ele não veio. O primeiro milênio da Cristandade encerrou-se, e o segundo se abriu sem nada mais aterrorizante que os costumeiros assaltos, assassinatos, estupros, incêndios, guerras, massacres e pestes, e as até menos notáveis agruras normais de cada um. Mas alguma diminuição dessas coisas, alguma trégua da anarquia, alguma estabilidade começava em geral a aparecer. A nova era tem seus primórdios sinalizados pela ascensão das universidades, e a razão disso é que os homens passaram novamente a ter tempo para conversar, discutir e pensar. Começavam mais uma vez a aparecer lugares, mais ou menos sossegados, onde isso era possível. E, finalmente, surgiram outra vez possibilidades de transporte relativamente fáceis. Podia-se viajar de uma cidade a outra; as escolas podiam se comunicar. O conversar e o pensar aconteceram durante os seiscentos anos anteriores, mas foram sempre muito *ad hoc*, embora o *hoc* fosse divergente. Talvez fosse a cláusula *Filioque*; talvez fossem os escândalos causados pelo papa Sérgio III e sua amante Marózia, ou o papa Anastásio III e sua mãe, a mesma Marózia; talvez fosse, o que era mais comum, a proximidade ou a distância de exércitos inimigos — "o que pretendem os gregos, o que querem os francos". Mas agora os homens finalmente começavam a ter menos consciência da perda imediata e do lucro imediato. Tinham tempo para o intelecto especulativo e para a organização do intelecto especulativo. A grande civilização metafísica começou a estabelecer-se sobre dois elementos estáveis: o dogma e a terra. Tudo o mais era administração.

No aspecto econômico e social, o material era a terra, a forma era o direito de posse e a virtude definidora era a lealdade. Isso não significa dizer que a lealdade era sempre muito perceptível. Mas para que ela pudesse ser definida, ou para que a deslealdade pudesse ser perdoada, desenvolveu-se um complexo sistema legal. Na *Comédia* de Dante, os piores pecadores são aqueles que traíram seus senhores e benfeitores, e a feudal quebra da honra de que Judas é culpado corresponde ao cisma espiritual provocado por Bruto e Cássio. As frases podem ser intercambiadas dessa forma porque a Idade Média não era dividida em duas entidades chamadas Igreja e Estado — ou não era, de qualquer modo, tão dividida como nossa época até bem pouco tempo atrás. A Cristandade tratava de um lado de questões temporais e do outro de questões eternas, mas era uma única Cristandade, e o tempo e a eternidade ainda eram ambos coinerentes. O papa era um senhor temporal, assim como eram os bispos; o imperador era um oficial espiritual, assim como eram seus senhores. A sociedade descobriu um meio com o qual podia funcionar exatamente como o intelecto descobriu um meio com o qual pudesse operar. A organização da graça começou a trabalhar, por assim dizer, para acompanhar a evolução do tempo e do espaço, para batizar e converter à santa visão da coinerência por meio da salvação as massas cujas gerações se sucediam rápido demais. Os mártires, os santos e a Mãe de Deus ("*figlia di tuo figlio*") estenderam a visão até "os mais elevados cumes da sagacidade humana". Os homens deviam ser transformados em homens que amam; o mundo tinha outra oportunidade de regenerar-se.

Mas o objetivo único dessa operação dupla não foi sempre capaz de reconciliar os dois executivos. Muito tempo antes, quando a Igreja rejeitou o gnosticismo, e depois novamente quando recusou a dignidade sacerdotal aos confessores como tais, ficara estabelecido que não se exigia que os oficiantes sacerdotais da regeneração fossem, em si mesmos, melhores ou mais puros que quem quer que fosse. Os leigos, especialmente os oficiantes leigos, adotaram essa visão ao pé da letra, ao mesmo tempo que desenvolveram uma tendência igualmente forte de exigir que os sacerdotes deveriam ser exatamente melhores e mais puros que todo mundo. Teria sido quase impossível (humanamente falando) que o clero fosse tão bom quanto a hierarquia leiga exigia; e os clérigos, em seu conjunto, não se esforçavam nesse sentido. Eles se contentavam em garantir as vantagens de sua posição, que consistiam simplesmente no seguinte: o clero podia fazer tudo o que faziam os leigos, e os leigos não podiam fazer tudo o que fazia o clero. Por definição as prerrogativas particulares do clero eram, em última análise, as mais importantes. É verdade que o sistema sacramental não era naquele tempo estritamente reservado ao clero como tem sido desde o fim da Idade Média. Na hora da morte iminente os leigos podiam absolver-se um ao outro e podiam até praticar algo semelhante à celebração da missa. Mas essas possibilidades não eram normais, e as vantagens normais do clero muitas vezes causavam, como em outros períodos, irritações anticlericais. É óbvio que a irritação estava errada, embora o anticlericalismo provavelmente estivesse certo. Faz parte do preço do sacerdócio pagar pela vocação — exatamente da mesma forma que, se um dia os poetas se tornassem os legisladores reconhecidos do mundo,[1] um forte movimento antipoético seria fatalmente incentivado. Mas também nesse caso a vocação dos poetas, como a dos sacerdotes, deve ser respeitada. A nervosa tensão que se desenvolveu naquela época se manifestou da forma

[1] O autor está aludindo a uma afirmação feita pelo poeta romântico inglês Percy Bysshe Shelley, em seu ensaio "Uma Defesa da Poesia"; segundo Shelley, os poetas são os legisladores não reconhecidos do mundo. (N. do T.)

mais espetacular na luta entre o imperador e o papa. Uma vez que o tempo dependia da eternidade, a facção papal devia defender a tese de que o imperador dependia do papa. Mas, uma vez que o tempo nessa época é autônomo, a facção imperial defendia a tese de que o imperador era independente do papa; e se o papa esquecesse ou negligenciasse seu ofício eterno no tempo, o imperador, precisamente em virtude de sua suserania temporal, poderia corrigir, punir ou controlar o papa. Essa era uma rixa entre duas modalidades de existência que afetavam as relações entre as hierarquias laicas e clericais em toda parte.

Mas isso acontecia dentro da civilização cristã que todos aprovavam. Havia questões mais importantes; havia o caso da proteção daquela civilização. A causa de sua ascensão fora a expansão da doutrina; a base de sua continuação era entendida como sendo a doutrina; portanto, sua preservação significava a defesa da doutrina. Durante a Idade das Trevas essa doutrina tendera, de um modo ou de outro, a acumular certos adendos, um dos quais foi o diabo e seus anjos. O diabo não tivera, nos primórdios da Igreja, toda aquela importância que veio a ter depois. Não existe com certeza nenhum argumento racional contra ele; talvez haja um argumento psicológico, uma vez que algo muito parecido com o dualismo tende a acompanhar o diabo, e de fato o dualismo reapareceu na Idade Média. Ele tinha atrás de si uma longa tradição; havia a dúbia existência nos mitos judaicos do Maldito Samael, e as deidades pagãs do Mediterrâneo ou das florestas do norte ajudaram a materializá-lo. Ele se insinuara na filosofia grega. "O helenismo não conhecia nenhum antideus." Mas "supõe-se que Platão, perto do fim da vida, brincou com a ideia de uma alma do mundo má; Plutarco inegavelmente a adotou de modo mais claro".[2] A Igreja, tendo formalmente submetido o antibem ao bem, compensara isso praticamente concedendo ao diabo total liberdade de atuação em seus próprios domínios. As teorias da Expiação enfatizaram a existência do diabo concedendo-lhe um direito à alma humana, o que exigiu o derramamento do Precioso Sangue como resgate legal. Uma espécie de gnosticismo tardio e popular aliou-se ao melodrama romântico, e o homem foi ao mesmo tempo em parte perdoado por seu erro original e presenteado com um assunto contemporâneo para a reprovação moral.

As operações do diabo, além das tentações propriamente ditas da carne e da alma, consistiam particularmente em provocações à bruxaria e heresia. Das duas, a segunda era mais comum. A bruxaria prosperou, como crime, em certos tempos e em certos lugares; algumas vezes, de forma indevida. Mas nunca foi tão universal como a heresia ou a enfermidade. Examinando-se o caso, nota-se que ser totalmente ortodoxo era tão difícil quanto ser totalmente sadio. Contudo, a necessidade da ortodoxia, como a da saúde, era imperativa; o perigo de epidemias era sério e visto com seriedade. A Idade Média foi a grande época científica e médica da Europa; só que sua ciência, como sua medicina, foi a da alma. Os bestiários e as hagiologias eram semelhantes às nossas obras de divulgação científica; os autores "escreviam" para a multidão, mas o que escreviam eram sempre os mesmos princípios que os grandes teólogos expunham de modo mais preciso. Da mesma forma, a heresia não era apenas metafísica, mas também psicológica; os heresiarcas, como os santos, eram o psicanalistas da época. A heresia não era apenas uma questão

[2] *Plotinus*, W. R. Inge.

de crença a respeito da natureza do Amor Superessencial, o que claramente era, mas também uma questão de como os homens deviam amar, como deviam coinerir, como de fato eles coineriam. Já fazia muitos séculos que as autoridades eclesiásticas tinham invocado pela primeira vez o poder secular. E não tinham agora nenhuma pressa de fazê-lo. Os não ortodoxos estavam no início sujeitos a ataques por parte do povo, e geralmente o clero era chamado, como a polícia, tanto para salvá-los quanto para destruí-los. Mas a polícia logo se via numa posição impossível; os magistrados não tinham nenhum código a seguir. Magistrados rigorosos e magistrados frouxos divergiam em suas decisões. Toda a questão precisava ser regularizada. Em 1184 o imperador Frederico Barbarossa e o papa Lúcio III promulgaram o Edito de Verona. O papa ordenou que os bispos identificassem as heresias e entregassem os culpados ao poder secular para a devida punição; o imperador proclamava o castigo deles. Quase se poderia dizer que a Igreja militante passou por seu mais sério risco e que ela deliberadamente aceitou uma forma de atuação difícil de reconciliar com o Reino ao qual ela aspirava. É verdade que se acreditava que a heresia prejudicava gravemente a capacidade humana de viver e amar; o herege ultrajava a lei e o método da permuta — mais ainda, insistindo em sua visão em detrimento da visão declarada pelas autoridades da Igreja, ele rejeitava o fato comum da permuta sobrenatural. Era talvez fatal que se pensasse que ele devia ser extirpado. “A vida é o meio pelo qual o homem chega à beatitude”, e a heresia a arruinava.

Mas, admitido isso, está claro também que novas tentações da mais intensa energia atacavam agora a organização. Jamais se descobriu até hoje um método de expulsar um demônio — exceto pelo amor puro — que não permita a entrada de outros sete, como muito tempo antes havia sublinhado o Messias. Com o estabelecimento da Inquisição em 1233, todos os esforços foram feitos para expulsar o número um. O dever da delação foi incentivado em toda parte. "Um rapaz de catorze anos ou uma menina de doze" tinham idade suficiente para testemunhar. Não o fazer era por si só uma heresia, da mesma forma que se queixar da Inquisição era heresia. Todo o serviço inquisitorial recebeu uma tarefa ante a qual os meios de análise de crédito de hoje empalidecem. Era uma atividade em que praticamente nunca se podia errar e em que os acusados estavam sempre em posição de incrível desvantagem. As convoluções doutrinárias eram muito mais perigosas que as dificuldades factuais. Um cidadão acusado de heresia já era geralmente culpado de heresia. "O irmão acusava o irmão, a mulher acusava o marido." A Igreja, baseada nos mais elevados princípios possíveis, se empenhava em violar os mais elevados princípios possíveis. Não executava pura e simplesmente; ela conduzia e entregava seus prisioneiros à deliberada e prolongada tortura mental ou física, ou mental e física. Ela aprovava o prolongamento dessa tortura até seu ponto extremo; transformava qualquer protesto em heresia. Seria o caso de pensar que seria possível ver como aplicável a frase de Lorde Acton: "Não se pode crer que em Roma dezesseis séculos depois de Cristo os homens não soubessem que o assassinato era errado". Não é possível que os homens não julgassem que esses métodos santos eram questionáveis. Isso não acontecia. No fundo, mais profundas do que pensamos, estão as raízes do pecado; é no bem que elas existem; é no bem que elas prosperam e enviam a seiva e produzem os tenebrosos frutos do inferno. Os leques de pavão de santos e austeros papas espalharam pela Cristandade as cinzas de homens em chamas. A tocha que ateara fogo às cruzes nos jardins do Vaticano de Nero foram agora passadas para mãos nada incapazes e indecisas.

Todo esse desenrolar de acontecimentos, porém, levou tempo, e outros grandes movimentos correram em paralelo. Quando, por um felicíssimo acaso, William de Champeaux encontrou paz suficiente para fazer em Paris uma série de palestras sobre o texto de Porfírio, a Idade Média descobriu a si mesma. Porfírio foi um pagão, um neoplatônico, um alexandrino; foi contemporâneo de Orígenes e discípulo de Plotino. Os jovens intelectuais se apinhavam para ouvir as palestras. Num mundo que depende de materiais impressos, é estranho pensar em que grande medida os maiores acontecimentos no seio da Cristandade se deram não por meio de livros, mas sim de palestras. A voz viva dirige e domina, do Messias até a Renascença, e mais uma vez depois da Renascença nos sermões e por meio de invenções mecânicas estamos hoje voltando para a voz viva, quando milhões de lares ouvem seus mestres políticos e acreditam neles. No entanto, sem o olhar a coisa fica incompleta; as plateias de Paris ouviam não simplesmente uma voz; ouviam o discurso de um homem.

Com aquelas palestras pode-se dizer que a Universidade de Paris começou; o que garantiu isso foi a obra de um opositor e sucessor de William chamado Abelardo. Abelardo, como Orígenes, como Montaigne, é uma daquelas figuras sobre as quais a Cristandade nunca tem plena certeza e das quais, no entanto, deriva muita energia. A explosão do intelecto expressou um de seus aspectos por meio dele, assim como o outro foi expresso por meio de seu contemporâneo Anselmo de Cantuária. O grande problema e a grande emoção, para as primeiras mentes medievais, eram totalmente diferentes dos nossos. Nós levantamos perguntas — por exemplo, *Que está acontecendo, se é que está acontecendo alguma coisa?*, ou *Deus existe?* — mas não temos nenhuma resposta até descobri-la, se é que a descobrimos. Mas mesmo no caso da descoberta não temos meios para testar a resposta. A Idade Média suponha ter as duas coisas, as perguntas e as respostas. Eles tinham coisas comuns, de um lado; do outro lado, tinham uma linguagem altamente técnica de ritual e doutrina. Qual era a relação entre os dois lados? A emoção consistia em mostrar que os argumentos do opositor, se levados às últimas consequências, resultariam na negação das respostas formalmente corretas com as quais ele supostamente devia concordar. Sem dúvida às vezes a emoção também consistia na utilização de argumentos que "faziam a Verdade se aproximar tanto da mentira / Até o grau máximo da compatibilidade com sua Divindade". Dizem que naqueles primeiros tempos da universidade um legado de Roma escreveu a seu senhor protestando que era indecente que jovens rapazes ficassem publicamente argumentando que Deus não existe.

Credo ut intelligam [creio para entender], dizia Anselmo, e definia o método mais sábio. *Intelligo ut credam* [entendo para crer], quase dizia Abelardo, que poderia ter acrescentado *dubito ut credam* [duvido para crer]. Pelo menos sua obra *Sim e Não*, uma coleção de passagens contraditórias tiradas das Escrituras e dos Pais da Igreja que Abelardo apresentava para reconciliá-las, provocou hostilidades. Mas aquilo era tão elementar quanto sincero; o que arruinou Abelardo foi seu desenvolvido racionalismo, que parecia ousado demais, indiferente demais em relação às respostas doutrinárias certas. Entrou em rota de colisão com "o fanatismo implacável do temível São Bernardo".[3] São Bernardo compôs o *Tractatus de erroribus Abaelardi* e acionou a máquina da censura. "A inspirada ignorância e inescrupulosa astúcia do santo conseguiram uma condenação no Concílio de Sens, que nem sequer ouviu uma defesa."[4] Para São Bernardo coisas sagradas, segredos tão profundos como "Meu Eros está crucificado", não deviam ser temas da análise juvenil e das disputas presunçosas das escolas e das ruas. Mas embora ele se saísse vitorioso naquela época, a influência de Abelardo perdurou, e a Igreja foi salva do silêncio imposto por santos a pessoas de outros temperamentos. Na melhor das hipóteses, ela enfrentava suficientes dificuldades com os experimentalistas místicos; seria insuportável que se lhe negasse o benefício da razão e o benefício da dialética e até mesmo o benefício da dúvida. "Seja a tua palavra: Sim, sim; Não, não", disse o Messias, e talvez (mais do que já pensamos) ele quisesse dizer que as duas coisas deviam ser ao mesmo tempo. Mas — naquele tipo de conversa — os santos quase teriam excluído inteiramente o Não.

A dialética foi em frente. Abelardo morreu em 1142; São Tomás de Aquino começou a lecionar em 1252. Mas entre eles o grande e espetacular momento da imposição da crença já passara a existir e já se fortalecera: foi o Quarto Concílio de Latrão, convocado por Inocêncio III em 1215. Ali se viu a demonstração que marca o triunfo da Cristandade ocidental organizada; mais de quatrocentos bispos, o dobro de abades e priores, e todos os tipos de representantes de príncipes leigos. É verdade que era uma assembleia clerical, mas em

[3] *Legacy of the Middle Ages*, G. C. Crump e E. F. Jacob; *Philosophy*, C. R. S. Harris.
[4] Ibid.

questões de doutrina o poder de baixar decretos (embora não sempre o de os propor) sempre estivera nas mãos dos sacerdotes. É também verdade que esse concílio parece ter registrado as decisões de seu líder papal mais que produzido qualquer discussão por conta própria. Mas no que se refere à imposição do pensamento da Cristandade à massa da humanidade, essas características simplesmente intensificam sua eficácia. A personalidade e o poder de Inocêncio, junto com seu sucesso, representam a Idade Média; cem anos depois de Latrão as catástrofes que a abalaram já são visíveis.

Lotário de Segni, denominado Inocêncio III, ascendera ao trono papal em 1198. Encontrara a Europa acossada por perigos tanto externos quanto internos: os muçulmanos no Oriente Próximo e os heréticos cátaros no sul da França. Propôs um esforço para derrubar os dois. A Primeira Cruzada contra o Islã acontecera em 1097-1099, a pedidos do imperador do Oriente e com o apoio de Urbano II. Ela havia tomado Jerusalém e criado reinos latinos no Oriente. Cem anos depois, Saladino retomou Jerusalém, e a Terceira Cruzada, apesar da paixão de Ricardo Coração de Leão, não conseguiu recuperá-la. Em 1202 a Quarta Cruzada partiu, apoiada por Inocêncio. Partiu, mas foi desviada de seu objetivo. A cidade de Bizâncio sempre estava no caminho dos exércitos ocidentais. Ela era ao mesmo tempo amiga e estranha; era para eles uma base, mas também era rival; era cristã, mas cismática. Desde a separação dos ritos, ela se tornara uma provocação tanto para o credo quanto para a ganância do Ocidente. Em 1204 a tentação causada por sua arrogância, sua riqueza e sua heresia revelou-se excessiva. A Cruzada mudou de rumo; com base em alguma desculpa dinástica, os cruzados primeiro entraram e depois sitiaram, tomaram e saquearam a Cidade. Foi o primeiro grande exemplo de destrutividade civil no seio da Cristandade; o Ocidente, naquele ato, provocou a violência de um cisma, como se a Cristandade, como o mundo, já não conseguisse impedir um canibalismo interior, e como se sem sabê-lo com isso se preparasse para os subsequentes desastres de suas próprias guerras religiosas. É óbvio que até hoje sofremos as consequências daquele ato e do fracasso das Cruzadas; foi a perda de Bizâncio que permitiu o crescimento da Prússia e de seu esforço para dominar o Oriente. Inocêncio foi conivente a ponto de aceitar o que parecia ser a queda grega e a ponto de nomear um veneziano como o patriarca latino de Bizâncio.

Em Languedoc heresias mais antigas que o Islã apareceram: o gnosticismo e o maniqueísmo. Ali, na mais altamente civilizada região da Europa, a cidade provençal de Albi emprestou seu nome aos seguidores daqueles velhos cismas da natureza, a ideia da matéria como sendo incapaz de salvação, a ideia do grupo perfeito de adeptos. É verdade que quase tudo o que sabemos sobre os albigenses nos chega através de seus inimigos e que não se pode confiar que uma cabeça entre mil diga com precisão o que diz seu opositor, sem falar no que ele pensa. Não se pode confiar no testemunho ortodoxo mais que no testemunho dos antropólogos acerca das raças selvagens, embora talvez nos dois casos o grau de confiança seja igual. Parece claro que Languedoc se tornara um centro de cultura, de luxo, de heresia e de esterilidade. Uma espécie de "sopro de morte" perpassava a região, e uma separação oriental da carne e da coinerência; o Eros foi coroado, mas não deu frutos. No início, Inocêncio enviou missionários; o grande São Domingos foi lá pessoalmente. Mas os missionários fracassaram; o legado papal foi assassinado; e Inocêncio "proclamou, para esta invasão de Laguedoc, todas as indulgências que se podiam alcançar mediante uma campanha muito mais difícil e perigosa na Terra Santa".[5] Um exército reuniu-se na França, sob o comando de Simão de Monfort, e avançou contra os hereges. Houve crueldades terríveis, mais que as habituais numa guerra. No fim o país foi conquistado; a doutrina foi ensinada em toda parte, e o domínio passou das mãos dos senhores originais, os condes de Toulouse, para as mãos oficialmente mais cristãs dos reis da França. Por volta de 1215 o caso estava encerrado, e a doutrina de que a matéria era incapaz de salvação, até a chegada da Sra. Eddy, foi considerada uma falácia do passado.

Mas entre os intelectos que avançavam e se deleitavam, entre os esforços para dirigir e controlar as massas convertidas com demasiada facilidade, entre a sofreguidão de propagandistas e perseguidores e entre as rixas das hierarquias espirituais e seculares, durante todo esse tempo se desenvolvia uma questão de importância muito maior que qualquer outra. Essa também dizia respeito à matéria e ao homem. As grandes definições da Trindade e da Encarnação foram todas, em seu conjunto, resolvidas muito tempo antes; Niceia e Calcedônia as haviam estabelecido. Mas naqueles séculos primordiais o central Mistério do Ritual, a eucaristia em si, tinha sido mais aceito que discutido. Desde os dias de São Paulo as santas celebrações haviam continuado, e a presença do Messias era reconhecida. Mas a argumentação fora pouca. A natureza da mudança não havia sido definida, assim como não haviam sido estabelecidos o meio ou o momento da mudança.

[5] *Inquisition and Liberty*, G. C. Coulton.

Somente os teólogos mais sutis podem discutir adequadamente a natureza da Presença. O sarcasmo contra a Igreja acerca de sua preocupação com a doutrina parece justificar-se aqui mais que na maioria dos casos, uma vez que a mente leiga tem dificuldades para entender o Corpo material que ainda é espiritual, ou como os "acidentes eram em algum sentido reais", e "foi por meio dessa distinção entre substância e acidentes [...] que São Tomás e outros puderam afirmar que, embora as espécies fossem de fato quebradas, o Corpo de Cristo não era quebrado";[6] e, no entanto, a ortodoxia da consubstanciação é duvidosa. As respostas são elevadas e sublimes, mas ainda aguardam o gênio que possa dar vida a essas altas especulações. O que é certo é que houvera pouca controvérsia na Igreja sobre essas coisas, e foi somente no fim da Idade Média que o hábito da adoração passou a tomar o lugar da comunhão, no que dizia respeito às práticas comuns da Igreja. São Inácio havia falado da eucaristia como "a carne de nosso Salvador que sofreu por nossos pecados", e desde os primórdios os olhos da Cristandade se haviam fixado nos elementos que, sendo um véu, em algum sentido eram mais ainda o mistério além do véu. A identidade do Sacrifício substancial — isto é, da entrega substituída de Si mesmo — era apresentada por Deus ao homem e pelo homem a Deus; o grande rito atingia seu ápice no eterno, e no entanto comunicava o eterno ao tempo — "tema terrível", escreveu Fulberto de Chartres. A matéria fora passível de salvação; a salvação foi comunicada por meio da matéria. "Na hora mesma do sacrifício", escreveu Gregório Magno, "as coisas mais baixas entram em comunhão com coisas mais altas, coisas terrestres

[6] *The Council of Trent and Anglican Formularies*, H. Edward Symonds.

se unem a coisas celestiais, e as coisas que são visíveis e as que são invisíveis tornam-se uma coisa só."[7]

Antes de ser papa, Inocêncio III escrevera um livro sobre o sacramento. Quando convocou o Concílio, mandou que seus decretos iniciassem com uma declaração "Sobre a Fé Católica". Dizia ela:

> Existe uma única Igreja universal dos fiéis, fora da qual absolutamente ninguém vive em estado de salvação. Nessa Igreja o próprio Jesus Cristo é sacerdote e sacrifício; e seu corpo e sangue estão realmente contidos no sacramento do altar sob as espécies de pão e vinho, o pão sendo transubstanciado no corpo e o vinho no sangue pelo poder de Deus, de modo que, para realizar o mistério da unidade, nós mesmos recebemos daquilo que é dele, aquilo que ele mesmo recebeu do que é nosso.

A última frase é notável. Como se fosse num poema lírico teológico a doutrina da permuta, da substituição, da coinerência atingia seu ponto objetivo mais alto na terra. A história, a contemporaneidade e o futuro estavam juntos; a Igreja havia-se reconciliado com o tempo só para reconciliar o tempo com sua Causa. Ela respondia ao julgamento e à terrível ameaça do céu precisamente com o antigo grito, ele mesmo transfigurado: "Meu Eros está crucificado"; ela declinou, ela dissimulou, ela quase ousou murmurar: "Teu Eros está crucificado". E ao mesmo tempo ela impunha aquele mais terno e mais assombroso segredo a todos os filhos do Ocidente, como o Oriente também fez, independentemente das variações da fraseologia ou das hesitações acerca do ritual que houvesse entre os dois polos.

[7] *History of the Doctrine of the Eucharist*, Darwell Stone.

Foi mais ou menos nessa época que todo esse assunto se tornou, na literatura, uma espécie de poder diferente. Alguém, sem dúvida, foi responsável por isso, mas nós não o conhecemos, assim como também não sabemos quem foi o responsável pela alteração de toda a dramaturgia futura por ter tido a ideia de encenar peças religiosas do lado de fora da igreja. É certo que isso pode ter acontecido quase ao mesmo tempo em vários lugares, mas certamente alguém o sugeriu verbalmente primeiro, e com mais certeza ainda alguém inventou Galaaz. Os grandes romances arturianos haviam crescido e foram divulgados durante o século 12 e o início do 13. A energia do amor cortês concentrara-se em Lancelote, Merlim passara a existir assim como o grande mito do Graal e do Rei Ferido. Supõe-se que um cistercense ou um grupo de cistercenses se pôs a trabalhar com o intuito de concentrar e desfazer a Matéria da Bretanha. Construiu-se, nos romances intitulados *Lancelot* e *Queste del Saint Graal*, um mundo de bravura e amor para que ele pudesse ser derrotado pela criação de outro mundo feito de religião, contrição e santidade; e como naquele mundo o Graal brilhava nitidamente (igual à eucaristia e, no entanto, diferente dela), assim, na medida da pureza da glória desse mistério, Lancelote foi impedido de conquistá-lo. Mas, por meio daquilo que tem sido um dos maiores momentos de imaginação já concedidos ao homem, num momento em que ele se sentiu encantado e se supunha leal à rainha, foi-lhe permitido gerar na mãe predestinada a figura do Alto Príncipe; ele foi compelido a isso. Galaaz, acompanhado por Percival e Boors (como se em funções diferentes de uma única santidade), conquista o Graal. Sem dúvida Galaaz apresentava, nessa época, a Via da Rejeição das Imagens, em oposição às errôneas e pecaminosas afirmações das imagens na corte de Camelot. Mas para nós, especialmente depois de Malory, há uma grande ambiguidade envolvendo Galaaz. Ele não tem nenhuma preocupação com nenhuma afirmação mortal, e no entanto ele é o filho e o ápice da maior de todas as afirmações mortais de um amor duplo apaixonado, devotado e trágico. Ele deve sua própria existência a Lancelote e nunca se esquece de seu pai. "Gentil senhor, saudações a meu senhor Sir Lancelote, meu pai." As bobagens absurdas que se disseram sobre ele ser "inumano e inatural" não captam nada da questão da misticamente encantada paternidade. Não captam a significância daquele aposento onde, como se fosse na noite escura da alma, "todas as janelas e orifícios estavam lacrados para que não se pudesse ver nenhum sinal da luz do dia"; ali a princesa do Graal abandonou sua virgindade e Lancelote foi defraudado de sua fidelidade, a fim de que as duas grandes Vias pudessem intercambiar-se para a geração de Galaaz. O Alto Príncipe tem persistido como forte símbolo das duas Vias; ele não as trilha, mas ambas estão nele. Ele é carne e sangue na união com a Carne e o Sangue.[8]

Durante o século subsequente ao augusto Concílio, ou mais ou menos isso, parecem emergir de sua sombra e recente presença grandes formas atuantes de organizações antes nunca vistas. "Quando lidamos com a Idade Média nós

[8] O professor Vinaver em seu *Malory* cita Mme Lot-Borodine dizendo: "*La filiation mystique de Lancelot et de Galaad nous paraît certaine, et c'est au sens le plus profond du mot que le premier engendre le second*" [A filiação mística de Lancelote e Galaaz nos parece certa, e é no sentido mais profundo da palavra que o primeiro gera o segundo]. M. Vinaver sublinha que não se pode sustentar isso "nem pelos fatos da história nem pelos princípios da doutrina cistercense". Parece, porém, mais provável que isso seja o passo seguinte na evolução do Ciclo, uma vez que o resto já foi realizado, e Mme Lot-Borodine só escreveu no tempo passado quando deveria ter escrito no futuro.

somos muitas vezes enganados pela imaginação. Pensamos em cotas de malha e no aristotelismo. Mas o fim da Idade Média já é visível quando surgem esses atrativos."[9] Existiram muitas espécies de grupos, de ordens e de parafernálias intelectuais e materiais antes de Latrão. Mas depois de Latrão essas coisas parecem visar mais intensamente a dominação, e quando elas não a propõem, mesmo assim ela está em sua natureza, ou, se até isso é forte demais, então essas coisas fazem parte de uma casa dominante, uma cultura dominante, uma sociedade realizada. Estão em toda a parte, queiram elas ou não; nelas, assim como no seu mundo, há estabilidade e se, como às vezes acontece, uma delas fracassa, o fracasso parece assustar e horrorizar seu mundo. O método da imposição da crença desenvolveu organismos universais; podemos vê-los em funcionamento, cada um com suas características particulares. Se descritos como arquiangélicos, eles ainda são vistos como Miguel e Gabriel, e não mais como os jovens inexperientes serafins. E ainda assim, à medida que eles avançam, a prática da coinerência parece rechaçada, de forma cada vez mais secreta, para dentro do coração dos santos, que em qualquer época são poucos.

O mundo do século 13 talvez não tenha tido "fé" — no sentido paulino. O esforço da Igreja vitoriosa sobre a terra havia produzido uma Cristandade muito diversificada; e não muito além do Danúbio e do Elba a luta, metafísica e real, ainda prosseguia. Em 1157 São Érico IX da Suécia combateu os fineses e os converteu; em Riga foi criado um bispado em 1201; em 1206 teve início o primeiro trabalho missionário sério realizado na Prússia. A Polônia já era cristã

[9] *The Allegory of Love*, C. S. Lewis.

havia séculos, mas as incursões tártaras interromperam seu desenvolvimento e praticamente destruíram sua tradição. A Ordem dos Cavaleiros Teutônicos lutava contra todos indiscriminadamente. Mas além da Polônia e dos Cavaleiros, na região em torno de Kiev, Novgorod e Moscou, estabeleceram-se os ortodoxos de Bizâncio. Eles ocupavam um espaço perigoso entre os latinos no Ocidente e os tártaros da "Horda Dourada" islâmica no Oriente. Desde que as Cruzadas haviam engolido Bizâncio, embora mais tarde fossem forçadas a devolvê-la, a hostilidade entre o Oriente e o Ocidente havia crescido. Nas remotas e estranhas planícies entre aquelas tribos e povos em luta, a sucessora da Bizâncio ortodoxa estava sendo preparada — exatamente enquanto os confins da própria Bizâncio se encolhiam.

No Ocidente a crença — ou aquilo que passava por crença — não sofria tanta pressão. Pelo menos a Sociedade acreditava no valor da crença; acreditava no valor do Credo, mesmo que não acreditasse nele. Ela pediu uma nova Festa e a aprovou. A doutrina de Latrão devia ser espetacular, e o espetáculo, diziam, foi induzido pelo céu. Pouco tempo depois de Latrão a oficialização da festa começou por meio de uma revelação. "Juliana, uma freira do monte Cornillion, na Bélgica, que professava uma devoção ardente pelo Corpo de Cristo, teve a visão de uma lua cheia cuja pureza era manchada por uma única nódoa escura. A lua representava a Igreja, cujo ano litúrgico permanecia incompleto sem a adição de uma festa em honra do Corpo de Cristo. Roberto, bispo de Liége, ficou tão impressionado que, fazendo uso de sua própria autoridade, ordenou a celebração solene da nova festa."[10] Em 1264

[10] *Christian-Latin Poetry*, F. J. C. Raby.

o novo papa, Urbano IV, que fora arcediago de Liége, atendeu ao pedido dos fiéis, e ordenou por meio da bula *Transiturus* a celebração da festa de Corpus Christi em toda a Igreja. A coinerência da matéria e da Divindade como presença assumiram na liturgia o esplendor que tinham intelectualmente, e a representação dos mistérios e milagres dramáticos, durante os longos dias de verão, em muitos lugares celebrava o ato presente no sacramento bem como na história e na alma. Ele foi organizado e mostrado.

O que aconteceu com as procissões de Corpus Christi também aconteceu com as intromissões (a palavra não significa mais que isso mesmo) da complexidade do governo papal. É verdade que depois de Inocêncio III a efetiva glória do centro oscila um pouco. As declarações não são atenuadas; não, elas são intensificadas, pois em 1302 Bonifácio, na bula *Unam Sanctam*, declarou formalmente que a salvação de cada criatura humana depende de sua obediência ao papa. Mas a pessoa do papa está mais uma vez exposta a insultos, como quando os soldados de Felipe, o Belo, da França ofendem e maltratam o mesmo Bonifácio logo no ano seguinte. O pontífice que o sucedeu, Clemente V, em algum sentido modificou a linguagem de Bonifácio, embora não seu significado, e deu início à longa residência papal em Avignon em meio a um colegiado composto em grande parte de cardeais franceses. Mas quer as reivindicações fossem enfatizadas ou não, quer o prestígio papal em qualquer momento estivesse alto ou baixo, a organização papal estava mais difundida que nunca. O mesmo Clemente tomou em suas mãos, tirando-o dos capítulos das catedrais, o direito de nomear bispos, e em 1344 o direito de estabelecer todos os ofícios e benefícios. Essa grande iniciativa provocou outra: em 1346 o rei da Inglaterra confiscou todos os benefícios que estavam nas mãos de estrangeiros, e em 1353 foi criado o primeiro Estatuto Praemunire. Essas coisas não tocam diretamente a doutrina; não tratam de definições de fronteiras e de funções como acontecera na antiga rixa sobre as investiduras. Elas são o funcionamento de formas desenvolvidas; a própria disputa se trava entre estabilidades aceitas.

A atividade formalizada e geral do Santo Ofício é dessa mesma natureza; de alguns pontos de vista ela poderia ser considerada a sombra escura lançada, sendo os homens o que são, por Corpus Christi. Justificável ou não, a jurisdição da Inquisição começava agora mais que nunca a deserdar o corpo dos culpados de heresia de qualquer espécie de coinerência. Tudo o que estivesse fora de sua visão de coinerência era queimado. A perseguição fora definida formalmente em 1184; em 1215, no Concílio de Latrão, decretara-se formalmente que os hereges deviam sofrer o confisco e o banimento — e o banimento acabaria sendo, dada a natureza das coisas, de toda a Cristandade. Em 1252 Inocêncio IV reativou um velho hábito pagão. Ele permitiu e incentivou o uso da tortura. Papas, santos e doutores do passado haviam rejeitado com horror a própria ideia da tortura. Mas a reconciliação com o tempo e os costumes da humanidade decaída tinha se aprofundado muito. A bula *Ad Extirpanda* decretou... precisamente a extirpação. Os juízes da Inquisição deslocavam-se de um lugar para outro efetuando julgamentos: ouvindo testemunhos, testando e torturando os acusados, que depois ou soltavam impondo-lhes penitências ou mantinham indeterminadamente no cárcere, ou então entregavam aos magistrados: "Nós o confiamos ao braço secular, solicitando-lhe carinhosamente, conforme as exigências do direito canônico, que a sentença do juiz civil possa livrá-lo da morte e de mutilações". Nessas fórmulas as autoridades eclesiásticas camuflavam suas intenções. No entanto, deve-se admitir que a fórmula em si era um testemunho do fato definitivo de que o direito canônico proibia que um clérigo se envolvesse com o derramamento de sangue. Quem servia os altares da Única Imolação não devia nunca envolver-se com imolações menores; o Sangue que ele comungava o afastava de qualquer outro, a menos que de fato o martírio o obrigasse a juntar seu próprio sangue com aquele. Os oficiantes que sacrificavam o próprio Deus não deviam sacrificar homens. Eles o fizeram, mediante a manipulação de palavras. Mas o repúdio dessas coisas que aconteceria séculos mais tarde não deixou de ter suas origens na compaixão divina preservada sem compaixão, e talvez o Sacrifício Único também nisso tenha permanecido e venha a permanecer com a Igreja até o fim do mundo. Naquele tempo, apesar de todas as agonias individuais ou rixas locais entre inquisidores e príncipes, ou inquisidores e bispos, essa realidade foi mais uma vez uma grande manifestação de poder estabelecido: aceito, habitual, imenso.

O mesmo se aplica às novas ordens do século 13, organismos vivos de mais uma espécie diferente. Por volta do ano 1220 o papa Honório III aprovou e abençoou as duas grandes companhias de frades, os frades pregadores e os frades menores, os dominicanos e os franciscanos. Eles também partiram para todos os lugares; ensinavam, oravam, lecionavam, discutiam, pregavam. Talvez neles se veja do modo mais claro a alteração entre a iniciação e a instituição, entre o relâmpago e a prolongação da luz. Não se sugere que os filhos de São Francisco e São Domingos não fossem dignos de seus fundadores. Mas as ordens têm uma estabilidade temporal própria que Francisco e Domingos não poderiam nem desejavam ter. Eles fixaram o próprio fim e se apressaram para atingi-lo; as ordens não podem fazer a mesma coisa.

No mundo intelectual, grandes forças similares pisotearam a terra. A recuperação de Aristóteles no final do século 12, inicialmente repudiado e proibido como perigo público, acabou fornecendo a armadura das grandes mentes filosóficas da época. Com certeza houvera sistemas de pensamento antes de São Alberto e São Tomás, e com certeza o próprio São Tomás só foi recebido adequadamente cinquenta anos após sua morte; sua defesa de Aristóteles quase arruinou sua reputação. Mas logo o aristotelismo foi aceito; tornou-se a panóplia daqueles gigantescos sistemas, pois quando contemplamos a obra de Duns Escoto chocando-se contra a de Tomás de Aquino é de algum desses conflitos de mentes totalitárias que nos lembramos. Nem sempre a vitória esteve de um só lado; o pensamento de São Tomás tem sido sutilmente modificado pela sensação despertada por Escoto. Por exemplo, no efeito sobre nossa visão da questão incentivada pela opinião escótica de que a Encarnação teria acontecido se não tivesse havido nenhuma Queda.

"A razão", disse Chesterton, "é sempre uma espécie de força bruta. [...] A verdadeira tirania foi a tirania da razão agressiva sobre o espírito humano intimidado e desmoralizado." Há, com certeza, uma maneira pela qual a razão pode evitar essa brutalidade; não é o caminho que São Tomás escolheu, mas ele existe. Consiste em dizer, logo no início, como disse aquele outro grande racionalista Euclides: "Suponhamos...". O que aceitamos supor é outra questão; pode ser que se possa confiar na lógica, ou que as coisas existam, ou que eu possa pensar, ou qualquer outra coisa. Não podemos começar a provar nada sem supor alguma coisa. Os grandes escolásticos quase nunca diziam: "Suponhamos...". Siger de Brabante, que parece ter defendido que havia duas modalidades de verdade e que se podia de fato acreditar no que de fato se sabia não ser verdade, talvez estivesse tentando chegar lá. Tomás de Aquino desafiou Siger, mas Dante fez Tomás elogiar Siger. Deve-se dizer, porém, que a poesia às vezes pode fazer o que a filosofia não pode, pois a poesia é arbitrária e transformou fórmulas de crença em operação de fé. Muitas vezes nos mostraram como Dante seguiu Tomás de Aquino; seria interessante ver uma demonstração das diferenças entre eles.[11] Pois a poesia, como a fé, pode olhar para a razão pela frente e por trás; ela pode observá-la de todos os lados. Mas os imponentes castelos da escolástica não se dignariam supor: é por isso que se pode ler o *Inferno*, ao passo que não se consegue ler os capítulos sobre o inferno na *Summa Theologica* como também não dá para crer neles. Lidas essas obras, o clarão lógico daquele fogo lança uma terrível luz sobre toda a *Summa Theologica*. Mas indiferentes a essas frágeis humanidades, as enormes disputas racionais prosseguiram. As ordens seguiram seus representantes, os dominicanos Tomás de Aquino, os franciscanos Duns Escoto. Houve outros professores. E em toda parte as controvérsias são mais sublimes, as mentes mais profundamente resolvidas, o ensino mais duradouro, a Idade Média mais solidamente estabelecida.

Mas talvez a força mais universal de todas foi a do direito canônico. Este, que tinha a mesma idade da Igreja, foi

[11] Assim, por exemplo, São Tomás (Parte I, Q. 92, Art. I) diz que a mulher foi criada para auxiliar o homem "na obra da geração", pois em outras obras o homem "pode ser auxiliado de modo mais eficiente por outro homem". Essa certamente não é a doutrina da *Divina Comédia*.

promulgado na sua inteireza por Gregório IX em 1234, dezenove anos depois de Latrão. Recebeu sua última emenda medieval em 1317, e assim permaneceu em vigor na Igreja Romana até 1918, quando foi revisado, constituindo uma revelação significativa dos dois grandes períodos doutrinais e legislativos. Foi esse grande corpo sistematizado que controlou e dirigiu a maior parte das relações entre os homens. Ele permitia certa autonomia ao direito secular, embora se reservasse o direito de corrigi-lo quando estivesse errado. Transferia, porém, para sua própria jurisdição todos os clérigos tonsurados, embora não permitisse que essa reserva se aplicasse a clérigos que houvessem abandonado sua vocação. Proibia a usura. Interferia na guerra, proibindo-a em certas circunstâncias. Preocupava-se especialmente com o cuidado das viúvas e das mulheres injuriadas. Mas também analisava e orientava as relações mais íntimas do ser humano. Controlava a abordagem de "cama e mesa". Em virtude de sua preocupação com o batismo e o novo nascimento, incluía em sua inspeção todos os partos e tudo o que conduzia ao parto. O primeiro sorriso sedutor entre um homem e uma mulher colocava os dois envolvidos sob a sombra de sua atuação. Naquela sombra estabelecia-se uma grande igualdade entre eles; concedia-se pouca vantagem a qualquer um dos dois. Regulava a penitência para a fornicação e o adultério; estabelecia as condições em que podia existir o chamado estado de casamento — o estado em que "os dois indivíduos eram eles próprios os autores do contrato e os ministros do sacramento. [...] Antes do Concílio de Trento a presença de um sacerdote não era exigida para a validade do sacramento".[12]

[12] *Legacy of the Middle Ages*, G. C. Crump e E. F. Jacob (*Canon Law*: Gabriel le Bras).

Decretava jejuns e festas; ordenava a confissão e a comunhão pelo menos uma vez por ano; reservava certos pecados exclusivamente para o papa; declarava as questões que levavam à excomunhão da coinerência na terra. Atingia não apenas todos os sacerdotes, mas todos os leigos; professava estabelecer não apenas a organização necessária para a salvação, mas a própria natureza dos órgãos mais íntimos de homens e mulheres.

Às vezes entre aqueles poderes ouvia-se o som de uma terrível derrota. O século 13 fora aberto com um dos mais assombrosos fenômenos da Idade Média: a Cruzada das Crianças. Uma época como a nossa, que dá infinita atenção às crianças, sente-se frustrada ante esse espetáculo; até mesmo na Idade Média o fenômeno só aconteceu uma vez. As crianças afluem de aldeias e cidades, e um rapaz francês e outro alemão as conduzem. Elas cruzam os Alpes; descem para Gênova e depois para Roma. Esperam milagres. Devem realizar o que Ricardo Plantageneta não conseguiu: redimir Jerusalém. Elas despertam piedade, admiração, ganância. A ruína aperta o cerco em torno delas, e elas são traídas. Morrem de fome, são vendidas como escravas; os capitalistas da época auferiram seu lucro, e foi como se com elas desaparecesse da Europa certa estranha qualidade e capacidade de frescor que nem todo o esplendor dogmático de Latrão conseguiu reviver, e nem mesmo a erudita e sutil piedade do *Pange, lingua* quando São Tomás em grandes versos adorou o sacramento.

Esse frescor, porém, ainda continuou numa única atividade — na literatura, e especialmente numa convenção da literatura — o terreno verde onde tanta poesia começou. *O Romance da Rosa*, *Pedro, o Camponês*, *Pérola*, só para mencionar três exemplos, são todas obras que começam com um sonhador e uma extensão de relvado verde e água corrente. Depois dessa abertura numa paisagem ao ar livre, elas passam para coisas diferentes, para o jardim do amor cortês, para a feira campestre da plebe, para a outra margem do rio das almas celestes. Seu som varia com a preocupação delas. Mas os lugares de suas aberturas são similares, quase idênticos, assim como o canto dos passarinhos. A canção de São Tomás foi de imenso valor para a Europa, mas indicava uma mudança: as procissões — seculares e religiosas — começaram a ocupar os terrenos relvados. Elas combinavam mais com a abertura da *Divina Comédia*; os passarinhos, como as crianças, facilmente pereceram.

Um século mais tarde uma grande instituição capitalista, que outrora tivera o mesmo objetivo das crianças, tornou-se o centro da atenção da Europa. Em 1307 todos os templários da França foram presos por ordens do rei francês. Os organismos se voltavam uns contra os outros; a Inquisição foi empregada contra os templários. É impossível saber quanta confiança podemos depositar nas provas e confissões: quer se trate do estranho ídolo, dos beijos obscenos, das cusparadas na cruz, da renúncia a Cristo ou das missas inválidas. Um serviçal inglês do templo, Thomas Tocci de Thoroldeby, declarou em juízo que "por muitos anos ele nunca havia visto uma hóstia sem pensar no diabo, mas exatamente naquela manhã ele assistira à missa com grande devoção e sem nenhum pensamento daquela espécie".[13] Mas na Inglaterra os inquéritos aparentemente não foram levados às últimas consequências; o papa até sugeriu que

[13] *The Trial of the Templars*, E. J. Martin.

os templários ingleses deveriam ser enviados para a França. Na França, no fim parece que o problema girou em torno da figura bastante misteriosa do grão-mestre Jacques de Molay. "Há uma subcorrente de hostilidade manifestada pela própria ordem contra Jacques de Molay e contra alguns dos oficiais mais altos. [...] Muito antes de serem detidos, os rapazes ingleses haviam aprendido a dizer: 'Cuidado com o beijo dos templários'."[14] O que está claro é que, dentro ou fora da ordem, havia acontecido uma espécie de turvamento da imaginação. Era mais fácil pensar em blasfêmia e sacrilégio. Uma espécie de exuberância de pensamentos diabólicos começou a se espalhar; certos os acusadores ou certos os acusados — isso nunca saberemos — a verdade é que alguma corrupção grave da ideia estava presente. Os gatos que se dizia serem adorados pelas bruxas, pelos templários, pelos hereges, se parecem com desvairados pesadelos dos devotos, e isso também se aplica à cabeça humana "muito pálida e descorada", "do pescoço até os ombros coberta de ouro, prata e pedras preciosas" que era carregada por um sacerdote para o altar entre uma procissão de luzes, na Festa de São Pedro e São Paulo, no Capítulo Geral da Ordem em Paris.[15] O testemunho dado, em depoimento de 1308, era, sem dúvida, falso. Mas alguém pensou nisso, e muitos gostavam de pensar nisso. A ansiosa guarda montada contra o diabo estava realizando seu antigo trabalho; estava trazendo o diabo de volta com muito poder. Durante todo o século 15 o ritmo de seu retorno se acelerou. A caça às bruxas começou a funcionar; o *Malleus Maleficarum* foi publicado

[14] Ibid.

[15] Ibid.

em 1486; a imposição da crença tornou-se mais violenta, mais inventiva e mais cruel. Como numa procissão de luzes, entre fogos e gritos, a pálida cabeça descorada — como se fosse de mais uma horrenda Vítima — é carregada pelos sacerdotes até o altar.

VI
Consumação e cisma

O fim da Idade Média pode ser considerado de várias formas: um desmoronamento, um desmantelamento ou um desbravamento. A última alternativa é a menos provável; a Idade Média não estava tão fechada à inteligência que a descoberta de uma série de novos fatos e até mesmo de novos métodos de fruição teria necessariamente causado grandes danos a seu equilíbrio. Hoje percebemos que esse período não estava fechado em tacanhos dogmas; os dogmas da Idade Média eram tão amplos quanto a criação, tão altos quanto os mais elevados impulsos da alma, tão profundos quanto a gênese do sangue e tão remotos quanto Adão e o Dia do Juízo. Assim devem sempre ser os princípios da Cristandade, quer do ponto de vista macro, quer do ponto de vista micro; quer no contexto de todos os tempos e lugares, quer no contexto de uma única figura humana. É verdade que havia certas coisas que a Idade Média não enfatizava, e talvez a falta disso tenha contribuído para sua destruição; por exemplo, não havia geralmente incentivos para o princípio da descrença. A fé da Idade Média aceitava implicitamente a razão da mesma forma que aceitava Cristo; uma época posterior seria levada pelo Espírito Santo a perceber que a fé pode ter prazer na derrota do suporte racional e ao mesmo tempo tirar vantagem desse suporte. Tudo isso, porém, mal sustenta a contento a imagem do "desbravamento" da Idade Média em busca de um estado intelectual mais apropriado. Tampouco nós hoje acreditamos que isso tenha ocorrido.

A Idade Média com certeza se desmantelou, formando as nações, as classes e as igrejas. Ela desmoronou, devido à Peste Negra, ao Grande Cisma e ao pecado natural. Mas antes de discutirmos a mais intensa manifestação desse desmantelamento e de seus fatores, devemos dizer alguma coisa sobre dois livros — ou melhor, um livro e uma coleção de livros — em que a imaginação da Cristandade da época se expressou. O primeiro é *A Nuvem do Não Saber*; o segundo é a obra de Dante. A Via da Rejeição das Imagens e a Via da Afirmação das Imagens mal encontraram antes, talvez nem encontrassem depois, melhor expressão. Patmore quase acertou quando disse, referindo-se à existência de poetas religiosos:

> De Davi até Dante nenhum,
> E nenhum depois de Dante.

O que houve depois de Dante foi uma vasta quantidade de comentários; um a mais não fará mal.

O esforço da Cristandade de polarizar as relações sexuais direcionando-as para Deus havia sido oficialmente desaprovado desde os Concílios de Elvira e de Niceia, excetuando-se o casamento, e no todo pouco se fizera para incentivar o grande experimento até mesmo dentro dos limites do casamento. No esforço geral para estabelecer e sustentar uma civilização arrumada, o casamento se tornara mais propriamente uma fixidez da vida social e não uma dinâmica de realidades divinas. É extremamente duvidoso que a monogamia possa ser defendida argumentando-se que se trata de um sucesso cultural; e, para fazer justiça à Igreja, ela nunca tentou defendê-la primeiramente com base nesses argumentos insatisfatórios. A base de sua defesa é sobrenatural, e o sobrenatural e o cultural habitualmente não combinam. Mas durante muito tempo, afetada por sua paixão inicial pela devoção e pela paixão posterior pela razão, a Igreja desaprovou completamente a paixão sexual. "A teoria medieval encontra espaço para a sexualidade inocente; o que ela não encontra é espaço para a paixão, romântica ou de outra natureza. [...] Em sua forma tomista a teoria absolve o desejo carnal e o prazer carnal, e detecta o mal no *ligamentum rationis*, a suspensão da atividade intelectual."[1]

Desse ponto de vista a paixão do marido por sua mulher era tão perversa quanto a paixão pela mulher de outrem. A observação irrestrita do Messias de que um homem que desejasse uma mulher — e ele não excluiu as esposas — cometeria adultério com ela era tomada ao pé da letra, e de fato qualquer modificação *é* arbitrária. O casamento, portanto, poderia facilmente tornar-se uma ocasião para o pecado, que só poderia ser redimido por meio de uma forte devoção à "justiça". A justiça foi, em tudo, a palavra-padrão da Idade Média. O casamento era, dentro de seu gênero, a Justiça da Cidade; os parceiros tinham de ser mutuamente "justos"; deviam trocar satisfações permitidas, mas apenas as naturais.

Ao longo dos séculos surgiu uma outra ideia — como paródia, como rival, como complemento, como inspiração. "A impressão geral gravada na mentalidade medieval por seus professores oficiais foi a de que todo amor — pelo menos toda aquela apaixonada e exaltada devoção que o poeta do amor cortês julgava digno desse nome — era mais ou

[1] *The Allegory of Love*, C. S. Lewis.

menos perverso. A impressão, combinada com a natureza do casamento feudal [...], produziu nos poetas um certo propósito, uma disposição de enfatizar em vez de esconder o antagonismo entre seus ideais amatórios e religiosos."[2]

Essa disposição sofreu mudanças. Mas entre suas consequências estava a propensão de contradizer a tendência oficial para a razão. Os poetas disseram, com Wordsworth, que a paixão em si era "a mais alta razão"; eles nem sempre acrescentaram "numa alma sublime". Começava-se a afirmar que a "paixão" precisamente estimulava e iluminava o intelecto, que libertava da *accidia*, conduzia à *caritas*, e até (a mais estranha das inversões!) que essa paixão podia existir como casamento ou no casamento. A ideia do casamento como um caminho da alma tornava-se uma possibilidade. A paixão já não seria mais moralmente dúbia por ser uma qualidade não intelectual do casamento; este em si mesmo era apenas um grau de justiça concretizando-se neste mundo. A descoberta de uma justiça sobrenatural entre dois amantes era a justificativa da paixão; e não era apenas a justificativa, era a própria causa. Havia visão (ou conversão) e havia coinerência, havia fé e esperança e havia o diagrama cristão da boa vontade universal. Nos primórdios da Cristandade presumira-se que o casal de noivos informasse o bispo sobre sua intenção. "A Igreja desempenhava o papel do tradicional *conciliator* ou *conciliatrix*, a agente que apresentava e recomendava uma à outra as partes interessadas." Isso se referia primeiramente ao rito do casamento; é ainda o limite final do rito. Mas havia outras coisas além disso. Em certos estados de amor romântico o Espírito Santo dignava-se revelar mutuamente, por

[2] Ibid.

assim dizer, a natureza crística dos envolvidos. Ele mesmo é o *conciliator* e é nesse ponto que a "conciliação" — e a Reconciliação — começa. Mas isso só é possível devido à Encarnação, porque "a matéria é passível de salvação", porque o *anthropos* se uniu ao *theos* e porque o natural e o sobrenatural são um só Cristo.

No início da Idade Média dizia-se que "tantas são as teofanias quantas são as almas dos fiéis".[3] Essa é uma frase que tem sua contrapartida na frase de Dante: "a essência é criada para servir à função e não a função para servir à essência". Ou seja, a alma existe para conhecer a Deus, mas não Deus para ser conhecido pela alma, e assim em tudo. Toda a obra de Dante é uma demonstração de um processo: o processo da preparação da essência para sua função (a essência particular em questão em toda a obra, especificamente, Dante, depois de ser arruinada, é entendida por sua coinerência em todo o significado implícito na Queda). É um processo de acordo com a Via Afirmativa. Ele começa quando um rapaz e uma jovem se encontram nas ruas de Florença; termina quando toda a trama da criação intercambiada flui para o *Deivirilis* (para tomar emprestado um termo do Areopagita) dentro do ponto da Divindade. Nesse processo, que é gradativamente mostrado no processo dos livros de Dante, nesse ponto, que é ao mesmo tempo todo o conteúdo e todo o continente de todos os livros, coexistem todos os princípios de ação.

A análise dos primeiros encontros do menino e da menina está na obra *Vida Nova*: um rapaz e uma jovem perfeitamente comuns, excetuando-se a singular capacidade dele de criar grande poesia e o fato de que ocorre essa espécie particular

[3] *John Scotus Erigena*, Alice Gardner.

de momento romântico. O rapaz, Dante, tem muita consciência dos três impulsos despertados nele: o físico, o espiritual e o intelectual. Seu cérebro, quando ele olha para a menina, num átimo lhe diz: "Agora a tua beatitude está diante de ti". Todo o resto de sua obra continha e examinava esse fato, por mais vasto que fosse seu escopo. Mas ele não disse: "Beatriz independentemente de Deus é tua beatitude".

A figura do Amor nesse livro se desenvolve juntamente com a afirmação de imagens: de Beatriz, de outras mulheres, de Florença, do Império, da Igreja, de Cristo, de acontecimentos. Ela se preocupa profundamente em comunicar virtudes tais como a humildade e a boa vontade, e no fim ela em si mesma quase se torna uma teofania. Mas depois Beatriz morre. Essa remoção de uma imagem não é absolutamente o mesmo que a rejeição das imagens; ela simplesmente permite a introdução de uma imagem maior. Em *Vida Nova*, possivelmente por razões contemporâneas, Beatriz não fora mostrada como atuante. *Vida Nova* mostra a paixão de Dante por Beatriz. Mas a *Divina Comédia* mostra a paixão de Beatriz por Dante.

Entre esses dois livros estão as outras obras. Elas contêm a exposição de princípios de arte, de ética, de política. As atividades do corpo, da mente e do espírito devem ocupar-se não apenas com a amada, mas também com a Cidade. Dante é um gibelino; ou seja, ele atribui a máxima autoridade possível ao poder secular, assim como atribui a máxima teofania possível à visão individual. Nem uma coisa nem outra, porém, pode diminuir o objetivo da organização oficial da Cristandade. Ele atribui ao clero sua função própria, e exige que os clérigos existam para exercê-la, assim como o imperador para exercer a dele, e ele mesmo a sua, e todos os amantes a deles. Todas as coisas existem umas pelas outras, e cada uma prospera unicamente de acordo com o desempenho de sua função.

A traição da função por parte da essência comandada, que é o pecado, tem um exemplo espetacular principal: é o próprio Dante. Em *Vida Nova* ele havia começado a seguir a Via. Ele contempla a "nobre beleza"; ele recebe, temporariamente, virtudes comunicadas; cresce em visão, fé e poder. Mas Beatriz... desaparece. Duas coisas então aparentemente acontecem: (i) ele contempla a beleza original em outra teofania chamada "a Senhora à Janela", (ii) ele às vezes ignora — sua função particular da qual se esquece e quase apostata. Escreve sobre a "Senhora à Janela" quase como se ela fosse Beatriz. Mal, porém, se pode imaginar que isso seja o que Beatriz tão ardentemente denuncia na *Divina Comédia*. Ele deveria ter sido fiel, diz ela, a "*mia carne sepulta*", minha carne sepultada. Mas fazer isso incluir a "Senhora à Janela" seria exigir uma fidelidade à qual até mesmo a Igreja — desde seus primórdios — havia fechado os olhos. Algo próprio da irritação de uma mulher que vive neste mundo talvez faça parte da indignação da Beatriz redimida, assim como algo da sutileza de uma mulher que vive neste mundo entrou na composição da Eva de Milton em sua fase anterior à Queda. Mas fazer que o arrependimento de Dante dependa — naquele momento — de uma sugestão de luxúria nada específica mal nos convence; ele abandonou algo maior — o quê? Talvez a própria Ideia; a coisa em si para a qual ele recebera aquelas graças e dons — a função dantiana de Dante. Ele enveredou *per via non vera*, por um caminho falso; ao passo que, à primeira sensação de mudança ou transição, ele deveria ter seguido a primeira virtude afastando-se de tais preocupações.

A morte de Beatriz é a remoção da visão; ocorre o teste de inteligência; há a tarefa da qualidade da "fé". Trata-se simplesmente da coisa em si que deveria atrair a mente sabedora do que está acima de toda a natureza e toda a arte; e Dante vê, no momento da censura, a imagem de Beatriz dirigindo-se ao Grifo que é "*solo una persona in due nature*"; com esse momento dramático envolvendo uma experiência humana de sexo foram os altos dogmas juntados. Cristo era *anthropos* e *theos*; o mesmo acontece, segundo sua natureza, como o amor que é romântico e humano.

Mas Dante se desviou do caminho; como num estado de coma, ele se perdeu. Volta agora a si mesmo; de repente se redescobre: homem de meia-idade, só, confuso, numa floresta inóspita e escura, onde há coisas estranhíssimas que o aterrorizam e frustram, e além delas a Montanha inacessível de seu previsto gozo. Naquele momento o mundo de beatitude, todo o esplendor das coisas em seu estado natural, consciente do perigo dele se apressa em seu socorro. A Teótoco (individual, mas também a imagem universal de um fato universal) alerta Lúcia e Lúcia alerta Beatriz, e Beatriz mergulha, de lá onde se encontra, na paz resignada onde moram aqueles poderes que não são religião, embora lhe sejam úteis, e grita pedindo a cortesia da ajuda de Virgílio. É, portanto, o amor apaixonado e dirigido de Beatriz que começa e sustenta a *Divina Comédia*; ela, sobre quem nada sabemos, exceto que se pode acreditar que ela tenha feito isso, nada a não ser que ela é o grande arquétipo da poesia de todas as *elas*, e, todavia, elas são elas mesmas e não ela; nada sabemos, exceto que houve uma jovem que era *aquela* que caminhava e tagarelava e ria em Florença — a principal entre aquelas poucas jovens que dentre milhões foram escolhidas pela boa Sorte para gozarem da fama da poesia e da perene glória do espírito. É assim que ela ri, graceja, tagarela e explica no céu, envolta por uma só grandeza, a grandeza do destino celestial, e os costumes e a metafísica da Cidade redimida. É por meio dela que vem a energia, e assim como por ela fora outrora escrita a *Vida Nova* e começara a poesia de Dante, assim também agora, na vida mais nova, é ela quem leva Virgílio e a poesia a iniciarem seu Retorno.

Esse Retorno se dá em três estágios. Eles podem, em certo sentido, ser tomados, como muitas vezes tem acontecido, como os equivalentes dos três estágios do caminho místico formal. Mas eles não são um registro, são um poema; são a visão de Dante, não sua experiência pessoal (ou então não temos essa informação), e estão muito afastados da Via do Amor Romântico. Podemos observar, porém, que cada parte começa com um momento único de "amor", e cada momento diz respeito ao equivalente de Beatriz, embora com variações. O primeiro acontece logo na entrada do inferno; a imagem é de Paolo e Francesca, e aquele momento é tão delicado e comovente em sua beleza e horror que Dante não consegue suportá-lo. De fato, é mais fácil acreditar nesse episódio se ele for tomado em relação a tudo o que vem depois. Os amantes estão mergulhados em si mesmos e rejeitam tudo o que está fora deles, e é esse processo que é complementado na descida ao abismo. Depois de ouvir a história daquela emocionante complacência de uma concentração mútua, os dois espíritos visitantes inevitavelmente descem para o ver o espetáculo da complacência de concentrações individuais e separadas. A avidez do amor (demasiado refinado, demasiado belo, demasiado altruísta para a palavra "avidez", se fosse possível evitá-la) mergulha na avidez da gula; depois, além desse estágio, ela se transforma no ódio de todos os que têm outros desejos diferentes, de modo que os perdulários e os avaros arremetem uns contra os outros com pedras enormes. Mas à medida que a melancólica perpetuidade de sua complacência, de sua avidez e de seu ódio vai aumentando, ela acaba num charco e lamaçal de *accidia*, daquele estado que com demasiada frequência vem depois da avidez e do ódio; e lá ao longe no meio do lago tenebroso estão em chamas as mesquitas de um inferno mais horrível. Naquela Cidade estão os hereges, e o que são aqui os hereges? São aqueles que seguiram a própria escolha mental contra a autoridade conhecida; portanto, são aqueles que petrificaram a própria mente em si mesmos e em seus desejos. Aqui o primeiro momento de amor precipitado e dispersivo, sem arrependimento e sem remissão, fixa-se na própria queda — na melhor das hipóteses, como no caso de Farinata, escarnece de sua pena —, e o que é aquilo senão algo de segunda categoria e, portanto, algo que não é de modo algum o que há de melhor? — e os círculos vão se estreitando e entrando em mistérios mais sombrios, até que (depois daquele terrível momento quando Dante se apanha *gostando* do inferno) a última paisagem se abre do outro lado da extensão de gelo e tudo é invertido, e a própria cortesia tem de ser abandonada e, lá bem no meio, os traidores de seus "patrões e benfeitores", da Cidade, da coisa pública, são dilacerados por aquilo que eles desejaram sob o monótono bater das asas do último babão imbecil, o qual está completamente *só*.

E o outro momento de amor que abre o *Purgatório*? Acontece quando Casella, amigo de Dante, canta para Dante uma canção do próprio poeta, e enquanto os espíritos se detêm enlevados pelo som daquela bela e intelectual troca de presentes

— uma melodia sobre a natureza do amor — eles se sobressaltam com um grito de Catão, o guardião da passagem; e exatamente por terem ouvido aquele tipo de canção eles avançam com rapidez; não se atrasaram deliberadamente, tampouco quiseram esquecer as leis; agora, depois da bela troca de amor (tão próxima daquela de Francesca, diferindo apenas talvez por uma incluir intelecto e análise, o que não acontece na outra), eles se apressam subindo a Montanha que é a causa e a ocasião de toda alegria, e se descobre que é a Montanha do Arrependimento e da Purgação — isto é, da liberdade, pois a declaração da Cristandade diz que o arrependimento é liberdade, não apenas no presente e no futuro, mas também no próprio passado do qual a alma se arrepende. Duas vozes, pelo menos, disseram isso: o próprio Dante e Lady Juliana de Norwich (que em muitos de seus pensamentos não diferia muito do poeta). É no décimo canto do *Paraíso* que um dos espíritos declara que a consciência dela "de bom grado lhe concede a causa de sua sorte", sua condição que é o que é devido às falhas dela; e Lady Juliana afirma que o próprio pecado é a causa da alegria no céu. Mas isso tudo é para aqueles que são adultos no amor, e esses são poucos, até mesmo na Cristandade, e menor ainda é o número daqueles que deixaram imagens dessa maturidade. Durante toda a ascensão da Montanha invoca-se o princípio da permuta: intercessão, intermediação, o prolongamento daquele primeiro momento casellano de canção substituída. Todo o avanço é uma espiral disso, assim como todas as máximas. No fim acontece o grande reconhecimento do primeiro amor transformado: "observa bem, nós somos, nós de fato somos Beatriz".

"Observa bem" é a máxima dos Paraísos, que também se abrem com um momento de amor. Aqui no céu mais baixo se pergunta ao espírito de Piccarda se ela não se ressente da maior beatitude de outros, e ela responde que o amor satisfaz todas as vontades, que ali amor é *necesse*, é destino, e diz que se você ama outras pessoas você não as inveja — toda essa questão é absurda. E que isso é absurdo se percebe em frase após frase; talvez a maior delas desse ponto de vista é a alta intensidade da permuta celestial quando Dante grita para Folco de Marselha no terceiro céu, o de Vênus: "se eu me identificasse contigo como tu te identificaste comigo". A imagem recorrente dessa identificação pessoal mútua são os olhos da jovem florentina, que haviam refletido o Grifo de dupla natureza — e todos os Paraísos têm a mesma anatomia do Grifo —, e agora sorri para o homem que ela ama de modo que a mente dele a certo ponto se desvia da união com Deus (para a qual ele ainda não está preparado) e se fixa na presença dos grandes doutores intelectuais da Igreja que nesse momento o circundam. Esse é um exemplo da Via Afirmativa; é o corpo substancial de Beatriz que constitui a medida e o elo de todo esse conhecimento — "*la carne gloriosa e santa*", e mais uma vez, "os órgãos do corpo deverão ser fortes para tudo aquilo que significa deleite". E quando Beatriz se afasta de Dante, São Bernardo, que toma o lugar dela, apresenta a mesma doutrina; sem o corpo a alma não pode consumar-se em Deus. São essas grandes doutrinas da matéria, da permuta, do amor perfeito, que se tornam aparentes no paradoxo do verso "*Vergine Madre, figlia del tuo Figli*" [Virgem Mãe, filha do teu Filho]. Ali está o segredo do universo, a maternidade mortal da Divindade; além disso só existe o raio da Divindade que tudo contém. Dante contempla imóvel; "observa atentamente; observa". Mas foi o rosto da jovem em Florença que provocou o primeiro sobressalto e o fez observar.

Tem alguma relevância para a história da Cristandade observar que, quando o livrinho *Vida Nova*, que narrou o sobressalto original, foi finalmente impresso — em 1576 — as autoridades eclesiásticas o censuraram. Houvera antes algumas dificuldades envolvendo a obra de Dante em geral; isso não causa surpresa no que diz respeito à política apresentada em *De Monarchia*. Essa obra fora usada por alguns dos reformadores, e dizem que uma de suas edições foi lançada por Foxe, aquele do martirológio protestante. Mas a *Vida Nova* não era marcadamente calvinista, tampouco os olhos de Beatriz brilham na *Divina Comédia* com fogo luterano, embora brilhem com fogo reformador. Não; mas a linguagem da *Vida Nova* era extremista e perigosa. As autoridades se debruçaram sobre ela. Cortaram todas as referências a Beatriz como "*beatitudo*", que substituíram por "*felicita*"; cortaram "*salute*", que substituíram por "*quiete*" ou "*dolcezza*"; cortaram o "*Osanna*" com que os anjos receberam a alma de Beatriz; cortaram a profunda alusão à jovem Joana que precedeu Beatriz como João Batista precedeu a Verdadeira Luz. Em resumo, eles tudo fizeram para alterar todo o significado de Beatriz; esforçaram-se para explicar que se tratava de um simples caso amoroso, e nenhum caso amoroso poderia ser mais que um iniluminado caso amoroso. Sentindo um evidente terror da carne, aboliram tudo, exceto a carne. Esse foi o azar deles, embora em 1576 pudessem ter consciência de que estavam lidando com Dante, e em 1576 pudessem ter consciência de que a maioria dos amantes se sente como se sentiu Dante. Uma das desvantagens do sacerdócio celibatário é que os sacerdotes fatalmente rejeitam essa imagem específica do amor.

Eles tinham, é preciso admitir, seus próprios doutores opondo-se à obra de Dante; opondo-se à *Divina Comédia*,

A Nuvem do Não Saber tem aspirações transparentes, e não há cores deste mundo para encobri-la. Supõe-se que tenha sido escrita em meados do século 14, cerca de vinte anos depois da morte de Dante. O autor (assim sugere seu último editor) foi um "mestre" de Oxford ou Cambridge que se tornou reitor de alguma paróquia do interior, e ali viveu a vida de contemplação de que dá testemunho em seus livros.[4] É um desconhecido; nada poderia ser mais justo. Seu livro não foi escrito simplesmente para leitores; de fato sua leitura é quase impossível; assim ele começa:

> Em nome do Pai e do Filho e do Espírito Santo.
>
> Eu te exorto e imploro, com todo o poder e a força que o vínculo da caridade é capaz de suportar, o que quer que sejas tu que estarás de posse deste livro, quer por propriedade, quer para guardá-lo, quer para carregá-lo como mensageiro, ou então por tê-lo tomado emprestado, para que, dentro dos limites de tua capacidade por tua vontade própria ou por orientações recebidas, tu não o leias, não o transcrevas, não o cites, nem permitas que ele seja lido, transcrito ou citado por qualquer outra pessoa ou para qualquer outra pessoa, a não ser que seja por alguém ou para alguém que se tenha proposto (na tua opinião), num desejo sincero e por meio de toda sua intenção, ser um perfeito seguidor de Cristo. E isso não apenas na vida ativa, mas também no ponto supremo da vida contemplativa que pode ser atingido por meio da graça nesta vida presente por uma alma perfeita ainda morando neste corpo mortal.

Dante escrevera, por assim dizer, para todo o mundo, e todo o mundo descuidou-se de estudá-lo com seriedade.

[4] *The Cloud of Unknowing*, Dom Justin McCann.

O mestre de Oxford (ou sabe-se lá quem) protestou contra o mundo, e o mundo tem consciência dele. Ele é um texto, um exemplo, um tipo. Dele se afirmou: "Uma das pequenas tragédias da história é que o nome e a reputação desse bem-sucedido guia espiritual — sem dúvida uma das personalidades mais interessantes na longa sequência de místicos ingleses — fosse fadado ao desaparecimento e à obscuridade completa". Ele era "uma das personalidades mais interessantes" quando escreveu: "não o que tu és, não o que tens sido Deus considera com seus olhos misericordiosos, mas sim o que gostarias de ser". E quando disse que o homem talvez nunca "pela obra de seu entendimento venha a conhecer algo espiritual que não foi criado: o que é nada menos que Deus. Mas por meio de suas faltas talvez o consiga. Porque aquilo que falta é nada menos que apenas Deus". Ele foi — Deus do céu! — "um homem de individualidade forte"; foi "um homem amável". É "uma tragédia" que "fosse fadado ao desaparecimento e à obscuridade completa" — ele que escreveu seu livro inteiro só para isso, ele que proibiu a quem quer que fosse de tocá-lo, a menos que desejasse isso, ele que fez disso seu título, seu prólogo e seu final. "Trabalha com diligência", disse ele, "nesse nada." Num sentido muito diferente nós fazemos exatamente isso.

Faz parte, realmente, como aquele estudioso teólogo sabia, da essência da Via Negativa o fato de que somente um desses estudiosos sabe escrever com propriedade sobre isso. Pode-se acrescentar que provavelmente a mesma coisa se aplica à Via Afirmativa, caso contrário Dante e Beatriz não se teriam transformado nos sentimentalizados cavalos de aluguel de nosso velho cabriolé idealista. Mas pelo menos as imagens da Via da Afirmação correspondem a alguma coisa, ao passo que não é a santidade, não é a piedade, mas a mera decência da cortesia humana que afasta o outro caminho de qualquer livro semelhante àquele de que estamos falando. A exortação e o desafio daquele abençoadíssimo cartógrafo anônimo do céu não são fáceis de superar. Que aqui baste observar que ele se posicionou contra — não tanto o corpo quanto contra — "uma inteligência orgulhosa, curiosa e imaginativa". Ele de fato acreditava, assim como muitos santos cristãos, que o corpo tinha grande utilidade para a alma da qual era bom companheiro, e que Deus "recompensaria o homem com seu galardão de beatitude no corpo e na alma". Mas o abandono do mundo, a "nuvem do esquecimento", a descoberta da humildade (que é apenas o conhecimento das coisas como elas são), a recusa "na época desta obra" a conhecer qualquer afeição familiar ou privada, pois na realização dessa obra "todos devem ser-lhe igualmente caros; pois ele não sentirá então outra causa que não Deus" — tudo isso e muito mais é a contradição da "inteligência orgulhosa e curiosa" que, já se disse, havia no começo recebido a generosa coinerência de toda a humanidade e, em consequência disso, havia provocado a inimizade e a divisão e os desejos perversos. A duas vias são descritas no próprio livro, com a ênfase na sua própria via:

> Sim — e se for cortesia e decoro dizer — nesta obra pouco ou nada acrescenta a reflexão sobre a bondade ou a dignidade de Deus, tampouco a reflexão sobre nossa Senhora, os santos e anjos do céu, ou ainda sobre as alegrias do céu; isto é, com uma consideração especial por essas coisas, como se tu com essa contemplação alimentasses e aumentasses teu propósito. [...] Pois embora seja bom pensar na bondade de Deus, e amá-lo e

louvá-lo por isso; todavia é muito melhor pensar no ser despojado dele, e amá-lo e louvá-lo por ele mesmo.

De acordo? De acordo. No entanto, nem mesmo aquela abençoada criatura sabia definir todos os caminhos. Foi a um passo da bênção suprema, na consumação do percurso pelo qual ela o havia conduzido, empregando um milhão de imagens ao longo do caminho, que Dante lançou o grande grito contrário à jovem florentina: "Ó senhora, em quem vive minha esperança e que puseste os pés no inferno para minha segurança, em todas as coisas que tenho visto reconheço a graça e a virtude de tua dignidade e bondade; tu me trouxeste da escravidão para a liberdade ao longo de todas as sendas e de todas as formas que estão em teu poder; guarda em mim tua própria magnificência, para que meu espírito, que tu curaste, possa ser de teu agrado quando deixar o corpo!". E exatamente no último canto, cem versos antes do fim, todas as imagens aparecem ao chamado de Bernardo: "Vê", grita ele à Mãe do Filho, "vê onde Beatriz com tantos abençoados te suplica de mãos postas". Os olhos da Teótoco respondem sorrindo; é a última e a maior imagem, mas é uma imagem.

Houve muitos outros naquela época — naquele século, no seguinte, como em todos — que perseguiram o Fim. Houve outros, como a bem-intencionada Marjory Kempe, que parece ter sido movida por uma verdadeira convulsão da alma, mas que foi com certeza um exemplo da dificuldade que as autoridades da Igreja encontraram para controlar os entusiasmos mais desvairados. Ela viveu no mesmo século e "se casou com alguém de posição social inferior". Antes da conversão seu relacionamento com o marido era difícil devido ao *status* mundano dela; depois tornou-se ainda mais difícil devido a sua vocação celestial. Ela queria que ambos levassem uma vida casta e não queria com ele nenhum relacionamento marital, destruindo desse modo a própria "justiça" do casamento. Ela costumava irromper em lágrimas e soluços a qualquer momento, interrompendo sermões ou fosse lá o que fosse, e tendia a interpretar a confusão criada como obra do Espírito Santo. Também estava em comunicação com nosso Senhor, que a encorajava a expressar seu intenso desagrado com quem ela julgasse hostil. Não mostrara esse comportamento na terra em relação aos filhos do trovão. Ela fez uma visita a Lady Juliana em Norwich, a quem parece ter contado uma longa história da graça que Deus lhe concedera: "compunção, contrição, doçura, devoção, compaixão com santa meditação e elevada contemplação, e muitíssimas falas e galanteios que Nosso Senhor dirigiu a sua alma; e muitas revelações maravilhosas, que ela expôs à mulher anacoreta para descobrir se havia nelas algum engano, pois a anacoreta era entendida nessas coisas e poderia lhe dar bons conselhos".[5]

Lady Juliana ouviu tudo e louvou o Senhor. Mas ela também proferiu um breve monólogo sobre a natureza da caridade, e parece provável que ela fosse mais hábil do que Marjory Kempe percebia. "O Espírito Santo nunca motiva nada contra a caridade, pois se o fizesse ele estaria agindo contra sua própria identidade, uma vez que ele é todo caridade." Ela aconselhou Marjory, todavia, a ter paciência e a mandou seguir tranquilamente seu caminho — censurando bispos, sendo um estorvo geral, mas sempre, talvez de maneira insensata embora certamente sincera, preocupada com seu Senhor.

[5] *The Book of Marjory Kempe*, editado por W. Butler-Bowdon.

Isso, todavia, foi depois de 1400, quando outras convulsões mais amplas haviam acontecido. Dante morrera em 1321. Antes do fim do século dois duros golpes se abateram respectivamente sobre o corpo e sobre a mente da Cristandade ocidental. Quando o século terminou a última fortaleza da Cristandade oriental estava praticamente perdida. Os dois golpes foram a Peste Negra e o Grande Cisma. A vasta consumação poética da Cristandade medieval (o termo talvez seja desejável) quase se superara a si mesma no esforço de apresentar a união perfeita, e de fato as criações poéticas foram imediatamente lidas e estudadas. Os grandes místicos daquele século estavam se pronunciando ou se mantendo em silêncio em seus retiros. Mas como a consumação poética devesse ser impedida, o corpo e a inteligência da Cristandade foram duplamente atacados, e embora a Cristandade se recuperasse, ela se recuperou para descobrir-se começando a viver um novo estilo de vida diferente daquele ao qual, durante cerca de três séculos, se acostumara.

A Peste Negra apareceu primeiro na Crimeia em 1346, na Sicília em 1347, em Veneza e Gênova em janeiro de 1348. Ela passara pela Europa e no fim de junho já estava no litoral do Canal da Mancha; no começo de julho apareceu na Inglaterra. Naquele seis meses pelo que parece o número de vítimas fatais foi igual ou superior ao dos sobreviventes. Cidades estavam desoladas; grandes prédios ficaram para sempre inacabados; mosteiros e capítulos estavam reduzidos a poucos sobreviventes, às vezes um só. O tecido da Idade Média suportou, durante aqueles dois ou três anos, um abalo sísmico. Não apenas trabalhadores mas também senhores foram varridos; não apenas senhores mas também trabalhadores. A mortandade que se abateu sobre as massas constituiu mais uma vez um daqueles fenômenos dos quais mal nos recuperamos. Marcou o começo, na Inglaterra, e até certo ponto em outras partes também, daquelas perturbações sociais que logo seriam exacerbadas pela riqueza da Renascença. A Idade Média havia declarado com autoridade que a justiça social era uma coisa necessária, aceita como "uma projeção terrena e carnal da Comunhão dos Santos".[6] É verdade que isso foi muitas vezes considerado mais uma questão de *caritas* que de *justitia*. Mas foi a *caritas* mais que a *justitia* que a Igreja imaginou estar basicamente incentivando; a *justitia* era apenas a medida de algo que não havia conquistado a *caritas*. Precisava estar presente; era a extensão da *caritas* em dimensões menores. Era muito mais pregada que praticada. Mas a corrupção da Peste Negra não atingiu apenas as pessoas, e a própria Idade Média vacilou sob o peso de seu golpe.

Mas se a Peste Negra sacudiu a estrutura da Idade Média de baixo para cima, uma realidade igualmente perversa e talvez pior a fraturou como uma tempestade de cima para baixo. Deve-se lembrar que durante todo esse tempo a Cristandade do Oriente estava cada vez mais acuada por operações militares do Islã e que, fosse a Cristandade o que fosse, o Islã era ainda muito Islã. Nem o Islã nem a Cristandade jamais se viram um ao outro como algo que não fosse uma falsa ideia de Deus. Houve, naturalmente, todos os tipos de tratados, de amizades, de declarações de admiração mútua; houve comunicações e influências. Mas o fato histórico acima de qualquer dúvida de que, no Ocidente, era sempre o papado que estava convocando Cruzadas deveu-se a essa distinção filosófica. Durante todo o século 14 a fronteira do

[6] *The Poor and Ourselves*, Daniel-Rops.

Império Bizantino foi empurrada cada vez mais para trás, e seu único aliado no Ocidente, com todos os tipos de reservas doutrinárias, era o papa.

Durante cerca de setenta anos, a contar de 1305, os papas não haviam residido em Roma, mas em Avignon, praticamente sob a direção dos reis da França. Em 1376 Santa Catarina de Sena persuadiu ou forçou Gregório XI a voltar para Roma, onde ele morreu. Os cardeais reuniram-se em conclave no dia 7 de abril de 1378, e no dia 18, Domingo de Páscoa, o novo papa, Urbano VI, foi coroado, na presença de todos os cardeais. Quase sessenta anos eram passados desde a morte de Dante e trinta desde a chegada da Peste Negra. Os projetos da Europa, públicos e privados, prosseguiam seu caminho normal. As grandes instituições aprovadas estavam funcionando. Com certeza se sabia que em maio os cardeais haviam deixado Roma partindo para Anagni devido ao calor, e noticiou-se que o novo papa havia revelado um novo temperamento, muito diverso daquele exibido antes de sua eleição. "Poucas vezes", comentou-se depois, "os hábitos dos soberanos eleitos mudam para melhor." Santa Catarina fez o possível: "Santo Padre", implorou ela, "modere-se; controle seu temperamento".[7] Em agosto os cardeais de repente informaram toda a Europa, os reis e as universidades, dizendo que o povo de Roma havia forçado a eleição papal, que ela fora inválida e havia um apóstata na Sé de Pedro. No dia 18 de setembro o apóstata replicou criando praticamente um novo colégio de vinte e oito cardeais. Os cardeais originais mudaram-se para Fondi e ali solenemente elegeram um novo

[7] *Inner History of the Great Schism*, G. J. Jordan, de onde foram extraídas as outras citações.

papa, que assumiu o nome de Clemente VII. O fato também foi comunicado aos vários poderes civis e eclesiásticos. Foi um golpe, mas isso já acontecera antes quando cardeais insatisfeitos se desgarraram. Muito dependia do que acontecesse depois. Urbano VI refugiou-se em Santo Ângelo, onde torturou meia dúzia de suas infelizes novas criaturas. Clemente VII deslocou-se pela Itália e acabou tomando um navio para Avignon, na França. Mas antes disso a grande Universidade de Paris havia tomado uma decisão. Examinara os fatos na medida do possível; analisara a situação do ponto de vista real e canônico; reconheceu o pontificado de Clemente VII. O rei da França concordou com a decisão da Universidade e na pessoa de Clemente recebeu o novo papa. "E transformou o evento do Cisma num movimento."

Rupturas desse gênero haviam acontecido antes. Essa era, como as outras haviam sido, uma ruptura entre dois conjuntos de fatos e não entre dois conjuntos de dogmas. Tanto antes quanto depois desse Cisma houve almas pias e santas que rejeitaram todas as reivindicações da Sé de Roma. Mas agora ninguém estava rejeitando nenhuma dessas reivindicações, exceto, poder-se-ia dizer, a própria Sé de Roma. Ela se empenhava tanto na promulgação quanto na rejeição de seu próprio pontífice. E a identidade daquele pontífice era uma questão de alguma importância para a Cristandade — não tão grande certamente como seria depois de Constança ou de Trento ou do Vaticano, mas mesmo assim a importância era premente. A dificuldade, por assim dizer, de decidir quem era o quê foi realçada pelo fato de que as únicas testemunhas do problema se contradiziam terminantemente umas às outras. Se o que os cardeais disseram em abril era verdadeiro, então o que eles disseram em setembro não era verdadeiro; se era verdadeiro o que eles disseram em setembro, então eles não haviam sido precisos em abril. A decisão ficou a cargo das universidades, dos reis, dos bispos, dos duques, dos capítulos e dos concílios, na verdade ficou a cargo de todo o mundo. Havia o Vigário de Cristo e seu Impostor. Mas qual era o Impostor?

A França bandeara-se com Clemente; a Itália com Urbano. O Império bandeou-se com Clemente; o mesmo fez a Inglaterra. A Escócia ficou com Clemente. Mas em cada país havia minorias, e minorias dentro daquelas minorias. Irromperam tumultos e motins. Destruíram-se propriedades e cruzadas menores foram iniciadas, até que em 1381 a Universidade de Paris tomou uma decisão. O Cisma durara três anos, algo completamente inesperado. A maneira óbvia de saná-lo era por meio de um concílio geral, por mais extrema que fosse essa medida. Mas imediatamente surgiram dificuldades. Somente o papa poderia convocar um concílio geral; e as decisões de um concílio geral só poderiam ser ratificadas pelo papa. O dúplice comando não se reuniria para convocar um concílio geral, e qualquer reunião simples deixaria a outra obediência no ponto em que se encontrava — a menos que houvesse dois concílios gerais, coisa inacreditável. A Universidade chegou até a realizar um debate para saber se seria um ato herético declarar que nenhum dos dois requerentes era papa. Mas o direito canônico era um problema difícil demais para superar. A situação se complicou e piorou cada vez mais até 1394.

Naquele ano a opinião pública na França estava tão tensa que a Universidade se dispôs a considerar outras soluções. O Cisma agora já havia durado dezesseis anos, e a Cristandade ocidental não estava nem um pouco mais perto da paz no seu centro. Foi proposto formalmente que se adotasse a Via da Cessão; isto é, os dois requerentes deveriam ser convencidos a renunciar a suas posições. Nenhum dos dois mostrou qualquer sinal de agir assim. Em 1395 um Conselho Nacional da França enviou embaixadores a Avignon, e em 1396 a Dieta Imperial, que contou com a presença do rei da Inglaterra, enviou embaixadores a Roma. Um certo Bento havia sucedido a Clemente, e um certo Bonifácio havia sucedido a Urbano. Mas esses novos atores agarraram-se à máxima de Dante, mesmo sem a citar. Tudo o que é bom é perigoso, e isso se aplicava à solução apresentada. Eles diziam que estavam lá para cumprir suas funções. Embaixadores e cardeais imploraram de joelhos para que os pontífices cedessem. Eles se recusaram; insistiram em manter suas funções.

Em 1398, as autoridades francesas estavam ficando desesperadas. Outro Conselho Nacional propôs uma medida ainda mais dramática: a Revogação da Obediência. Os revogadores mais militantes enviaram um exército contra Bento em Avignon e lá o sitiaram. Mas essa ação chocou os membros da facção mais moderada; na visão deles, afinal, Bento era o verdadeiro papa. Uma coisa era pedir a revogação, outra coisa era revoltar-se em pé de guerra. A Universidade de Toulouse escreveu ao rei da França, protestando contra a revogação. A visão da Universidade era de que a medida piorara tudo e incentivara todos os tipos de desordem. Quando Bento ouviu falar disso fugiu de Avignon e mandou os cardeais para negociar com o rei. O rei cedeu. O outro lado nada fizera para sancionar a revogação contra Bonifácio, e a França estava cansada de ficar sob um governo eclesiástico irresponsável. Determinou-se a Restituição da Obediência, que foi executada em 1403, com apropriadas lágrimas e *Te*

Deums, depois que sua eminência Bento fora colocado na linha da boa conduta por meio de um tratado. Na França a interpretação foi de que o papa se arrependera, assim como todos os demais.

O arrependimento foi apenas moderado. No prazo de três anos, quando o Cisma continuou e Bento mostrava tudo exceto um espírito de paz e reconciliação para com a Igreja da França, as autoridades francesas adotaram uma nova linha de conduta. Em 1404 os ânimos estavam se exaltando, e em 1406 houve um debate solene durante o qual se discutiu mais uma vez a via de um concílio geral. Afirmou-se e sabia-se que isso não era canônico. Mas houve uma réplica dizendo que não era sempre necessário manter a ordem da lei, pois enquanto a lei era mantida, os cristãos estavam perecendo; "o papa pode errar e pode pecar, mas a Igreja é tão repleta de amor que não pode desgarrar-se, nem errar, nem cometer pecados". O objetivo devia ser "cessão pela força", e os meios deviam ser a revogação das temporalidades. A Igreja da França pronunciou a palavra "Necessidade".

Na Inglaterra o efeito do Cisma foi duplo. Uma sessão do parlamento realizada em Oxford havia inicialmente decidido apoiar o rei na obediência de Urbano. Mas isso não pôs termo à violência das rixas, como se vê no caso de John Wycliffe. Ele no começo havia aprovado Urbano. Mas sua mente caoticamente acadêmica, sua sincera piedade e seu violento vocabulário, tudo isso o levou a extremismos. Ele se aproximava cada vez mais da denúncia da teoria papal e logo passou a denunciá-la. Ele sentia — talvez de modo exagerado — o perigo do Cisma; falava dos italianos como outros ingleses de nosso tempo têm falado de outro italiano. "O papa", dizia ele, era "o representante principal do demônio", "um membro de Lúcifer". Ficava cada vez mais claro para ele que o papa não se encontrava em estado de graça, e que o estado de graça era uma condição de toda autoridade, domínio e propriedade. A autoridade e o domínio pertencem apenas àqueles que estão em estado de graça. E quem se encontra em estado de graça? Aqueles que seguem a justiça e a vontade de Deus. E quem ... ? Infelizmente, o velho perigo continua: "aqueles que fazem o que eu julgo que devem fazer". O domínio e o direito à obediência deviam depender do caráter pessoal. Deve-se admitir que o caráter de Urbano parece justificar, se é que algum caráter justifica isso, a recusa à obediência. Todavia, se a obediência deve depender do caráter, isso era apenas uma variação do velho tema gnóstico: há um grupo de pessoas superiores no Reino de Deus. Parece que Wycliffe pensava que houvesse.

Autoridades superiores não aceitavam isso. Em Londres e depois em Constança, decretou-se que todo aquele que pregasse que um bispo ou um sacerdote, estando em pecado mortal, não podia ordenar ou batizar, "que ele seja anátema". O grande Gerson declarou que eram excomungados os que escreveram que todo *dominion* e *dignitas* eram fundados *in justitia caritatis*. A Igreja não tinha a coragem de afirmar que a falta de *caritas* do detentor de autoridade isentava seus subordinados da obediência. Ao mesmo tempo estava claro que a falta de *caritas* dos dois requerentes era altamente embaraçosa para a Igreja, e se fazia uma esforço para obrigá-los à cessão que deveria ser atribuída à *caritas*. Qual era essa justificativa? Algum princípio? A necessidade? Com efeito, a necessidade: "*pia quaedam necessitas*".

O que aconteceu depois constitui um dos episódios mais curiosos na história da Igreja do Ocidente. Individualistas extremos, como Wycliffe, que proclamou que Deus havia misericordiosamente rachado a cabeça do anticristo para que as duas partes pudessem destruir-se entre si, foram praticamente esquecidos, a não ser na medida em que expressaram naquela época a contínua revolta evangélica subterrânea. O *communis sensus* da Cristandade os rejeitava. Em contrapartida, o mesmo "senso comum" começava finalmente a exercer seu efeito sobre os requerentes. Relutando, eles foram forçados a mover-se um na direção do outro. Em Roma, Bonifácio fora sucedido por Gregório XII, e ambos, ele e Bento, tinham-se comprometido sob juramento a ceder, se o outro o fizesse ou morresse. Ficou acordado que os dois deveriam encontrar-se em Savona. Circulando cada vez mais perto um do outro, eles se aproximaram, mas o encontro não se deu. Uma relutância secreta comum prolongou a discussão; data após data era fixada, e data após data passava em branco. "Um é um animal terrestre que tem medo do mar, o outro é um animal marinho que tem medo da terra", comentou alguém. Gregório tentou criar cardeais; Bento, excomungar de novo todos os que se lhe opunham. A Inglaterra e a França denunciaram os "concorrentes". Os cardeais se afastaram de seus respectivos superiores e enviaram representantes a Leghorn. Pela autoridade dos cardeais e dos reis, um concílio foi convocado em Pisa. Seria factível? Não; exceto "*in casu tam necessario*". Os dois colégios poderiam unir-se (uma vez que um deles, por definição, devia ser cismático)? Necessidade. Era possível prestar-lhes legítima obediência? Necessidade. O Concílio poderia eleger um novo papa? Necessidade. E assim por diante. Toda a Cristandade estava (com exceção de um dos dois concorrentes) *ultra vires*, "além dos poderes".

Mas toda a Cristandade queria ação. O imperador Rudolfo apresentou vinte e três objeções, mas o Concílio, desesperado, as rejeitou. Por razões de cisma, perjúrio e suspeita de heresia, o Concílio depôs ambos os concorrentes e elegeu outro, Alexandre V. Os concorrentes não aceitaram submeter-se, e cada um convocou um concílio por conta própria, embora seus partidários diminuíssem a cada dia. Dos três, "era o terceiro papa, o único entre eles que certamente não era papa, que recebia a obediência de toda a Cristandade".[8] Infelizmente, em menos de um ano Alexandre morreu, e o acuado Concílio elegeu João XXIII, um infeliz de caráter aviltado e pouca autoridade. O imperador Sigismundo finalmente o obrigou a fazer o que ele estava lá para fazer: convocar um concílio. Não seria, segundo o direito canônico, mais legítimo que o de Pisa. Mas ele se reuniu em Constança, e a Necessidade (na forma da pessoa do imperador) o controlou. Queimou-se João Huss, que estava cheio de ideias anárquicas semelhantes às de Wycliffe. João XXIII foi deposto com base numa impressionante sequência medieval de acusações. E finalmente, muito apavorado ou arrependido ou cansado, Gregório XII enviou cartas ao imperador convocando um concílio em Constança e abdicando em seguida. Tinha oitenta e nove anos de idade, e com esse ato de renúncia de um ancião ele salvou o papado (como dizem os homens acerca dessas coisas). O Concílio depôs Bento, que havia fugido para a Espanha, onde ficou amaldiçoando os cardeais e os reis. Procedeu-se a uma nova eleição, e sua eminência o cardeal Odo Colonna tornou-se Martinho V.

[8] *A Popular History of the Church*, Fr. Philip Hughes.

A Necessidade fizera seu trabalho. E foi imediatamente negada. O esforço do Concílio para controlar o papado continuou por cerca de vinte anos, e fracassou. Os papas restabeleceram o governo autocrático de Roma como providência divina. O Concílio de Pisa não foi reconhecido como concílio; o Concílio de Constança foi aprovado apenas pelas cartas de Gregório. Mas continua sendo verdade que o novo sucesso papal deveu-se precisamente a uma ação antipapal.

Alguém que, aos doze anos de idade houvesse ingressado na Universidade de Paris e ouvido a primeira notícia sobre a Segunda Eleição em 1378, teria quarenta e oito anos quando o Concílio se reuniu em Constança. Mas alguém que houvesse nascido em 1378 teria trinta e seis. Toda uma geração se formara chegando à maturidade e ao pensamento teológico convivendo com o Cisma, os dois concorrentes, os esforços de encontros nacionais e dos reis. Essa pessoa se habituara a denúncias e excomunhões; se habituara a ver meia Cristandade (a sua metade ou a outra) como excluída da comunhão regular e vivendo em estado de revolta. Ele se habituara a revogações e restaurações de obediência. Ele se habituara a ouvir de Paris ou Oxford, por exemplo, que ele devia agir assim ou assado dentro da Igreja. Ele se habituara a discussões e sermões sobre a natureza da Igreja, da hierarquia, do papado. A crença admitia seus próprios princípios, mas a visualidade deles vacilava; a razão precisava descobrir um jeito de contornar a si mesma. A Necessidade triunfou; e foi negada, mas não poderia ser esquecida. Desde seus primórdios a Igreja ocidental não conhecera essa contradição, não na teoria, mas na prática. A ambiguidade aparente conturbou toda a organização; realidade e reflexão se confundiram. É inconcebível que a geração — e muito mais que uma geração — que sofreu o choque e a continuidade da desunião não afrouxasse as mentalidades dos homens em relação a disputas e hostilidades. A rachadura da Reforma já estava preparada.

Bizâncio caiu; desabrochava no Ocidente a nova riqueza da Renascença.

VII
A renovação da contrição

Naquela grandiosa explosão de riqueza e energia desviada, percebe-se que o esforço para impor às massas semiconvertidas o grande sistema de permuta enraizado na redenção havia fracassado. O esforço fora feito por meio do trabalho contínuo visando a conversão, de geração em geração, e por meio da imposição do comando autoritário. Do papa ao acólito, do rei ao servo, do doutor escolástico ao menor ator dos mistérios havia fracassado o esforço de converter a desobediência por meio da obediência transformando-a num amor de Reconciliação na obediência, como também havia fracassado o esforço de impor a obediência pela força dos simples meios organizados da Reconciliação. Não havia, é claro, nenhuma surpresa nisso; era o que sempre fora previsto. A Cristandade mais uma vez havia traído a si mesma, assim como, desde São Pedro, vinha fazendo. Fazia-se necessária, como sempre fora, uma chamada clara e veemente. Não à toa o Messias havia proferido umas de suas frases mais espantosas e ambíguas: "E eis que estou convosco todos os dias".

O estado particular das coisas que chamamos de medievais chegou ao fim numa explosão de energia, às vezes uma energia bastante febril. A Idade Média não sabia que estava terminando, mas sabia que estava mudando. Sabia que o Oriente havia caído e que os turcos, o Islã e sua Divindade Não Encarnada estavam em Constantinopla e ameaçavam o

Ocidente. Sabia também que a Antiguidade estava de volta: em manuscritos, em estátuas, em prestígio. Sabia que a navegação estava se expandindo. Sabia, de fato, que sua própria época vitoriana havia passado e que um jeito de viver completamente novo estava a seu dispor. Ela era herdeira de tudo. Em toda a Europa houve uma espécie de explosão de gritos e cores. A Idade Média tivera seus gritos e cores; tivera mais que sua quota de mundanidade. Mas, formalmente, ela sempre tencionava, a certa altura, dissociar-se do mundano. A admiração então prestada à glória do Homem, do *Homo*, havia sido controlada por uma consciência da necessidade do novo nascimento. A Renascença tendeu a esquecer a necessidade de algum outro nascimento que não fosse o dela mesma.

A figura tradicional da Renascença costumava ser Alexandre VI. É impossível não lamentar, e muito, a reabilitação dos Bórgias. Lembrar que a família produziu santos é uma coisa; transformar seus outros membros em nada mais que respeitáveis príncipes mundanos é outra coisa muito diferente. A magnífica e mágica figura de Alexandre VI exerceu outrora, sobre quem era capaz de aceitá-la, uma atração particular. E somente os idiotas rechaçavam por causa dela a teoria do papado. Os românticos que não eram idiotas sentiam-se atraídos por ela precisamente devido à teoria do papado. Bispos perversos e reis perversos eram bastante comuns. Mas o fato de a concentração da perversidade — avareza, soberba, assassinato, incesto — existir na Sé de Roma; o fato de o infalível vicário ter veneno em sua posse e estar apaixonado por sua própria filha não canônica; o fato de a filha ser entronizada na cátedra papal acima de reverentes cardeais, e de o mais jovem dos dois irmãos dela assassinar o irmão mais velho, e de o tremendo trio — o pontífice e os dois filhos — envolverem o mundo inteiro em sua própria trama de luxúria e astúcia... tudo isso era o tipo de situação que exigia a presença implícita de todo o futuro desenvolvimento de Roma. A encarnação do anticristo (falando de um modo romântico) deve estar na Sé de Cristo. O Escândalo da Igreja tinha de ser o escândalo da Verdadeira Igreja, caso contrário perderia metade de sua sinistra glória.

Parece que não foi assim. Lucrécia foi menos encantadora e mais morigerada do que se havia suposto, e César, embora brilhante, foi quase sempre desculpável, e o próprio Alexandre não foi mais que um grande estadista da Renascença, e é muito improvável que ele tenha envenenado cardeais ou até que ele mesmo tenha morrido envenenado. Aliás, apenas ritos cristãos tiveram lugar nas capelas pontifícias, muito embora a tapeçaria fosse bastante pagã. O mito, porém, teve isto a seu favor: foi contemporâneo. Não foi uma invenção protestante tardia, da mesma forma que o não foi aquela outra lenda, a da papisa Joana, pontífice máxima da Idade das Trevas. O mito foi aceito por pios e crédulos cronistas da época. Era uma espécie de fábula de que a Renascença gostava, e foi desfrutado como um mito daquela nova descoberta renascentista — o *Homo*, o Homem.

Mal se pode dizer que a Idade Média não dera atenção ao homem. Na verdade, tudo o que a Renascença fez avançar teve seu início na Idade Média: ciência, arte, cultura, exploração. A Idade Média prestava uma atenção normal aos afazeres comuns dos homens, da forma que toda atenção normal deve ser prestada, *semper*, *ubique*, *ab omnibus* [sempre, em toda parte, por todos]. Quando, porém, pensava nesses afazeres, ela os imaginava em termos de Deus e da graça. No fim, suas energias não conseguiram na prática manter-se à altura do ofuscante círculo dogmático dentro do qual ela operava. Deus era em toda parte a circunstância de todas as vidas. Os homens haviam-se saciado dessa metafísica, e a Renascença abandonou a ideia dessa Circunstância universal para cuidar de circunstâncias menores. Mudança, pecado, prazer inteligente na criação, tudo isso estivera em ação, e agora os renascentistas, mais que ir além dos limites dessas coisas, se afastaram delas. O pensamento da Idade Média não era limitado como talvez fosse seu vocabulário filosófico. De modo persistente e universal, a ênfase mudou. O papa Alexandre VI não foi pior que alguns papas medievais, mas foi, mesmo que em grau mínimo, diferente. Ele, Júlio II e Leão X, todos aceitavam a missa. Mas é difícil imaginar qualquer um deles preocupando-se primeira e profundamente com a missa. Eles provavelmente foram — até mesmo Júlio II — mais humanitários que Urbano VI, mas foram também mais humanos. Dizem que Urbano lia seu breviário ao som dos gritos e gemidos dos cardeais torturados; teria sido um comportamento mais típico de Alexandre ler pasquinadas ou poemas de amor enquanto estava se realizando seu plano de envenenar — se é que ele chegou a tanto — seu prisioneiro, Signor Giambattista Orsini, cardeal-diácono de Santa Maria Nuova. Erasmo foi tão cristão quanto Dante — e, por assim dizer, foi menos contrário ao papa. Mas os monges, os pesados e certamente estúpidos monges, que denunciaram Erasmo, em algum sentido, estavam certos. Havia muito a dizer em defesa do ponto de vista deles, embora (como muitas vezes acontece) eles mesmos fossem precisamente as pessoas erradas para dizê-lo. Erasmo pode ser estudado e admirado como um intelectual que era devoto. Ele dificilmente pode ser classificado como um devoto que era intelectual.

Leonardo provavelmente foi um cientista piedoso, embora cético. Mas dificilmente se poderia dizer que ele exaltou a piedade por meio da ciência, a não ser de um modo altamente matemático. Os opositores dos dois não eram mais piedosos ou devotos que estudiosos ou científicos. A habitual e bastante desgastada inteligência religiosa da época não era tão elevada a ponto de poder permitir-se insultar Leonardo ou Erasmo, como poderia ter acontecido no período medieval quando a graça ainda era uma tremenda realidade. "É penoso", escreveu mais tarde um bispo,[1] "ficar sentado vendo e ouvindo gente discutindo sobre as exigências da raça humana, gente que ignora por completo tudo o que está acontecendo na cabeça e no coração dessa raça humana, fora de sua fragmentária participação dela." Enquanto isso, Maquiavel escrevia sobre os homens. "Devemos gratidão", disse mais tarde Francis Bacon, "a Maquiavel e a escritores de sua estirpe que mostram abertamente e sem dissimulação o que os homens são e não o que deveriam ser." Com certeza Chaucer e Boccaccio haviam feito praticamente a mesma coisa, mas haviam lembrado o que os homens deveriam ser. Maquiavel foi um agostiniano parcial; ele expôs os segredos da corrupção humana natural. Isso não impediu que ele, com sua própria generosa honestidade, fosse um simples cristão; mas permitiu que ele mesmo fosse considerado um mito de malícia diabólica — que só podia ser desculpado na medida em que seus olhos atentos se fixaram no *Homo* e não no *Homo-in-Deo*.

O que foi, para esses grandes homens, a visão da glória do Homem com sua vasta inteligência, para homens menores

[1] Bispo Ullathorne, 2 de julho de 1870; *The Vatican Council*, Dom Cuthbert Buttler.

foi a visão da glória temporal e decorativa, e para gente ainda menor foi a visão de algo não muito além do ouro. Ouro sempre visando o prazer, o ornamento, a exibição, bem como a posse, mas sempre ouro. A Idade Média havia desejado grandeza e glória e ouro tanto quanto seus filhos; a virtude depois desse período não ficou muito comprometida. Mas a visão metafísica que havia iluminado aquelas coisas, sob outros aspectos vis, estava desaparecendo; já não eram mitológicas fora de si mesmas. Restou ao Homem orgulhar-se de suas próprias obras e glorificar a si mesmo e a elas. Se as circunstâncias fossem outras, poderia ter acontecido um reavivamento da antiga sabedoria de Cristo como *anthropos*; os segredos da Cristandade poderiam ter enriquecido o mundo material com novos significados. Não devia ser assim; o *anthropos* se esquecera do *theos*, e agora o outro *anthropos*, o Adão de Agostinho, o *homo sapiens* da ciência, era o alvo da atenção da Europa.

Mas o *Homo* foi em certos pontos compactado e solidificado. Ergue-se o Príncipe, e ergueram-se os príncipes independentes. O surgimento das nações elevara aqueles reinos periféricos a um nível de igualdade formal cada vez maior com seu centro, o Imperador. O Império no Oriente fora perdido para o Islã; no Ocidente foi perdido para a Europa. Ele estava fadado a ficar na incerteza até 1805, assim como no Oriente ele deveria ser parcialmente reativado em Moscou até 1917. O Grande Cisma incentivara os Tronos, uma vez que a decisão entre o pontífice e o pseudopontífice — a decisão sobre qual deles era o quê, a decisão sobre qual deles era o quê do ponto de vista canônico e por justiça e sobre onde se encontrava a graça — dependera em grande parte dos Tronos. Quase cem anos haviam passado, mas a vibração pairava no ar como a vibração de Napoleão ainda paira no ar hoje em dia. Durou mais porque, devido a um impulso natural, o Trono de Pedro tornou-se único entre os tronos. O papa Alexandre VI alegou, formalmente, ser o soberano acima de soberanos; mas suas alianças, seus exércitos e seus tratados reduziram-no a ser visto como um Príncipe pelos príncipes. "O papa Alexandre VI foi um grande homem"[2] — certo; mas sua virilidade preocupou o mundo mais que seu vicariato, e por um processo invisível tanto ele quanto seus aliados e seus opositores tendiam a considerar Cristo, em sua Igreja, o Vicário da Sé romana em vez de considerar a Sé romana o Vicário de Cristo. O Messias era uma província da hierarquia e da Cabeça da hierarquia. Isso foi apenas uma parte da mudança geral. Luís XI era até mais supersticioso que Luís IX, mas foi menos sobrenatural. O imperador Maximiliano pensou algumas vezes em tornar-se pontífice, o que dificilmente teria acontecido com o rei São Luís. O sacerdócio era um grau social no âmbito da aristocracia, mas a santidade havia perdido seu apelo. Deixara de estar na moda, e até mesmo quando a santidade é apenas moda ela está envolta numa energia que faz tremer os próprios modismos. Mas agora, durante certo tempo, ela não era muito mais que uma de suas próprias relíquias.

Ou seja, o *Homo* também havia penetrado na religião. O grito "Outro está em mim" havia-se desvanecido, e a glória da Renascença não foi atribuída aos atos desse Outro. Cristo era incentivado, quando necessário, a praticar os atos do *Homo*; quase nunca os dele mesmo. Nesse momento particular da história da Cristandade os atos ficaram em grande parte

[2] *The House of Borgia*, F. Rolfe (chamado de Barão Corvo).

fora de controle. A fé (no sentido paulino) era, sem dúvida, muito praticada em segredo, mas os atos espetaculares mais característicos não tinham nela sua fundamentação. Sem essa fundamentação os atos do ser humano tendem a envolver cada vez mais sua natureza inferior, e nem mesmo os atos imaginativos da Renascença atingiram o "ápice da especulação", exceto talvez no esforço de Leonardo para medir exatamente o ângulo da própria criação. A *Mona Lisa* é o esforço da arte para descobrir e padronizar exatamente o primeiro movimento criativo de um sorriso; todo o soberbo trabalho do pintor descobriu na criação a tendência matemática para uma ostentação semelhante. E até mesmo a visão da paz interior tão cara a Erasmo talvez tenha exigido para sua plena afirmação uma segunda série de atos pelos quais o grande intelectual talvez conhecesse sua própria incapacidade.

O clamor pela Reforma que é sempre ouvido na Igreja não era menos sonoro naquela época. Sempre se admitira que certa suntuosidade era adequada ao ritual secular da Igreja. O ritual e a suntuosidade eram agora vícios adequados, e até as mentes mais austeras viam as coisas desse modo; e não era possível descobrir, como fora muitas vezes no passado, uma energia compensadora nos conventos e eremitagens. Os conventos tinham se tornado o assunto de muitas consultas ansiosas em todas as partes, o que não significa dizer que fossem merecedores disso em todas as partes. Mas o Outro já não estava nitidamente dentro de seus ocupantes; a vida que aqueles ocupantes não entregavam de forma visível por seus irmãos, como ensinara Clemente de Alexandria, atraía a atenção dos melhores e dos piores indivíduos. A facção reformadora gritava, como sempre, pedindo mudanças, e como sempre tinha razão. Mas pelo fato de ela estar sempre gritando e ter sempre razão, não se tomava nenhuma medida eficaz. Gritava-se como gritam os líderes comunistas da atualidade. Dirigiam seus ataques diretamente contra a vida pessoal das autoridades eclesiásticas. Foi somente nos últimos anos que os ataques pessoais parecem ter deixado de existir. Poucos católicos romanos denunciam atualmente os vícios secretos do papa; poucos anglicanos mostram a abominável corrupção de seus arcebispos; nenhum presidente de qualquer conselho de uma igreja independente é acusado de sodomia ou preguiça. Talvez de fato a vida desses líderes seja mais pura, ou talvez o clamor da indignação simplesmente tenha se exaurido.

Contudo, uma crise se aproximava, e a sublime prudência de nosso Senhor, o Espírito, dignou-se auxiliar seu surgimento por meio de duas características da Cristandade: a permuta e a conversão. Como se disse anteriormente, a coinerência constituíra exatamente o padrão da Cristandade; nós não seríamos simplesmente herdeiros, mas "irmãos e companheiros e co-herdeiros do nome da salvação". E como Agostinho havia ensinado que a coinerência remontava até Adão, assim a Cristandade a fizera avançar e ir além incluindo todos os relacionamentos até o último ponto dos bem-aventurados em atividade. A invocação dos santos surgira disso, e a prática das indulgências a definira em ações concretas. As primeiras indulgências haviam sido anunciadas aos primeiros cruzados; todas as penas temporais do pecado eram perdoadas para aqueles que lutassem. Isso era apenas um método, e era preciso dar mais dois passos para que todo esse soberbo e perigoso conhecimento ficasse definido. No século 13 Alexandre de Hales definiu o Tesouro de Méritos, e em 1343 essa doutrina foi aceita por Clemente VI. Em 1457, a organização tomara tão forte consciência de si mesma a ponto de Calixto III declarar formalmente que o exercício desses poderes era aplicável além deste mundo. O que se proclamou então foi de fato mais que uma nova maneira de mensuração e ratificação, uma vez que sempre se acreditara que a oração tinha sua eficácia no âmbito da Vontade Divina. Mas um método preciso de permuta foi então apresentado para os fiéis; fazendo-se *isto*, *aquilo* será conseguido. As indulgências eram "aplicáveis às almas do purgatório". Atos de amor poderiam ser, de modo definido e localizado, oferecidos aos mortos; o mundo visível e o mundo invisível coineriam nessa graça; o grande meio de amor substituído tornou-se tão visível na terra como era no céu. O dinheiro era, na terra, um meio artificial de permuta e poderia ser, agora, um meio da arte da permuta celestial — dinheiro dado com arrependimento, com fé, com amor. Assim que a intenção se transformava em ação — "assim que o dinheiro tilinta na caixa" — o efeito era conseguido: "a alma salta do purgatório".

Foi, todavia, o tilintar do dinheiro que desviou demais a atenção. O papa Leão X, no exercício de seus direitos pontifícios e (por definição) oferecendo aos fiéis uma nova oportunidade de permuta concreta e calculada, e não menos lucrativa para todas as almas envolvidas por ser concreta e calculada, emitiu uma indulgência especial. O fato de ele desejar usar o dinheiro obtido para construir a Basílica de São Pedro era de responsabilidade do próprio papa, e era problema dele decidir quanta piedade fazia parte do empreendimento. Mas o arranjo que foi feito tinha acentuado sabor de simonia. Uma brilhante ideia financeira entrou na cabeça de alguém — de Leão X, de um cardeal, do arcebispo de Mainz, ou (uma vez que Deus muitas vezes altera suas próprias obras servindo-se dos instrumentos mais improváveis) de algum secretário no séquito do arcebispo ou da tesouraria papal em Roma que talvez não tenha vivido para ver os resultados catastróficos de seu momento de tino comercial. O arcebispo de Mainz, Alberto de Hohenzollern, acabara de ser eleito. Ele não tinha idade canônica para ocupar um bispado, e já ocupava outros dois: era arcebispo de Magdeburgo e administrador de Halberstadt. Albert ofereceu dez mil ducados ao papa Leão X pela concessão e confirmação do novo cargo. Ficou acordado que o dinheiro seria adiantado pela grande casa bancária de Fugger e seria pago ao papa, que deveria ceder a Alberto, em benefício dos Fuggers, as receitas das indulgências. Os Fuggers assumiram a administração das vendas, contrataram vendedores viajantes — isto é, pregadores —, enviaram com eles agentes para controlar as receitas e dividiram o dinheiro arrecadado com o jovem arcebispo. Essa foi a ideia, esse foi o arranjo. Infelizmente, quem pensou nisso deixou cair um fósforo aceso dentro daquele desconhecido armazém da mente humana que contém as altamente explosivas emoções conhecidas como "fé" e "obras".

A venda devia começar em 1º de abril de 1515. Uns seis ou sete anos antes, fora preparado o segundo elemento da crise que se aproximava. Um jovem monge de mais ou menos vinte e cinco anos, um ou dois anos mais velho que o arcebispo de Mainz, vira-se envolvido num outro desejo. Seu nome era Lutero; era um agostiniano. Nosso Senhor, o Espírito, permitiu-lhe seguir Agostinho no desejo primário e contínuo de Agostinho e provar a conversão. Ele se esforçou para isso; suportou austeridades, leu, estudou, orou, lutou. Batalhou servindo-se dos ensinamentos de Guilherme de Ockham segundo os quais a salvação, depois da graça, é uma questão de vontade. É compreensível que os adversários de Lutero tenham sido os escolásticos tardios; ele gostava de Atanásio e lia Agostinho com paixão. Mas todos os seus deveres, o sacramento e os estudos particulares, em nada o ajudavam. A grande organização da redenção enroscava-se nele, e sua alma estava em desespero. "Quando eu procurava Cristo parecia-me ver o diabo." Mil anos antes o universo de Agostinho tivera seu centro alterado no interior de um jardim; o mesmo, de repente, acontecia agora com Lutero — dizem que foi na subida da *Scala Sancta* em Roma. Tomado por um intenso sentimento de revolta contra a vontade ele havia lido a Epístola aos Romanos; de súbito lhe veio à mente: "O justo viverá por fé". Lembrou-se disso e se pôs de pé; todas as coisas entraram nos eixos. "O justo viverá por fé." Fé.

Todavia, Lutero sentia que não foram primeiramente os escolásticos, mas foi sim Aristóteles quem o desencaminhou, e era ele quem mais o enfurecia — "aquele blasfemo ridículo e nocivo". "Nada minha alma anseia tão ardentemente como denunciar e cobrir de vergonha aquele palhaço grego, que como um espectro enganou a Igreja." Aristóteles não fizera nada de que Lutero precisasse e não lhe trazia nenhuma paz. Escreveu ele a um colega agostiniano: "Você diz com Israel: 'Paz, paz', e não há paz alguma; diga antes com Cristo: 'Cruz, cruz', e não há cruz alguma. Pois a cruz não é mais cruz quando você diz com alegria: 'Abençoada cruz, árvore não há igual a ti...'". Era essa experiência que o estava lentamente predispondo contra seu mundo — como, por exemplo, contra as cinco mil relíquias que o eleitor Frederico da Saxônia guardava na Igreja do Castelo em Wittenburgo, e contra os teólogos que sublinhavam a linguagem das "obras".

Em 1517, um errante pregador de indulgências chegou perto de Wittenburgo; o eleitor da Saxônia havia proibido a venda em seus domínios, e a fronteira não foi atravessada. O pregador era um dominicano chamado Tetzel; sua obra contava com a colaboração do arcebispo Alberto, que numa declaração sobre os benefícios das indulgências havia anunciado que — pelo menos para aquelas aplicáveis às almas do purgatório: "Quem contribui com o fundo para esse propósito não precisa de contrição nem de confissão". Tetzel pregava com entusiasmo; seus ouvintes compravam. No milagre da coinerência não há razão alguma para supor que as indulgências não fossem eficazes para todos os ditosos e ambiciosos fantasmas por quem elas eram oferecidas. Mas dessa assistência oferecida pela Igreja militante em prol da Igreja em purificação resultou um grande escândalo terreno.

As histórias que se contam sobre Tetzel seriam inacreditáveis se aquilo que acontece muitas vezes não parecesse mais fantástico que aquilo que se imagina. Escrevendo ao arcebispo, Lutero disse que as pessoas referiam-se a Tetzel pregando que "não há pecado tão grande que não seja absolvido por aquele meio [das indulgências], mesmo que, como se diz, tomando um exemplo impossível, alguém chegasse a violar a mãe de Deus. Eles acreditam que as indulgências os livram de todas as penas e culpas". Parece improvável que Tetzel quisesse comprometer-se com a crença herética de que uma indulgência pudesse isentar da *culpa*, o que é distinto de isentar da pena. Mas não é impossível que a multidão de ouvintes alemães o entendesse assim, nem tampouco que suas grosseiras palavras pudessem elevar-se a tão desvairadas extravagâncias de retórica, levado como ele era justamente por sua escolha da imagem impossível da *anthropotokos* para ser específico. Imagine-se um *clown* de Shakespeare discutindo em defesa da piedade, distante da tranquila mesa de estudo dos teólogos, e a situação se torna crível. Tetzel mais tarde negou a maioria das acusações, creia-se nele ou não.

Até mesmo o pouco refinado gosto da época sentia-se um tanto chocado. Tetzel e os agentes dos Fuggers juntos, isso já era um pouco demais. A combinação de uma oratória ousada e um cálculo cuidadoso era um pouco, digamos, shakespeariana demais. Mesmo assim, talvez nada houvesse acontecido se Lutero não se tivesse convertido, "num piscar de olhos", à fé. Ele havia conhecido o Espírito. Não lhe passara pela cabeça acreditar em nada, exceto que a organização da Igreja no fundo era impulsionada pelo mesmo Espírito. No entanto, seus paroquianos estavam cheios de indulgências, e não cheios de contrição. A contrição não era, naquela época, uma marca da Igreja. Mas com certeza ela fora uma marca de Lutero. Ele fora conduzido à certeza. Nem contrição nem certeza, mas uma obscena paródia das duas parecia-lhe estar sendo incentivada pelo tilintar do dinheiro e o mecanismo da graça. A Máquina saíra do controle, por meio dos erros da hierarquia. Ele protestou. Protestou da forma acadêmica correta. Afixou teses para debates; elas não eram extremistas. Ele aceitava "a verdade apostólica das indulgências"; dizia que "os perdões papais não devem ser desprezados". Tampouco apresentou alguma doutrina teológica antagônica. Pelo contrário, ele de fato não protestou quase nada que o calmo pensamento da Cristandade não teria admitido. Mas ele na verdade parecia censurar, senão exatamente como disse Erasmo mais tarde, "o cocuruto do papa e as panças dos monges", pelo menos o prestígio do papa e os lucros dos pregadores. A notícia do protesto se espalhou; chegou aos ouvidos do papa Leão X, que era bem-humorado, tolerante e divertido. "Um monge alemão bêbado! Ele vai mudar de ideia quando estiver sóbrio!" Infelizmente, a embriaguez era profunda; Lutero havia bebido o inebriante Sangue.

Mesmo hoje em dia parece assombroso que um único momento, em oposição a tantos outros, ateasse fogo em tanta coisa. Lutero não era nem um grande místico nem um grande teólogo. Ele poderia ter encontrado tudo o que descobriu na vida em milhares de doutores ortodoxos. Ele não negou nada, pelo menos no início, que milhares de doutores ortodoxos não teriam negado. Mas duas coisas se juntaram contra a paz e a reconciliação: a primeira foi o imediato alinhamento de forças, a segunda foi uma série de conversões particulares permitidas ou incentivadas pelo Espírito.

O alinhamento de forças concentrou-se na velha fronteira do debate, a discussão sobre fé e obras. Isso foi muitas vezes considerado apenas uma questão técnica da teologia; por certo, é de fato uma questão como a maior parte da teologia — de vida na prática. É uma questão de entendimento e abordagem; é quase uma questão de estilo. É melhor para nós pensar em conseguir o que conseguimos por nós mesmos? Ou é melhor depender de algo que não somos nós? E nesta ou naquela hipótese, até que ponto? E com que modificações? Numa questão assim, como a desejabilidade de amar A, deixamos que X ame A? Ou tentamos amar A diretamente? Qual é o melhor método para desenvolver um estilo puro de amor? Todos nós conhecemos os lamentáveis falsos estilos, os estilos que dizem com insuportável arrogância: "Bem, eu faço aquilo que posso", ou então com um sorriso afetado igualmente insuportável: "Bem, naturalmente, não sou eu que o faço, mas é Algo Diferente" (e se esse Algo

Diferente é nomeado o efeito não é melhor). Como nos tornamos honestos? Que tipo de obras a "fé" no amor implica? A coinerência não está acabada quando é nomeada. Qual é então a melhor forma de coinerirmos?

Altas abstrações — das quais depende cada minuto da vida pessoal! Qual é a natureza do amor? A Cristandade havia sentido como o homem estava desamparado para fazer o que quer que fosse. Paulo e Agostinho, para ficar só com esses dois, haviam-se tornado testemunhas d*isso*. Você não se aproxima mais de ser amor porque praticou atos de amor. Mas então os atos de amor não têm importância? Têm muita, em todos os sentidos, desde que você não os reivindique como seus. Mas então eu não posso existir como ação de amor? Sim, pode; você existe precisamente, no mais alto grau, nos atos que, do modo mais intenso, não são seus. E independentemente deles? Bem, independentemente deles você é um corrupto, perdido, eternamente perecendo. Seus atos derivam apenas da plenitude do tesouro do todo-meritório amor de Deus.

Assim, *grosso modo*, era a facção da Fé. A facção das Obras seguiu outra linha, uma linha paralela. Você existe naquelas obras — isso mesmo; depende de você praticá-las. Nada, ninguém pode produzi-las a não ser você; se você não as produzir, elas estarão para todo o sempre e eternamente perdidas. Elas têm um valor enorme; seu valor é tão grande que elas não são apenas aplicáveis à situação presente, mas a todas as situações. Elas afetam os que morreram há muito tempo e aqueles que ainda vão nascer, como você é afetado pelos atos de amor daqueles que ainda vão nascer e daqueles que há muito morreram. Todos os sacramentos são formas de comunicação de amor para todos — por meio de você.

Eles no mínimo constituem uma certeza em meio a tanta incerteza. Então, mexa-se; pratique boas obras e pratique-as agora. Trabalhe enquanto ainda há tempo. Sem você e suas obras — de modo tão assombroso ele limitou a si mesmo que você pode tornar-se co-herdeiro com ele — os atos do próprio Amor ainda não são plenos.

As alternações de ênfase foram reconciliáveis — no coração dos santos, nos ritmos de Dante, ou em qualquer experiência de gente comum. Ao longo das duas estradas paralelas as colunas da Cristandade marchavam para tomar de assalto o Reino do céu. Mas e se as colunas parassem, discutissem, se tornassem hostis, se enfrentassem e cavassem trincheiras ao longo das estradas? "A inteligência", disse Lutero, "é a prostituta do Diabo." Ela pode ser, no mínimo, a amante de uma emoção apaixonada, ou pode entregar-se à própria sensualidade. Mas, para ser justo com ela, não é apenas a autocomplacência que a leva a envolver-se em controvérsias. Neste mundo algo deve ser *dito*. Tudo bem, tudo perfeito para a Glória Encarnada evitar definir seu evangelho, mas ele deixou a tarefa para seus discípulos, e todas as infalibilidades ainda não conseguiram deixá-lo muito mais claro. São Paulo, parece, estava certo; apenas a operação da "fé" tem bom êxito.

Naquele momento havia, de um lado, uma tradição intelectual muito elevada, descoberta por mentes da melhor qualidade, mas administrada por gente de quinta categoria. No outro lado havia a experiência direta, pregada em grande parte por quem só tinha a experiência indireta. Nos dois lados encontravam-se a ralé e o rebotalho da religião, bem como uma multidão de gente boa que nada entendia. Entre esses dois extremos situavam-se os humanistas, os infelizes intelectuais.

Houve uma entrevista insatisfatória entre Lutero e o legado papal em Augsburgo. Houve um debate em Leipzig, ocasião em que Lutero se comprometeu com a visão ainda mais extrema (porém antiga) de que os Concílios Gerais podiam errar e haviam errado. Os príncipes da Alemanha, um tanto preocupados com um imposto que Leão X propunha cobrar dos estados para uma Cruzada — sobre a qual todos tinham muitas dúvidas —, estavam indiferentes ou eram hostis à italianizada Sé romana. Em 1518 tornou-se evidente que Leão X e Lutero haviam decidido, cada um de seu lado, que o outro era o anticristo. A bula de excomunhão foi publicada em junho; em agosto Lutero respondeu com um volume sobre o cativeiro babilônico da Igreja. Os mitrais esplendores e rituais de glória começavam para ele a parecer-se muito com os deuses dos suntuosos cortejos da Assíria, e aquele sonho fatal de um evangelho simples levantava-se como um fogo-fátuo sobre o iminente charco de sangue na Europa. Lutero escreveu a Erasmo, mais ou menos sugerindo uma aliança. Erasmo respondeu mais ou menos da mesma forma que Matthew Arnold poderia ter respondido a Wesley. Ele não achava que valesse a pena declarar guerra contra cocurutos ou panças, mas se a guerra acontecesse ele tinha certeza de que estaria do lado da Sé romana. No entanto, alguns dos humanistas mais jovens passaram para o outro lado — em especial, o quase igualmente pacato Filipe Melâncton, que assim preparava para si mesmo (como Newman faria mais tarde) um futuro de paz espiritual e de angústia temporal.

Por volta de 1520 aconteceram as primeiras fogueiras — por enquanto só de livros. Os papistas queimavam as obras de Lutero, e os luteranos retaliavam. Em meio às fogueiras apareceu uma figura nova: a do imperador Carlos V. Ele não nutria nenhuma paixão extrema pelo humanismo, embora o admirasse. Não via absolutamente utilidade alguma para a conversão mística. Reconhecia o papado e tinha um plano pessoal de trabalhar para que o papa se encaixasse em seu esquema político. Pretendia restaurar o poder do Sacro Império Romano para ele mesmo ser o Sacro Imperador Romano. Era jovem, objetivo, prático, ortodoxo e firme. Não tinha nenhuma intenção de concordar com a heresia. No entanto, foi o primeiro soberano europeu forçado a excluir a ortodoxia como um requisito fundamental para seus soberanos subordinados. Sua atividade começou a aparecer em 1521 com a Dieta de Worms. Ele foi levado a fazer um acordo — *cujus regio ejus religio* [de quem for a região, dele será a religião]. Lutero em Worms afirmou: "Não posso fazer outra coisa"; era esplêndido, mas não era boa política.

Depois da Dieta de Worms, Lutero foi isolado por algum tempo no castelo de Wartburg; lá ficou de maio de 1521 até março de 1522. Essas datas evocam a segunda condição que prolongou a cisão através dos séculos. De março de 1522 a janeiro de 1523 Inácio de Loyola também viveu no isolamento e na oração — mas na caverna de Manresa, na Espanha. Em 1534, em consequência de seu isolamento, Lutero pôde publicar a tradução da Bíblia para o alemão. No mesmo ano, Inácio com seis companheiros tomavam os votos. Entre os companheiros estava Francisco Xavier, outrora professor de Aristóteles, convertido e doutrinado por Inácio. No mesmo ano outro jovem estudioso do classicismo, um francês que em 1532 havia publicado, com muitos elogios, um comentário sobre *De Clementia* (estranha escolha!) de Sêneca, e desde aquela época vivia no isolamento em Angoulême, também depois de converter-se, compôs um pequeno tratado sobre as doutrinas originais do cristianismo. Seu nome era João Calvino, e o livro foi o primeiro esboço das *Institutas da Religião Cristã*. A Bíblia em alemão, os jesuítas, as *Institutas* — tudo num só ano. E Lutero, Inácio, Calvino... suas datas de nascimento são importantes, mas muito mais importantes são aquelas outras datas, as das conversões deles. Naquela grande época do *Homo*, com seus esplendores intelectuais, sua arquitetura, arte, exploração, guerra, suas graças transitórias e glórias terrenas, aprouve ao Senhor, o Espírito, abalar violentamente a alma deles com sua interferência. A graça apoderou-se daqueles centros estratégicos para sua própria campanha. Partiu de repente para o ataque, seguindo seu diviníssimo modo de agir — desde que o sábio fariseu caiu por terra na entrada de Damasco —, e agora na pessoa de um alemão, um francês e um espanhol, e muitos outros depois deles. Ele fizera isso com certa frequência na Idade Média, como fez depois; sua intenção é sempre restaurar a contrição no homem. Mas agora, quando a contrição, admitida em teoria, havia em grande parte desaparecido na prática, ele a renovou. O tremendo conflito começou com aquelas vigílias isoladas do conflito. A contrição fora deixada, pelo arcebispo de Mainz num conjunto de indulgências, às almas no purgatório, e na teoria ele estava certo. Mas o resultado foi que, no outro conjunto de indulgências, em benefício dos vivos sobre a terra, a necessidade de contrição mal podia ser enfatizada. Os ritos da Igreja, porém, mesmo naquela época do *Homo*, invocavam o Emanuel. Seus dirigentes celebravam os ritos, mas não pregavam suas condições — tampouco o arrependimento, a maior condição (excetuadas a fé e a caridade) de todas. Na melhor das hipóteses, deixava-se que isso fosse pressuposto, e o que era pressuposto o Espírito dava novamente à Igreja — ou dava a seu Senhor por meio dela. Eles haviam professado a contrição para seus propósitos pessoais; receberam a contrição para os propósitos dele: "boa medida, calcada, sacudida, transbordante". Os defensores da contrição e de sua certeza — certeza pela experiência, certeza pela crença — entraram imediatamente em ação. O fato de eles se apresentarem como se apresentaram — hostis, militantes, completos — deveu-se precisamente à condição de pecado em que a Cristandade se encontrava e à redenção que eternamente opera dentro da Cristandade.

O tumulto passou, inevitavelmente, das almas para as mentes; as mentes comandaram os corpos; os corpos pegaram em armas. As guerras religiosas (inauguradas como formulações) começaram. Concentraram-se no início naquelas velhas questões recorrentes da vontade, e a vontade em relação à graça, e a graça em relação ao sistema. Os grandes dogmas fundamentais da natureza de Cristo permaneceram, em geral, formalmente intactos. A Renascença não os atacara; não tomara consciência deles de modo especial. Mas tomara profunda consciência da vontade humana e das esplêndidas manifestações dessa vontade. Na França e na Espanha iniciou-se novamente um experimento mais antigo. Calvino e Loyola, comandantes da cavalaria do Espírito nessa nova campanha, procuraram também descobrir a vontade do ser humano. Mas procuraram descobri-la em seu momento máximo da autodestruição; eles queriam forçá-la a dizer: "Meu Eros está crucificado". A mesma palavra brotou nos dois comandantes — *exercitus*, exercício, treino. *Os Exercícios* — esse era o título do manual de Loyola; "esta vida é um exercício", escreveu Calvino. O fato de esses dois mestres terem se postado em posições contrárias foi, humanamente falando, trágico. Os dois eram filhos da Cristandade, e da Cristandade medieval, e nesse ponto uma Cristandade medieval iluminada pelos primeiros Pais da Igreja. Os dois defendiam apaixonadamente a autoridade da Igreja. "Nós cremos na Igreja", escreveu Calvino, "para termos alguma certeza de que somos membros dela. Pois assim nossa salvação repousa sobre uma fundamentação firme e sólida, de modo que não pode ser destruída, mesmo que o tecido do mundo venha a ser desfeito", e ele prosseguiu citando Agostinho. Dizer que Calvino foi influenciado por Agostinho é uma atenuação; Agostinho é invocado em quase todas as páginas da grande obra que são as *Institutas*. Falando sobre a grande doutrina da eleição, Calvino diz de Agostinho: "Não preciso de outras palavras exceto as dele", e em seguida: "Não hesitarei em confessar com Agostinho: 'A vontade de Deus é a necessidade das coisas'".

Foi essa completa necessidade que o gênio de Calvino tentou restaurar como a única base do Igreja universal. Ele queria atribuir *toda* a iniciativa a Deus e mostrar que todas as coisas existiam apenas de acordo com a vontade daquela iniciativa. "O calvinismo, juntamente com o luteranismo, lança a mais significativa de todas as perguntas: o que preciso fazer para ser salvo? E ele responde da mesma forma que o luteranismo. Mas a grande pergunta que vem logo em seguida é: como Deus será glorificado?"[3] De que outro modo senão reconhecendo-se que somente nele reside todo o poder de decisão, toda a necessidade, todo o poder de destinação? Ele afirma, e nós podemos apenas consentir; fazemos isso por necessidade e, no entanto, voluntariamente. Escolhemos a

[3] *Calvin and Calvinism*, Benjamin Warfield.

necessidade, e a necessidade escolhe como quer, alguns para a salvação, alguns para a perdição.

Agostinho dissera quase a mesma coisa, e se não se levasse em conta o impetuoso estilo de Agostinho até mesmo o "quase" seria exagerado. Mas suas grandes frases pairam acima da própria definição que contêm; Calvino o cita: "Nós não encontramos a graça por meio da liberdade, mas a liberdade por meio da graça". Todos os doutores psicológicos da Via Mística haviam concordado com isso. Calvino tentou formular essa experiência. Mas a Igreja jamais ficou satisfeita com nenhum dogma que não envolvesse a coinerência de vidas livres (e, ousaria dizer, a necessidade e a liberdade). Na crucificação do Messias a necessidade e a liberdade se haviam mutuamente crucificado, e as duas (como numa vida trocada) haviam ressuscitado de novo. A liberdade existia então porque era preciso; a necessidade porque podia. Mas Calvino crucificou Adão sobre Jesus: "Os homens devem de fato aprender que a Benignidade Divina é livre para todos os que a procuram, sem exceção alguma". *Mas* "ninguém começa a procurá-la exceto aqueles que foram inspirados pela Divina Graça". *Toda* iniciativa vem de Deus.

Em sua maioria, os homens não têm sido capazes de suportar esse terrível paradoxo de Calvino e têm fingido que o calvinismo, do ponto de vista intelectual, é muito mais fácil do que é. Eles de fato o submeteram (embora em geral por mesquinhas razões de ignorância e aversão) à sentença condenatória de Loyola: "Nós não deveríamos falar da graça de forma tão detalhada e com tanta veemência a ponto de suscitar aquele deletério ensinamento que elimina o livre-arbítrio". Mas na verdade Inácio tinha uma grande vantagem; ele não se via no papel de quem está determinando os primeiros princípios da religião cristã, mas de quem está apenas fundando uma ordem. Ele não era nem Calvino nem Tomás de Aquino. Só procurava ensinar a alma a descobrir a vontade pessoal em seu momento de destruição; ele apenas imolou, num gesto de devoção individual sobre-humano, a glória da Renascença. Pressupôs o livre-arbítrio pessoal do homem no céu, mas envolveu seus seguidores pela perda dele na terra; tanto isso é verdade que as autoridades eclesiásticas restringiram e modificaram suas frases mais extremas. A constituição de sua sociedade sugeria uma subordinação a superiores de uma espécie que era mais absoluta do que Roma estava preparada para aceitar. Até a famosa frase acerca do preto e branco — "nós devemos sempre acreditar que o que nos parece branco é preto, se a Igreja hierárquica o definir assim" — pode dar azo a alguma discussão, embora seja difícil ver no fim a que outra conclusão se pode formalmente chegar. O que está claro é que aqui também a contrição, a eleição e a aniquilação eram estados vivos. Newman definiu a principal característica de Inácio como sendo a "prudência" — a inteligência do espírito. Ele, mais que Calvino, mostrou a doutrina da permuta (e talvez até acreditasse mais nela).

Mas esses grandes homens renovaram o mundo. Os sermões recuperam seu espaço, porém de modo mais extremado sob Calvino que sob Inácio. Dentre todas as coisas incompreensíveis daquela época talvez a mais incompreensível para nós seja a paixão dos reformados por sermões. O fato de que homens e mulheres quisessem ficar sentados e *ouvir*, não fazendo nada mais que ouvir, por horas a fio, para nós é algo incompreensível, e nós explicamos isso pensando que eles ficavam ouvindo para descobrir heresias, ouvindo com medo do poder dos ministros, ou ouvindo com terrível prazer para ver seus inimigos denunciados e condenados ao inferno, e sem dúvida todas essas coisas mais cedo ou mais tarde surgiriam, mas nenhuma dessas explicações é a razão principal; não, a razão principal era simplesmente a palavra falada, a energia e a precisão da palavra falada, a salvação comunicada no sacramento da palavra falada. Aquelas congregações quase voltaram ao fenômeno do "falar em línguas" dos primeiros tempos, embora essa fala não precisasse de interpretação, pois a interpretação e a fala eram uma coisa só. Eles retornaram a Pentecostes e ao Espírito manifestando-se em línguas. E além dos sermões havia outras línguas: línguas dos salmos, dos hinos e dos cânticos espirituais, mas especialmente dos salmos. Iniciativa de Deus, sopro do Espírito de Deus, palavras moldadas pelo Espírito de fogo saindo do coração ardente de seus eleitos. "Louvai-o com címbalos sonoros; louvai-o com címbalos retumbantes." Os címbalos eram as vozes; o som propagou-se por sobre a terra, e à medida que as guerras ficaram mais sombrias o som ficou mais aterrador. "Levanta-se Deus; dispersam-se os seus inimigos." Calvinistas e jesuítas da mesma forma entregaram-se ao martírio, e as autoridades seculares se esforçavam para manter-se à altura da fúria intelectual que acendia o fogo, fogo em torno de fogueiras ou fogo sob o cadafalso, fogo da contrição interior pegando e se alastrando, e se transformando naquele outro fogo que deveria destruir os ímpios transformando sua própria carne no portão do inferno para suas almas, ou retratando em seus corpos castrados as estéreis misérias da perda eterna. "Levanta-se Deus; dispersam-se os seus inimigos." Os únicos conflitos espirituais de cada uma daquelas grandes almas, aqueles poderes tomando o Reino por meios violentos e propagando sua violência pela

Cristandade, desembocaram num conflito temporal geral. Gritaria e austeridade os acompanhavam; seu intenso furor de justiça arrastou atrás deles exércitos, e a agonia de um lamentoso continente respondeu a suas silenciosas agonias de atenção. A verdadeira reforma, da qual a geralmente assim chamada Reforma é apenas uma pequena parte, avançou. Mas à medida que ia chegando — "Levanta-se Deus; dispersam-se os seus inimigos" — ela também perdeu em demasia a ideia do amor coinerente. A contrição de fato foi renovada — mas não para seu próprio dia, apenas para anteontem.

VIII
A qualidade da descrença

Estava presente, portanto, em meados do século 16, em todas as nações da Europa, qualquer que fosse a profissão de fé a que elas aderissem, aquilo que durante toda a Idade Média fora considerado o pior dos perigos: a heresia. O esforço para impor, como preliminares, as condições necessárias daquele grande experimento da salvação resultara no fato de que as condições, sob qualquer ponto de vista, encontraram oposição ferrenha. Em todos os países uma minoria de "hereges" podia de fato contar com o socorro de uma maioria de "hereges" de outro país. A heresia deixara de ser uma ameaça para tornar-se um fato contínuo — e isso era verdade no caso das Igrejas reformadas e protestantes assim como da Igreja católica romana. Não se imaginava que esse fato pudesse finalmente perdurar. Não se imaginava que várias formações no seio da Cristandade pudessem manter-se lado a lado — apesar das provas em contrário oferecidas pela existência das Igrejas orientais. As Igrejas orientais haviam sempre sido vistas como remotas, e desde a queda de Constantinopla haviam-se tornado mais remotas ainda; elas estavam submetidas ao Islã. Ainda menos imaginável era que a existência daquelas diferentes formações ocidentais e de suas controvérsias pudesse vir a ser irrelevante para a vida política e social. As heresias, por maiores que fossem, eram supostamente temporárias e, portanto, todos os acordos e tratados com elas também eram vistos como temporários — como acontece hoje entre os partidários fanáticos de nossas diversas ideologias. Há o sentimento de que não se pode esperar que um ser humano seja fiel a alguma coisa que contradiz e destrói toda a natureza da fé e da vida. "Nenhum acordo com heréticos" não é uma norma eclesiástica; é uma emoção humana inevitável. O estabelecimento de um acordo com uma nação de canibais não deve excluir uma intenção de interferir no comportamento canibalesco da forma mais rápida ou mais profunda que for conveniente. Não se pode esperar seriamente que nós permitamos que os canibais, contrariando todos os fundamentos do bem, continuem comendo seus pais idosos. É desumano, e com o desumano não se pode pactuar. Essa é a dificuldade da tolerância; essa é também a objeção à tolerância. Assim sentiam, no século 16, os exércitos religiosos. Passariam muitos anos antes que os governos seculares fossem forçados por sua própria impotência final a reconhecer que existiam outras crenças, e elas continuariam a existir; existiam outros crentes, e eles continuariam a existir. No começo, por mais ou menos cem anos, houve grandes esforços para impedir a existência deles. Argumentando-se que se o único ponto que decidiu que aqueles esforços deveriam fracassar e um estado diferente de coisas deveria passar a existir foi a vida — inesperadamente prolongada — e as crenças — inesperadamente ambíguas — de Elisabete da Inglaterra.

Mas antes que esse novo estado de coisas viesse a existir, e antes que se possa identificar seu crescente poder, há uma vida que se manteve, por assim dizer, profundamente centrada na comunidade da santidade, na mesma proporção em que o novo movimento se afastava da comunidade da doutrina. Em 1542 nascia, na Espanha que produziu Loyola e, alguns anos mais tarde, Teresa, um certo Juan de Yepes, conhecido como João da Cruz. Ele morreu em 1591, e sua vida parece, por assim dizer, a compensação pelo fausto dos papas da Renascença e pelo custo da recuperação do papado. Santos em número suficiente surgiram de todos os lados sob as tensões daquele século, e nenhuma constelação foi maior que aquela em volta da Sé romana. Mas João da Cruz parece ser um santo de outra natureza. A combinação de seu método interior e do método pelo qual Deus concordou no universo com seu desejo — isso, combinado com a época da grande crise de contrição em que ele viveu, desenharam nele a aparência de um sacrifício vicário e o colocaram, ou deveriam colocá-lo, fora do alcance de qualquer admiração fácil. Ele perseguiu com vigor a Via da Rejeição das Imagens, a Via Negativa. Escreveu: "Se alguém quiser ter certeza da estrada em que está viajando, deve fechar os olhos e caminhar no escuro". "Só existe um método, o do esvaziamento." Ele permitiu de fato aos "principiantes" o uso de apreensões sensitivas e tangíveis, mas essas mais tarde foram repudiadas — compreensão, memória e vontade "no campo de suas operações". A grande metafísica dionisíaca tornou-se para ele uma experiência muito conhecida e muito íntima: o Nada tornou-se o Tudo; e suas palavras devem ser interpretadas nesse sentido, caso contrário tornam-se perigosas. Como, por exemplo, a máxima: "Fala depreciativamente de ti mesmo e induz os outros a também fazê-lo" — que evita delicadamente um incitamento nos outros a uma falta de inteligência ou de caridade, uma vez que é difícil imaginar que o próprio São João da Cruz tivesse consentido em "falar depreciativamente" dos outros. Mas a própria palavra nesse caso quase perdeu seu significado exato; a imagem de "outros" desapareceu; o que sobra é apenas um desejo formulado de "induzir" a destruição da imagem de si mesmo. O objetivo da Via Negativa jamais foi expresso de maneira melhor: "No despertar do Noivo na alma perfeita, tudo é perfeito porque ele mesmo faz tudo. [...] Nesse despertar, como no caso de alguém que desperta e respira, a alma sente a respiração de Deus".

Há relatos de que durante sua primeira missa João havia orado pedindo para jamais cometer um pecado mortal e "sofrer durante a vida o castigo por todas aquelas faltas que, em sua fraqueza, poderia ter cometido se Deus não lhe desse seu apoio". O restante de sua vida sugere que Deus levou seu pedido a sério e tornou a palavra dele até mais frutífera do que ele poderia ter então imaginado. Na verdade, ele sofreu abusos e prisões impostos não pelo mundo ou pelo Islã, mas pelos sacerdotes e padres de sua própria Igreja. Ele foi perseguido pelo bem da Igreja; eles assim julgaram e (num outro sentido) assim foi. Seu corpo recebeu os efeitos da corrupção: ficou cheio de abscessos e feridas, e a dor era extrema. Dizem que o pus das feridas exalava um cheio agradável; as mulheres diziam que era "como se ele houvesse manipulado flores". Das erradas, mesmo que bem-intencionadas, brigas e separações entre seus superiores, de sua própria paixão pela perda de tudo, resultou a experiência da união e, parece, de uma espécie da transmutação da carne. Ele foi, em carne e osso, um epigrama da Cristandade. (E até mesmo ele, já perto do fim, foi incentivado a lembrar-se de gostar de aspargos; nosso Senhor, o Espírito, reluta em permitir que uma das duas grandes Vias prospere sem fazer alguma cortesia para a outra.)

Mas essa foi uma experiência solitária; o outro movimento foi comunitário. Na primeira eclosão das guerras

— as guerras religiosas na Alemanha e na França, a Revolta na Holanda, a batalha marítima entre a Espanha e a Inglaterra, a Guerra dos Trinta Anos no Império e as guerras menores relacionadas com crises na Escócia, na Escandinávia e na Suíça — havia em toda parte uma crença e uma esperança na vitória definitiva militar e metafísica. Essa esperança e crença logo foram complicadas por outras causas, sociais e econômicas; e, como aconteceu na Holanda, os católicos e os calvinistas algumas vezes foram estranhos companheiros de trincheira e de tratados. Questões econômicas confundiram o processo da Reforma assim como haviam sido em parte responsáveis pelo início da Reforma. Mas os sonhos do porvir ainda eram ditados por hábitos subconscientes de mil anos e incentivados pela descoberta dos hábitos enérgicos de nosso Senhor, o Espírito, em todos os tempos. Um acordo era algo inimaginável, e a tolerância precisou ser uma necessidade antes de poder ser uma virtude. De fato, como virtude ela ainda não existe, embora tenha existido um tempo em que nós julgávamos que ela existisse. Pois nossos pais sentiram-se entediados, infelizes e decadentes depois de passar pelo processo de incessantes matanças, e nós, os filhos daquelas matanças, nos imaginamos convencidos do valor da caridade, quando na verdade apenas continuávamos sentindo calafrios ante a memória do sangue.

Num reino do Ocidente, logo depois que Lutero ficara perturbado pela satisfação de seus paroquianos com as indulgências, também aparecera um momento de mudança. Só que ali ele se originou não do novo nascimento do Espírito, mas do horror da carne. O rei da Inglaterra se casara, por vontade de seu pai e algo contra sua vontade própria, com a viúva de seu irmão mais velho. Esse casamento havia exigido uma dispensa da Sé romana para efetuar-se, e ficou muito evidente que ocorreram prolongados atrasos em Roma antes que se decidisse pela concessão da dispensa. A Inglaterra e o rei da Inglaterra queriam muito que o monarca tivesse um herdeiro do sexo masculino, a fim de estabelecer a dinastia e impedir a repetição das recentes guerras civis. Esperava-se que Deus abençoasse o casamento com um ou mais filhos. O rei deitou-se com sua esposa. Ela concebeu. Concebeu cinco vezes: três das crianças nasceram mortas; uma viveu três meses; uma vingou — doente e franzina, mas vingou. Era uma menina. Deus parecia mostrar ao rei o escárnio visível de seu desprazer.

O rei tinha um sentimento religioso simples, uma inteligência teológica real mas limitada e uma forte tendência à superstição — isto é, a supor que os acasos de coisas boas ou más significavam o imediato prazer ou desprazer do Deus Todo-poderoso. Henrique não acreditava que todos os acasos fossem bons; e nisso não estava sozinho; sua época em grande parte o apoiava. O recorrente ultraje da morte de muitos familiares destruiu suas esperanças e perturbou-lhe a mente; e de fato o esforço fisiológico de voltar à cama de Catarina de Aragão, com a esperança cinco vezes frustrada (e como!) de um herdeiro talvez tenha tocado pontos nevrálgicos mais fortes. A época era brutal e cruel; Henrique era bastante insensível mesmo para seu tempo. Tivesse ele uma natureza profundamente afetuosa ou profundamente moral, talvez se houvesse comportado de outro modo. Não tinha. Mas ele não acusou a rainha ou a si mesmo; acusou a dispensação recebida. Era óbvio que a Sé romana não tinha nenhum poder para concedê-la; houvera um erro. Ele queria que o erro fosse corrigido. Apaixonara-se por uma senhora que ele agora queria, legal e canonicamente, desposar; muito mais ainda pelo fato de que ela não se entregaria com base em quaisquer outros termos. Mas isso constituía apenas mais um incentivo — mesmo que o mais sensacional; ele também queria, como sempre quisera, um herdeiro legal e canônico. Deus lhe enviara apenas crianças mortas como herdeiros — e uma menina que vingara, mas que provavelmente logo morreria. Ele não conseguia entender como alguém pudesse lhe negar ou recusar seus direitos. Com seriedade e consciência do que fazia, iniciou a questão da nulidade do casamento.

Discutiu-se e rediscutiu-se essa questão. Roma enviou um legado com poderes. No momento em que o julgamento estava prestes a se realizar na Inglaterra, seus poderes foram suspensos e todo o caso foi transferido para Roma. O rei ficou furioso. Sentiu-se enganado — o que era mais ou menos verdade. Um abismo de traição abria-se diante dele: traição não simplesmente dele mesmo, mas de toda a óbvia vontade do Deus Todo-poderoso. O papa fora falso com Deus e com ele. O rei dirigiu-se às autoridades eclesiásticas inglesas, que de imediato e talvez com sinceridade determinaram que o casamento havia sido nulo e inválido. Perfeitamente convencido de que o comportamento do papa mostrara uma mesquinhez, torpeza e hipocrisia inauditas, o monarca insistiu em sua denúncia contra a Sé romana. Dentro de dois anos toda a organização eclesiástica da Inglaterra — excetuando-se uns vinte mártires — havia renunciado de forma explícita, pelo que parece com uma surpreendentemente reduzida sensação de praticar alguma coisa fora do comum, à primazia e jurisdição de Roma. Mas deve-se levar em conta que apenas um século antes ou pouco mais que isso, segundo a cronologia histórica, eles haviam sido obrigados a decidir qual de duas figuras iguais, com base em provas iguais, representava a primazia e jurisdição de Roma.

As conflitantes doutrinas do continente europeu desempenharam, então e durante muito tempo depois, um papel muito pequeno nessa questão. Havia luteranos na Inglaterra, mas eles não obtiveram grande êxito missionário. Os poucos mártires ortodoxos não sofreram por nenhuma grande doutrina católica — excetuando-se a da primazia do papa. A Inglaterra não poderia competir com a Alemanha, mas tampouco poderia competir com a Espanha. Sir Tomás Morus foi instado por altos dignitários a submeter-se, assim como aconteceu com Lutero; e a exigência posterior dos rebeldes ocidentais de que eles não deveriam ser obrigados a comungar mais que uma vez por ano praticamente repugnaria Loyola da mesma forma que repugnou a Lutero. A Igreja da Inglaterra sofreu, durante os trinta anos seguintes, diversos abalos. Foi ameaçada pelo calvinismo numa ocasião e noutra ocasião reconciliou-se com Roma. Mas não foi suplantada por outra Igreja, antiga ou nova. Por muito tempo tudo o que acontecia acontecia dentro dela. Ela continuou operando formalmente e preservou uma ininterrupta consciência espiritual de si mesma. Abandonou-se a ideia de que houve em algum momento alguma ruptura na uniforme sucessão hierárquica exterior, ou no uso dos ritos, ou na repetição dos credos, ou na frequência às igrejas. Tampouco é defensável dizer que alguns dos sucessores do clero anterior imaginaram-se fazendo alguma coisa contra a intenção de Cristo; pelo contrário, todos se consideraram apaixonados restauradores da intenção de Cristo. A denúncia contra a Igreja da Inglaterra depende da visão de que isso não é suficiente; da visão de que os cristãos ingleses (para preservar seu poder) devem ter tido a intenção secundária bem como primária de agir conforme a intenção de Cristo; e de que Cristo se ausentou dos sacramentos em que se negava não sua presença, mas uma forma particular de sua presença. Os interrogatórios de Cranmer na Universidade de Oxford antes de seu martírio mostram a delicadeza do problema. Mas é claro que ele ser delicado não significa que ele seja insolúvel. O único fato sobre o qual não pairam dúvidas é que entre a "ligeira coluna" de Calvino opondo-se à massa oceânica de Trento, a Igreja da Inglaterra procurou seu estranho (mas nem por isso necessariamente menos sagrado) caminho, sempre consciente de si mesma e de sua relação com todo o passado, e consciente da presença cerimonial de Cristo.

Atribuir a morte das crianças da princesa de Aragão à decisão do Espírito Santo seria incorrer no erro de Henrique e atribuir a causas secundárias a intenção da Causa Primeira. Mas no mínimo se pode dizer que uma espécie de fatalidade pairava sobre o casamento, e uma espécie de fatalidade também paira sobre o fato correspondente de a filha de Henrique com Ana Bolena ter sido o que foi. Como se o Espírito censurasse a suposição de que as consequências de nossos atos são a ele atribuíveis, a consequência da piedosa convicção de pecado de Henrique, combinada com a determinação de Ana acerca do casamento, foi uma mulher cujo temperamento se opunha a todas as suposições. Ninguém sabe realmente no que acreditava Elisabete da Inglaterra. Por demasiado tempo ela se mantivera vigilante contra inimigos secretos e públicos, ao longo de todos os seus primeiros vinte e cinco anos, de modo que jamais conseguiu abrir seu coração. Tinha uma noção muito clara dos bens e espetáculos deste mundo; excluídos os momentos em que ficava histérica de raiva e frustração, ela odiava sangue. Quando o papa e o rei Felipe da Espanha lhe propuseram restituir-lhe o trono se ela admitisse não ter direito a ele, ela não foi santa o suficiente para decidir-se a fazê-lo. Nesse caso, ela teria de admitir que a mulher que tinha esse direito era Maria da Escócia, e isso ela estava decidia a não aceitar. Estava determinada a manter Maria afastada, e o conseguiu. Mas também a manteve viva por dezessete anos, fato que o rei da França estranhou. Dificilmente qualquer outro governante da Cristandade teria feito as duas coisas; o próprio assassinato de Elisabete foi discutido em reuniões do conselho da Espanha.

A autoridade soberana que mais se parecia com Elisabete estava logo ali do outro lado do Canal da Mancha: era Catarina de Médici, a rainha-mãe da França. As duas eram bastante diferentes, mas há uma série de similaridades. Ambas tiveram de enfrentar nações que tendiam à desunião, devido a guerras civis ou ameaças disso. Ambas queriam calma e diversão: para si mesmas e, na medida do possível, para seus súditos. Ambas odiavam o entusiasmo religioso da plebe, ou, nas palavras de Elisabete a Catarina, "aquela metamorfose em que a cabeça é transferida para os pés e os calcanhares ocupam o posto mais alto". Elas achavam os calcanhares dançando mais fantásticos e fanáticos que as cabeças, certamente mais que as duas cabeças delas. Ambas sucumbiram sob pressão num ataque de nervos; ambas até certo ponto lamentaram isso: Elisabete quando mandou matar Maria Stuart, Catarina quando deu o sinal verde para o massacre da noite de São Bartolomeu. Catarina estava dentro e Elisabete estava fora do ora limitado sistema romano, mas ambas teriam lido com satisfação a sentença gravada em Santa Maria Maggiore em Trento, onde o Concílio encerrou suas atividades: "Aqui o Espírito Santo falou pela última vez" — "*postremum Spiritus Sanctus oracula effudit*".[4]

As Igrejas estavam definidas e eram militantes; os Estados foram desmembrados e assolados. Por um processo natural, os Estados passaram a expelir a doença de seu organismo. O sopro de uma nova repugnância foi dado primeiro por Elisabete e Catarina. Mas mesmo antes disso as religiões conflitantes foram forçadas a um relutante acordo na Confissão de Augsburgo, em 1530, e haviam chegado à conclusão de que *cujus regio, ejus religio*. Isso não era satisfatório, uma vez que os dois lados acreditavam que o Espírito Santo lhes havia falado, se não de modo definitivo, pelo menos com uma finalidade definida, pois a finalidade estava na natureza das palavras dele. Tampouco (obviamente) poderia o Espírito fazer as pazes com aquilo que se lhe opunha. Quase se poderia dizer que Elisabete e Catarina sentiam ambas que, numa emergência, o Espírito poderia fazê-lo. Catarina tinha provavelmente poucas incertezas vinculadas a sua certeza central acatada; Elisabete talvez tivesse mais — se é que de fato seu próprio centro oculto não era incerto. "Tema a Deus, sirva ao rei e seja um bom companheiro dos demais", escreveu ela em estilo coloquial ao seguramente protestante William Burghley numa das crises de melancolia, choro e desespero vividas por ele. Ela pessoalmente não foi uma boa companheira para os jesuítas e nem mesmo para os puritanos; no entanto, esse era seu sonho persistente. No fundo de toda a sua diplomacia, ela percebia uma injustiça na oposição católica. "Seu pastor principal pronunciou uma sentença contra mim quando eu estava no ventre de minha mãe", dizia

[4] *The Inner History of the Great Schism*, C. J. Jordan.

ela aos sacerdotes católicos. Foi essa criança ainda por nascer que ela defendeu e justificou durante toda a vida, e lá no fundo, de um modo obscuro, ela acreditava em Deus. Elisabete morreu como viveu: só.

A grande renovação da contrição havia acontecido mais ou menos entre 1518 e 1534. Culminou por volta de 1550-1560. O pontificado de Paulo IV reformou, com rapidez e abrangência incríveis, os abusos convencionais da Igreja romana; é quase o exemplo supremo de reforma na história. Lutero morrera em 1546; Loyola, em 1556; Calvino, em 1564. O Concílio de Trento formulou a doutrina romana em oposição às demais. Elisabete foi excomungada e formalmente deposta; o esforço militar e naval para executar a sentença em benefício do rei da Espanha fracassou. Em 1588 a Armada foi dispersada e os métodos elisabetanos puderam funcionar livremente. Em 1593 o rei Henrique de Navarra submeteu-se à Igreja romana, tornou-se Henrique IV da França e pacificou o país servindo-se em seu governo tanto de católicos romanos quanto de cavalheiros huguenotes: "Paris" — e mais ainda "*la paix*" — "*vaut bien une messe*" [bem vale uma missa]. Elisabete poderia dizer isso — e quase o disse — em circunstâncias semelhantes; da mesma forma que Henrique IV também poderia ter aconselhado seu ministro a temer a Deus, servir ao rei e ser bom companheiro dos demais. "Cada camponês terá seu frango na panela aos domingos", teria dito ele; quanto ao resto, deixou que os camponeses fizessem aos domingos o que lhes agradasse. Havia menos frangos e menos faisões do que houvera antes das guerras religiosas. Um pouco mais tarde, Richelieu, ministro do filho do rei Henrique, testemunhou a transformação do conflito religioso num conflito político. Ele convocou o protestante "Leão do Norte", o rei sueco Gustavo Adolfo, contra o Império. Substituiu a crise pelágio-agostiniana pela crise franco-germânica. Gustavo foi derrotado e morto pelo general Wallenstein do imperador. Mas o próprio Wallenstein caiu em desgraça perante seu sincero patrão imperial devido a sua inclinação a tratar os credos com certa leviandade. Os governos seculares, mesmo quando dominados por eclesiásticos como Richelieu, começaram a esquecer a metafísica. A Guerra dos Trinta Anos terminou em 1648. Sobre os tratados conclusivos, um distinto historiador católico romano escreveu: "Os tratados de 1648 realmente marcam o fim de uma época, ou melhor, eles são um sinal definitivo de que a época em que a Igreja Católica, por intermédio de sua cabeça o papa, era uma força reconhecida da vida pública da Europa havia finalmente chegado ao fim. Depois de mais de mil anos cabia novamente ao Estado gerir seus negócios como se a Igreja não existisse".[5]

Isso também se aplicava aos Estados em que existiam as Igrejas protestantes e reformadas. A operação da fé não era uma questão de que o governo secular se propunha tomar muito conhecimento, a menos e até que ela se tornasse inconveniente para ele. Ao mesmo tempo a organização existia em toda parte, e havia exceções. Esse resultado não foi surpreendente. A contrição e a atitude de seriedade perante a fé haviam significado sofrimento indizível, com horrores cruéis e contínuos entre as nações e dentro delas. Algo geral e muito profundo na alma humana despertou e rebelou-se, e os sinais políticos disso foram Elisabete, e Catarina, e Henrique de Navarra. Talvez tenha sido uma questão de simples exaustão,

[5] *A Popular History of the Church*, Fr. Philip Hughes.

ou talvez de mero humanitarismo (o que em tempos semelhantes é visto envolto numa beleza toda própria), que lhe ofereceu a ocasião. Mas algo surgiu. Era uma qualidade do espírito; não era claridade (embora a claridade possa estar presente), não era caridade (embora possa levar à caridade). É algo raro, que pode ser chamado de a qualidade da descrença. É uma maneira, um temperamento, uma natureza, uma coisa que pode ser estimulada ou desestimula; de modo muito particular, não é ironia, embora a ironia possa ser um elemento presente nela. É uma modalidade qualitativa de crença mais que uma negação quantitativa de dogma. Sem dúvida, sendo humana, ela existira na Idade Média e, na verdade, ao longo de toda a história da Cristandade. Mas talvez o melhor exemplo anterior ao século 16 esteja na história que se conta sobre o famoso renascentista Lorenzo Valla. Aquele mui distinto intelectual, que havia denunciado a falsificação dos Decretos de Isidoro, passou a ser alvo de heresia por preferir o latim de Cícero ao da Vulgata e permitir-se o desfrute de alguns luxos intelectuais. A Inquisição de Nápoles de fato lhe disse, como os anjos no sonho de Jerônimo mil anos antes: "Tu não és cristão; és ciceroniano". É um exemplo da antiga dificuldade de que aquilo que um sábio pode dizer a si mesmo é temerário homens menores dizerem a outros. Valla foi preso e interrogado; foi convidado a expressar seu ponto de vista. Ele respondeu que acreditava em tudo aquilo em que a Igreja acreditava. Acrescentou, com a precisão de um estudioso, que a Igreja não *sabia*; ela acreditava e, com ela, ele. Sua excelência Lorenzo Valla era então secretário do rei da Espanha, em cujos domínios situava-se Nápoles, cujo augusto patrão fez que o processo fosse arquivado. Os papas aprovaram; Valla foi convidado para Roma; Calixto III o fez secretário pontifício e (com inteira justiça) cônego de São João de Latrão na Colina Célia, "a Mãe e Senhora de todas as igrejas".

A resposta é um exemplo dessa qualidade da descrença. Ela é inteiramente precisa; provém diretamente do Credo. Cobre todas as doutrinas. É inteiramente consistente com a santidade. No entanto, sem dúvida também envolve toda a descrença possível; leva em consideração, incentiva o sentimento de agnosticismo e a possibilidade de erro. Insinua ambiguidade — delicadamente equilibrando crença e descrença, qualificando uma com a outra, e concedendo à crença apenas sua necessária proporção correta de poder de decisão.

Um método assim apresenta os mesmos perigos de qualquer outro; ou seja, é totalmente sólido quando usado por um mestre, perde em qualidade quando se populariza e é insuportável quando é apenas moda. A predestinação de São Agostinho era segura quando empregada por ele, compreensível nos textos de Calvino, mas torna-se cansativa entre os puritanos ingleses e totalmente horrível entre os presbiterianos da Escócia. Não há jeito de sanar esses problemas; até mesmo Francisco de Assis produziu, sem querer, ciclos de irremediável sentimentalismo. Só podemos esperar que, pela graça, possamos recuperar modalidades diferentes, quando e na medida em que se fizerem necessárias. Neste caso particular, a necessidade surgiu nos séculos 16 e 17. Nosso Senhor, o Espírito, tendo permitido a existência da contrição, permitiu que existisse a inteligência pura e simples; ele inspirou — pode-se dizer — Montaigne. Montaigne nascera em 1533 — no mesmo ano em que nascera Elisabete da Inglaterra e um ano antes da publicação da Bíblia em alemão e das *Institutas* e dos votos dos jesuítas — na Gasconha, filho de pai católico romano e mãe de sangue judeu e opiniões protestantes. Quando já homem de meia-idade, foi usado como intermediário entre a católica Casa de Guise e o huguenote Henrique de Navarra, a quem aparentemente tinha em alta consideração. Depois de 1570 retirou-se para a vida privada e morreu em 1592, depois da Armada e antes da decisão de Henrique de que "*Paris vaut bien une messe*". Em seu leito de morte recebeu a comunhão.

Ele preservou a ortodoxia por toda a vida, e era uma ortodoxia deliberada: ele sabia o que fazia. "Não há razão alguma", disse um de seus admiradores ingleses, "para lançar descrédito sobre a sincera e consciente ortodoxia de Montaigne no sentido eclesiástico."[6] Em contrapartida, outro autor escreveu que nele "todas as formas de dogmatismo eram igualmente questionadas como fases da mesma loucura da certeza em questões essencialmente incertas".[7] O próprio Montaigne levou adiante a frase de Valla: "Esta ideia (a visão pirrônica) é mais exatamente entendida por meio da interrogação: Que sei eu? Eu carrego essa pergunta como minha divisa e seu emblema são dois pratos de uma balança". Ele descobriu duas fontes dos males do mundo: "A maioria dos motivos fundamentais dos problemas do mundo são questões de gramática", e "A convicção da sabedoria é a praga do homem. É por isso que a ignorância é tão recomendada por nossa religião, como elemento adequado da fé e da obediência". Isso é irônico? Chamá-lo de irônico e não o chamar é igualmente falso. Gibbon na Inglaterra, dois séculos mais tarde, toca às

[6] *History of French Literature*, George Saintsbury. É verdade que o próprio Dr. Saintsbury era ortodoxo.

[7] *Introduction to Montaigne*, J. G. Robertson. É verdade que o próprio Sr. Robertson era agnóstico.

vezes novamente essa nota em seu *Declínio e Queda do Império Romano*, mas nesse caso, lendo outras frases, nós sabemos que no fundo ele quer apenas zombar, e assim o grande valor da ambiguidade se perde. "É impossível", disse Montaigne, "que um homem se alce acima de si mesmo e de sua humanidade"; e novamente: "Nós somos, não sei bem como, duplos em nós mesmos, de modo que descremos do que cremos e não conseguimos nos livrar daquilo que condenamos".

O "homem duplo" de Montaigne não é a mesma coisa que o "homem duplo" do desconhecido monge egípcio, embora nesse ponto eles não ocupem posições necessariamente contrárias. Seu espírito não era a fórmula da coinerência espiritual substancial, mas em contrapartida a Cristandade não fora capaz de ir muito mais longe com essa coinerência, e em 1580 ela parecia estar mais distante que nunca. Montaigne propôs outra espécie de coinerência. Ele conclamou os homens a se lembrarem de que haviam começado com uma hipótese; de que a fé — aquela fé que ele via atuando a seu redor, que havia (estimava-se) matado oitocentos mil seres humanos e destruído nove cidades e duzentas e cinquenta aldeias — *aquela* fé fora primeiro uma hipótese e fora geralmente transferida para as esferas da certeza pela ira, a obstinação e o egoísmo. Até mesmo em relação à profunda experiência espiritual a frase afixada por ele em sua biblioteca era verdadeira: "Os homens são atormentados por suas opiniões sobre as coisas, não pelas coisas em si". Tomás de Kempis dissera isso com outras palavras: "O Espírito Santo me libertou de uma multidão de opiniões". O homem sempre deve agir por hipóteses. Mas aceitar uma hipótese como uma hipótese é precisamente admitir a existência de alguma outra possibilidade. Devemos comentar nossas hipóteses à luz de outras possibilidades? Não existem outras pessoas, que defendem outras hipóteses? Não devemos considerar as convicções delas uma espécie de "compensação" de nossas próprias convicções? Não devemos ser, pelo menos nesse sentido, um "homem duplo"?

Mas defender ou explicar essa crença-na-descrença é enfraquecê-la. Em Montaigne ela era natural — melhor, era sobrenatural. Ele acreditava na velha *pietas* humana da religião, a religião do costume, a religião da tradição, "do meu rei e minha babá". Mas ele fazia questão de *crer* nisso; por meio dessa crença ele formou uma espécie de estado mental; parece que ele desarmou os soldados que certa vez invadiram sua casa usando uma serenidade e cortesia dignas de São Francisco, embora sem a qualidade luminosa do êxtase. Qualquer coisa é possível — até mesmo é possível que tudo seja possível ou que nada seja possível. E "quando estamos irados defendemos nossas proposições com mais ardor; nós as gravamos em nós mesmos e as adotamos com maior veemência e aprovação do que em nossos momentos de tranquilidade e calma". A história da Cristandade em si teria sido muito mais feliz se todos nós tivéssemos conseguido nos lembrar *desta* regra de inteligência: no fim de uma ferrenha discussão não acreditar numa coisa mais fortemente que no começo, não acreditar nela com a energia da oposição em vez de nossa própria energia. "Posso defender uma opinião; não posso escolher uma opinião." Mas e se Deus revelou uma opinião? Ele mesmo pode então defendê-la; não precisamos nos preocupar com isso. Nesse ponto também "nós somos, não sei de que jeito, seres duplos".

Montaigne foi um cavalheiro e homem de letras; não era nem teólogo nem santo, e observá-lo é correr o risco de tornar-se, ou de ser acusado de, "literário". Mas as Letras sempre desempenharam seu papel na Cristandade, e embora as Letras nunca sejam nem possam vir a ser religião, no entanto o estilo tem exercido uma influência enorme na religião; tanto assim que já se defendeu a tese de que uma atenção maior ao estilo teria às vezes feito à religião todo o bem do mundo — deste mundo; o bem de qualquer outro mundo ela já havia recebido do céu. Foi principalmente o estilo de Montaigne, como fora o estilo de Erasmo e de São Tomás, que fez seus escritos virarem moda nas gerações depois da sua e transformou a mente de seu "homem duplo" numa influência na França. Infelizmente, como tantas vezes acontece, a mente de seus leitores não era igual à dele e não conseguiu preservar a mesma postura. Sua duplicação foi partida; sua ambiguidade foi reduzida à ironia; e a qualidade da descrença com que ele acreditou foi extraída e congelada. O que Richelieu fez politicamente os leitores de Montaigne fizeram intelectualmente. Interesses nacionalistas e abrandamentos mentais combinaram-se para excluir a metafísica da cultura. O ritual passou a ser apenas ritual, e a *pietas* do cavalheiro gascão foi mecanizada e transformada em costume oficial. "A alma", escreveu Thomas Hobbes, "não contém tendências em si mesma." Isso se tornou uma visão popular. Mas Hobbes professara o cristianismo seguindo um estilo diferente daquele de Montaigne.

As crenças ambíguas de Elisabete da Inglaterra, a submissão ambígua de Henrique de Navarra — essas e outras coisas (inclusive as tensas relações entre os papas e os reis, católicos ou não) haviam confundido a Reforma. A metade ocidental da Cristandade fixou-se numa divisão desconfortável. Mas a divisão entre católicos romanos e igrejas reformadas fez os dois lados sofrerem com a rachadura no seio do "homem duplo". Crença e descrença tornaram-se quantitativas mais que qualitativas. Na Inglaterra isso foi muito perceptível no conflito entre ortodoxia e deísmo. Diz-se que o deísmo apareceu primeiro nos escritos de Lorde Herbert de Cherbury, o irmão do brilhante jovem astro que foi o orador público de Cambridge, o Sr. George Herbert, que (num tranquilo estilo anglicano) renunciou ao mundo por Deus. E de fato houve muitos como ele e também como seu irmão espalhados por toda parte durante toda aquela época de transição. A metafísica refugiou-se em lugares estranhos como, por exemplo (para mencionar apenas a Inglaterra), em George Fox quando ele sentiu "toda a criação exalar para ele um novo cheiro", ou quando o Sr. William Law, numa livraria de Londres, passou por um tremendo suador ao abrir por acaso um volume de Jacob Boehme, o sapateiro luterano da Alta Alemanha cujos amigos e discípulos eram dois jovens cavalheiros católicos romanos e cujo discípulo na Inglaterra foi o próprio Sr. Law. O Sr. Law teve uma vida ainda mais tranquila que a de George Herbert; no começo do século 18 vivia, na companhia de duas senhoras de meia-idade, numa casa de campo em Northamptonshire, assim como Cowper viveu em Oleny com Mary Unwin perto do fim daquele século. Mas os familiares espirituais do primeiro foram as glórias alquímicas de Jacob Boehme, e do segundo foram os horríveis descendentes de um calvinismo degradado. Naquele retiro Law escreveu alguns livros que (descontando-se certa desconfiança da razão provocada pelos deístas e certa ignorância da comunicação sensorial, por mais alta que ele considerasse a matéria) talvez formem uma das melhores apresentações da pura religião cristã que jamais se publicou. Ele definiu numa ou duas frases, em *Regeneração Cristã*, os grandes perigos da Igreja oficial: "quando a religião está nas mãos do simples homem natural, ele é sempre pior em consequência disso; o fato adiciona um calor negativo a seu fogo sombrio e ajuda a inflamar seus quatro elementos de egoísmo, inveja, orgulho e ira. [...] A religião deles estava de acordo com o funcionamento de toda sua natureza, e o homem velho estava tão ocupado e tão feliz com ela quanto o homem novo".

O deísmo, com seu homem pelagiano (que logo se transformaria no Bom Selvagem: *plus ça change, plus c'est la même chose* [quanto mais se muda, tanto mais se permanece igual]), sua razão equilibrada, sua moralidade social, espalhou-se amplamente pela Inglaterra, e com alguma dificuldade foi calado pelos ortodoxos do século 18, os quais a certa altura alimentaram a esperança de que o governo liberal o suprimiria à força. Mas o governo tinha outras coisas a fazer; ele estava, de forma não deliberada, criando o Império Britânico e estava, de forma deliberada, ignorando a filosofia. A qualidade da descrença tornara-se o mínimo de crença de um cavalheiro; e a eterna coinerência de toda a humanidade fora reduzida, na melhor das hipóteses, à virtude da benevolência exercida de acordo com o entendimento geral das orientações do "patrão ausente" do universo. A mais tímida homenagem irônica ainda foi prestada, por Hume e Gibbon, à mais pálida imagem da Deidade. Mas praticamente pela primeira vez desde que o governo romano fora perturbado pela Igreja o governo secular havia cessado — exceto em casos de aborrecimentos políticos — de preocupar-se com a religião, ou de persegui-la *proprio motu*.

No continente europeu as coisas não eram muito diferentes, embora algumas diferenças notáveis existissem.

Dentre essas a menor não foi a existência, no século depois de Montaigne, de um dos grandes apologistas cristãos. O "homem duplo" de Montaigne provocou e despertou em Pascal um "homem duplo" similar. "Não é em Montaigne mas em mim mesmo que descubro tudo o que vejo nele", mas Pascal talvez não tenha visto tudo o que havia nele, e não foi capaz de aceitar a ambiguidade do gascão. A seu redor ele via uma sociedade que já vestia seu casaco talhado à moda de Montaigne, mas sem vesti-lo para a missa com a atitude de Montaigne. Revoltou-se profundamente contra isso. Era preciso encontrar algo diferente da fácil reconciliação da dupla natureza do homem, mas ele conhecia muito bem a dupla natureza: "Temos uma incapacidade de provar que nenhum dogmatismo supera; temos uma ideia da verdade que nenhum ceticismo supera". "Todos os princípios dos estoicos, céticos, ateus etc. são verdadeiros. Mas as conclusões deles são falsas, porque os princípios contrários também são verdadeiros." "Nossa alma é projetada num corpo onde descobre números, tempo, dimensões. Por causa disso ela raciocina e chama sua natureza de necessidade e não consegue acreditar em outra coisa." Isso de fato, alguém poderia dizer, "é conversar". A razão é levada a chamar essa natureza comunicada de necessidade, e sobre isso ela constrói seus instrumentos. É o velho problema que o sábio grego percebera muito tempo antes: "Dai-me um palmo de terra para me apoiar e eu levantarei o mundo". Mas não existe um palmo de terra; nunca existiu; nunca poderá existir — embora "o coração tenha razões que a razão desconhece". E daí?

Os apaixonados propagandistas da Cristandade jamais haviam estado em condição semelhante — pelo menos não desde Constantino. As conversas particulares poderiam ser postas em dúvida, mas tinham sido realmente conversas particulares; ao passo que agora as conversas estavam se tornando públicas como os ritos aos quais elas se mostravam delicada mas deliberadamente indiferentes. Jamais antes, desde a queda de Roma, se sentira de modo tão amplo, se admitira de modo tão livre e se negara apenas de modo meio formal que não existia em parte alguma um palmo de terra; na França do século 17 a constatação estava apenas desabrochando, mas desabrochava. A voz de Bossuet, a piedade de Fénelon, a devoção de Madame de Maintenon e o velho rei Luís ainda reuniam as fileiras dos que acreditavam. A Revogação em 1685 do Edito de Nantes que concedera a tolerância aos huguenotes foi praticamente o último lucro do sistema mais antigo, a derradeira grande declaração dramática de que aquilo em que o homem acreditava era importante. O mote "*Que sçais-je?*" [Que sei eu?] havia de fato fugido da biblioteca do gascão para percorrer o mundo. Mas a alegre agitação da sociedade que o acolheu tratou-o como se seu valor fosse pouco maior que o do Credo que ele substituiu. A moralidade agitou-se também. Os olhos dos austeros estudiosos da religião encontraram pouca coisa que os confortasse nos doutores e confessores daquela sociedade. Esses provinham em grande parte daquela outra sociedade de Jesus, e eles (pelo menos era o que parecia) não desejavam um palmo de terra moral mais que um palmo de terra metafísica. A ciência da casuística dominava tudo, e aos olhos dos formalistas a casuística parecia-se muito, como as indulgências de uma época anterior, com uma "licença para pecar". Instalara-se o probabilismo: a doutrina segundo a qual, se alguém estiver em dúvida acerca da propriedade moral de um ato e se encontrar um volume razoável de opiniões a favor dele entre os casuístas, isso já seria suficiente; mesmo se um volume igual — ou até maior, segundo alguns — de opiniões forem contra ele. Não parece ser uma doutrina muito perigosa, só que ela admitia duas opiniões sobre os detalhes de certo e errado — o que era odioso para as devotas mentes "puritanas". O holandês Jansen e seus seguidores viram isso e tremeram; eles invocaram a verdade; invocaram a santidade; invocaram — inevitável erro fatal! — Agostinho. Irrompeu a costumeira controvérsia, que acabou sendo sufocada do modo costumeiro: o movimento jansenista foi esmagado. Nem mesmo o esforço real para estabelecer uma Igreja gaulesa mais ou menos independente de Roma os salvou. Uma alegação de sua rígida pureza servirá de exemplo: eles declararam que a graça não existia fora da Igreja. Mas isso foi negado pelas mais altas autoridades na Igreja.

Pascal era amigo íntimo de jansenistas. Era um matemático e conhecia as doutrinas das probabilidades e da infinidade. Conhecia o funcionamento de algo como a experiência mística. Concentrou os três elementos de sua natureza num plano para converter o mundo a seu redor. Propôs-se escrever uma apologia de tudo isso e começou tomando notas para o volume. Propunha-se combater, ou melhor, "subverter" Montaigne. Poderia solapar e minar os *Ensaios*. Transcreveu suas anotações, os *Pensamentos*. Ele detestava a leveza de Montaigne e de suas ideias. Exigia que cada homem fizesse sua *escolha*. Matemático, conhecia a infinitude; jansenista, sentia os perigos da infinitude — sentia e temia por outros. "O finito para apostar... o infinito para ganhar." Alguém poderia consentir em duvidar? Ele concedeu a seu imaginado opositor um murmúrio fraco embora inteligente: "A verdadeira rota é não apostar de modo algum", e chocou-se com a terrível resposta: "Sim, mas você *deve* apostar. Não é opcional".

É claro que ele estava certo; não é mais opcional que a morte. Ele estava certo; em última análise a Cristandade deve escolher a crença e não qualquer qualidade da crença, por mais refinada que seja. É, portanto, ainda mais necessário sempre que possível matizar a crença com as mais refinadas qualidades, e não apenas com suas próprias cores; a coinerência divina permite e encoraja todas as penetrantes luzes da sabedoria humana, da loucura humana, da cortesia humana. Pascal, como todos os crentes, era um perigo público. Mas ele constituía um perigo daquela espécie em virtude da qual apenas a Cristandade conseguiu simplesmente existir.

Algo da mesma espécie se aplicava a suas famosas *Provinciais*. Ele atacava a casuística dos jesuítas aparentemente com alguma justificação. Mas também nesse caso ele apostava tudo num único lance de dados. Assim como ele disse a Montaigne: "Não, você deve apostar; abandone a ambiguidade, creia — e apenas creia", também disse, se não aos jesuítas, pelo menos a seus penitentes: "Não, vocês devem apostar; abandonem a casuística; sejam completamente puros — e apenas puros". É perfeitamente admirável; só que... ele zombava dos padres da Companhia de Jesus por terem dito que um servo não pecaria se completasse seu salário calculado pelo valor de mercado roubando de seu patrão. É de fato uma doutrina escandalosa; parece permitir o furto. Apenas por acaso ocorre a alguém que Pascal se aproxima da condenação, com sua própria demonstração, de qualquer empregada mal remunerada que embolsa uma moeda que sua patroa deixou por aí. Talvez ele não quisesse isso, mas pelo menos aqui é possível segui-lo até chegar a uma única regra: se a empregada é desculpável, então os jesuítas estavam tecnicamente certos; se Pascal está certo, então a empregada é condenada (a menos que se arrependa). A Igreja apostólica, em geral, e apesar dos santos, sempre mostrou conhecer melhor as coisas.

Pascal morreu; o jansenismo foi denunciado; o movimento gaulês se esfacelou. Mas o constante movimento do retrocesso continuou em toda parte. A Companhia de Jesus foi acusada disso e daquilo; foi denunciada como imoral por uma sociedade imoral; e o que Pascal imaginara ser indesculpável foi repudiado por aqueles que o trataram apenas como um mestre da prosa francesa. M. de Saint-Simon, aquele portento de maldade, mundanidade e esperteza, escreveu suas *Memórias*. Frederico — depois cognominado o Grande — ascendeu ao trono da Prússia e reuniu todo o Iluminismo que encontrou. Estabeleceu um trono que, único em toda a Europa, não fazia questão alguma de depender da graça de Deus. Em toda parte a sociedade se tornava cada vez mais esclarecida. Isso num sentido amplo significava que, se na Idade Média as perguntas às quais não era possível responder teologicamente eram tidas como insignificantes, neste século as respostas que não era possível dar cientificamente eram cada vez mais vistas como desprezíveis.

O iluminismo intelectual tende a deixar a moral — especialmente a moral pública — no ponto em que ela se encontra. A grande massa das classes dominantes poderia ser, em seu próprio bojo, sagaz e culta, mas sobre os que estavam de fora tinha o peso da crueldade, luxo e tirania autocomplacentes. "Sagacidade, bons versos, entusiasmo sincero, uma lúcida exposição de qualquer coisa que na mente humana perpetuamente se rebela contra afirmações transcendentais, isso tudo recebia toda a liberdade e não recebia nenhuma resposta efetiva. Mas atos explícitos de desrespeito para com a autoridade eclesiástica eram punidos com rigor."[8] Um horror sombrio começa a encobrir as classes dominantes da Europa, um horror que foi herdado pelos industriais posteriores. O horror é um corpo poderoso, estúpido, conservador e cruel. No século 18 o homem mais famoso de toda a Europa descobriu um nome para isso: ele gritou numa voz que não podemos e não devemos esquecer: "*Écrasez l'Infâme*": "Esmagai a Infame".

Ele não queria com isso se referir inteiramente apenas à Igreja, ou então ele se referiu à Igreja no momento preciso em que ela se tornou uma paródia ruim de si mesma. Ele foi, de qualquer modo que se entenda isto, o primeiro antagonista puro; atacou a Igreja — e não em nome de Cristo. Desferiu seus golpes de modo que a própria lembrança deles a chamasse de volta ao que ela tem de melhor — ou seja, o Espírito Santo. Durante mil e trezentos anos ela não estivera numa posição que pudesse ser atacada de fora; não houvera, de fato, nenhum lado de fora. Fora denunciada apenas por seus membros, mesmo que fossem membros heréticos, a não ser quando os címbalos alienígenas do Islã a desafiaram. Mas o choque desses novos címbalos não admitia membros — a favor de um Deus não muito diferente do Deus do Islã. Do ponto de vista intelectual os címbalos soavam um pouco metálicos. Parece de fato que o pensamento de Voltaire era de nível inferior; ele realmente supunha que o fato de haver mil supostos salvadores do mundo provava que não existia nenhum Salvador do mundo, e que as diferentes circunstâncias

[8] *The French Revolution*, Hilaire Belloc.

e naturezas de muitas mães de muitos deuses refutavam a virgindade da Mãe de Deus. Sabemos que nem a afirmação nem a negação são tão simples assim. Mas em matéria de moral pública Voltaire chocou e com razão sacudiu a Igreja. A operação mecânica da crueldade que agia com o rigor automático dos governos ainda oficialmente cristãos foi detida, por alguns breves momentos, pela incrível energia do velho de Ferney. O caso Calas em Toulouse fora uma exibição de ofensiva e habitual — quão habitual! — bestialidade. O fato de uma família huguenote ter sofrido nas mãos de uma magistratura católica foi um acidente do país; na França as coisas tinham esse matiz particular. O ponto importante foi que uma família comum sofrera sob as solenes loucuras da autoridade oficial — e sofrera injustamente até mesmo segundo as regras dessa mesma autoridade. Nesse e em outros casos Voltaire atacou com a veemência e a paixão da sinceridade: "Eu não hei de sorrir enquanto forem praticadas essas coisas". Ele escreveu na testa de toda a Cristandade futura: "*Écrasez l'Infâme*". A Cristandade não será nada sábia se algum dia se esquecer desse grito, pois então mais uma vez terá perdido contato com a contrição. Ela se esquecera — ou pelo menos seus dirigentes se esqueceram — do Homem; as velas queimavam para o Encarnado, mas a coinerência de todos os homens estava se perdendo. Fora dela supunha-se que a Cristandade estivesse mudando, que a Igreja Católica estivesse morta e que o nome de Cristo logo estaria esquecido como o nome de qualquer um dos príncipes de Edom ou de Gomorra.

As reivindicações e clamores dos homens foram legados aos iluministas que estavam dispostos a ouvir — como estava Voltaire. Quando em sua última visita a Paris ele foi recebido com furor triunfal por todas as classes, os acadêmicos o elogiaram por seus escritos e os céticos por sua espirituosidade. Mas conta-se que no meio da ruidosa multidão do lado de fora do teatro, enquanto ele subia em sua carruagem, alguém perguntou a uma mulher: "Quem é?", e ela respondeu emocionada: "É Voltaire, que salvou a família de Calas". Quando ele morreu, foi enterrado, graças a uns apressados arranjos, em solo sagrado; com certeza não havia razão para isso, e o sacerdote responsável sofreu as consequências desse ato. As autoridades eclesiásticas teriam preferido que seu cadáver fosse atirado numa sarjeta, uma vez que não puderam, vivo, quebrar-lhe os ossos na roda, como aconteceu com Calas. Durante a Revolução seu corpo foi trazido em procissão para o Panteão, e sobre seu túmulo está escrito: "Ele nos preparou para sermos livres". O mito da justiça sobrenatural e o fato da justiça terrena eram, naquele tempo, muito opostos, e a reconciliação delas ainda vai demorar.

Havia, porém, além das esferas do Iluminismo, e apenas até certo ponto afetada por ele em sua sociedade monárquica, uma nova organização da Ideia. Em 1472 o grande príncipe de Moscou casara-se com Zoé, a sobrinha do imperador do Oriente, que fora criada em Roma. O príncipe havia acrescentado a águia de duas cabeças a suas insígnias, significando com isso que ele era o herdeiro de Bizâncio, e de fato até aquela altura ele levou adiante a tradição de modo que durante sua vida a dominação mongol sobre a Moscóvia foi perdida. Mas foi só um século mais tarde, em 1591, que se estabeleceu um novo patriarcado por um novo acordo entre Constantinopla, Alexandria, Antioquia e Jerusalém. O mito da Cidade foi preservado; professou-se solenemente que Moscou era a Terceira Roma, e de outro centro a Ortodoxia do Oriente denunciou o cisma herético da Velha Roma e dos papas. Mas não se permitiu que a alta tradição durasse daquela forma. No século 18 outra cidade surgiu no Báltico, e outro Pedro estabeleceu ali o poder mais eficiente dos ortodoxos. A teologia do Chifre de Ouro apareceu nas margens do Neva. O czar aboliu o patriarcado e instituiu em seu lugar o Santo Sínodo. Mas ele também estabeleceu tudo o que conhecemos pelo nome de Rússia, e sobre os milhares de quilômetros daquele novo império os camponeses se fixaram para desfrutar a paz do monarca semissacerdotal. Todavia, o sacerdotalismo do imperador foi mais esplendor que atividade; lá também a Cabeça era Cristo.

No ano de 1773 a czarina ortodoxa da Rússia, o imperador católico da Áustria e o ... rei da Prússia finalmente dividiram a Polônia. Foi a grande exibição política do Iluminismo.

IX
O retorno da virilidade

Voltaire havia denunciado a Infame. Mas nem Voltaire, nem uma França de voltaires, poderiam fazer mais que sacudir e irar a Infame. Eles não podiam destruí-la ou redimi-la. Para isso exigia-se outra coisa, algum movimento plantado no seio da Cristandade mais do que Voltaire jamais poderia estar, por mais que ele dela derivasse, alguma agitação de sua massa. A massa perseverou: os numerosos e honestos sacerdotes e os pios leigos labutando, "todos e cada um deles em suas diversas vocações", para a glória de Deus e o serviço da coinerência. Mutuamente culpados, mutuamente redimidos, eles lutavam e adoravam — estúpidos talvez, mas pacientes e crentes, desde o camponês russo para lá de Nijni-Novgorod até a empregada doméstica de um presbitério escocês. Mesmo nessa massa a maré da Cristandade estava baixando. No seu "último refluxo mais baixo" ela se escondeu na vida solitária e devota que era, é e sempre deverá ser a fonte de seus pontos mais profundos; seus espetáculos e seus gênios são maravilhosos, mas seus santos anônimos constituem seu poder.

Exatamente enquanto Voltaire, em nome da humanidade, lutava pelos homens, dois dos gênios começaram a desobstruir as fontes e convocar o poder. John Wesley na Inglaterra e Afonso de Ligório no sul da Itália pronunciavam para as classes mais baixas do mundo do século 18 o

Nome da Salvação. Houvessem eles se encontrado — digamos, no convés de algum pequeno barco no porto de Lisboa — não teriam aprovado um ao outro. No entanto, tinham uma coisa em comum: pelo menos algumas dentre as pessoas comuns os ouviam com prazer. Wesley, contra sua vontade (a vontade de um anglicano da Igreja Alta de Oxford), fundaria uma das maiores Igrejas independentes, um dos últimos e mais sinceros esforços de basear a religião na experiência concreta e não numa crença formal. Afonso, contra sua vontade (tão segura de si é a santidade), seria canonizado com honras especiais por Pio VII e declarado Doutor da Igreja Romana por Pio IX. Dentre os dois, foi ele sem dúvida quem exerceu maior influência sobre a Cristandade por meio de seus admiradores papais, e dele derivam a promulgação das doutrinas da Imaculada Conceição e da Infalibilidade do Papa. Ele também serviu de instrumento na introdução, embora não as tivesse originado, das devoções ao "sagrado Coração humano de Jesus" e ao Coração de Maria. Essas devoções implicam uma peculiar sutileza de intenção e de conceito que não cabe aqui discutir. Parece que no século 16 existira uma devoção "ao Coração de Jesus e Maria". "O extraordinário emprego do singular em vez do plural sugere que *coração* era algo visto primeiramente como uma palavra metafórica significando amor."[1] A violência de algumas das representações pictóricas do Sagrado Coração não deve impedir-nos de constatar o fato de que realmente se tratava do Coração do Messias, do amor entre ele e sua Mãe mortal, que deveria pulsar de modo extraordinário tanto na Igreja quanto no mundo durante o

[1] *Religion since the Reformation*, Leighton Pullan.

século seguinte, quando o sangue dos homens pulsasse mais apaixonadamente em suas próprias veias.[2]

Wesley pouca importância teria dado à devoção do Sagrado Coração e ainda menos ao probabilismo moral de São Afonso. Até mesmo Newman hesitou; mas na verdade Newman preservou durante toda a vida alguma coisa do cavalheiro inglês. Sua famosa briga com Kingsley foi sobre essa questão, e ele venceu porque Kingsley era inferior como escritor e superior como cavalheiro. Mas Wesley emocionou os evangélicos de sua própria terra, e o resultado foi que enquanto Ligório começou a afetar, por assim dizer, a capital da Cristandade, assim as almas renovadas da Inglaterra começaram a afetar suas províncias. O mundo de Voltaire, de Frederico da Prússia, de Leopoldo da Áustria ("meu irmão, o sacristão", como Frederico o chamava) não tinha consciência alguma do que estava acontecendo. Os deístas ainda discutiam e as velas do altar ainda ardiam. O *Theos* da Divina Ambiguidade era formalmente, embora de forma dúbia, adorado. Mas o Espírito não permitiu que o *anthropos* fosse esquecido. Dentro e fora da Igreja ele permitiu que a humanidade voltasse.

Na Inglaterra, excetuadas as conversões metodistas, a revolução começou nos confins do mundo. Não está nos planos deste livro descrever os esforços missionários da Igreja fora da Europa. A Igreja na China, na Índia, na África, no oeste mais distante até essa altura não afetou profundamente as ideias centrais e o movimento da Cristandade; isso pode muito bem acontecer no futuro. Mas uma falsa limitação se

[2] Afirmou-se que na Cristandade latina "a linha da influência agostiniana continua afundando até atingir seu nadir na canonização de Afonso de Ligório" (*The Ideas of the Fall*, Dr. N. P. Williams). Essa frase ilumina a história do século 19.

estabelece quando não se percebe que a energia da Cristandade, ao longo dos séculos, sempre viera forçando a abertura de caminhos para fora. Nos primeiros séculos algumas das visões denunciadas pelas autoridades do Ocidente haviam-se difundido na direção do Oriente, como, por exemplo, a heresia nestoriana. "Uma cadeia (nestoriana) de bispos e igrejas se espalhou de Jerusalém até Pequim."[3] Eles de modo algum haviam falhado quando os primeiros franciscanos e dominicanos apareceram por lá nos séculos 13 e 14, e a lenda do Preste João reflete o obscuro conhecimento europeu da Cristandade existente no outro lado do mundo. Na Índia, embora equivocado, o mesmo corpo de testemunhos [do Preste João] foi encontrado pelas missões portuguesas do século 16, e no fim daquele século ele foi reintegrado na Igreja romana. A corte do califa do Islã foi repetidas vezes atacada, por São Francisco, por Raimundo Lulo um pouco mais tarde, e (em 1658) por Mary Fisher, tranquila e ardorosa quacre de Yorkshire. A chegada dos jesuítas trouxe um novo exército para a defesa da doutrina e caridade fora da Europa e dentro dela. Francisco Xavier apareceu no Japão e no espaço de cinquenta anos surgiram centenas de milhares de cristãos, que depois foram eliminados pela perseguição. No Ocidente a atividade dos jesuítas constitui uma das mais famosas histórias do mundo; eles retribuíram em palavras e ações aquilo que sempre fora o propósito da Cristandade: a defesa dos direitos naturais humanos, a afirmação da graça sobrenatural gratuita, o relacionamento peculiar de todas as almas — de índios ou de europeus — ao Deus Todo-poderoso. Vigorou na Inglaterra, cerca de trinta anos atrás, a

[3] *Missions*, Louise Greighton.

moda de depreciar os jesuítas e suas missões; agora está mais na moda depreciar as missões das Igrejas reformadas, e de fato estas chegaram um pouco atrasadas. Mas chegaram; e enquanto os jesuítas estavam sofrendo, nas mãos de índios, torturas tais que a Europa mal conseguia rivalizar, John Eliot estava lecionando e traduzindo entre as tribos. A partir de Roma, a Congregação de Propaganda dirigia seus ataques em todas as direções; a partir dos países protestantes, várias sociedades fizeram suas incursões por terras e mares. A natureza do homem bem como o Nome de Deus foram proclamados para o mundo.

Mas o que acontecia na Europa também acontecia no exterior. O credo de Cristo e a ganância dos homens andavam lado a lado. Apesar de todos os protestos e todas as denúncias, a escravidão, que desaparecera na Europa, foi restabelecida por europeus em terras mais distantes e dava sinais de ressurgir na Europa. As Igrejas protestantes e a Igreja romana criaram facilidades para isso; os protestantes, informalmente; os romanos, de modo mais formal.[4] Pode-se conceder que a escravidão não seja, formalmente, anticristã, desde que sejam preservados os direitos sobrenaturais e naturais do escravo. Mas a preservação apropriada desses direitos tende a transformar a escravidão em absurdo.

Sempre tem sido impossível impedir que os ingleses se mostrem moralmente mais sensíveis em relação a agruras humanas em Lagos do que em relação a agruras semelhantes em Londres, e foi isso que aconteceu no fim do século 18. William Wilberforce, o protagonista da reforma, não deu

[4] "Uma bula papal (1537) sancionou a abertura do mercado de escravos em Lisboa, onde de dez a doze mil negros eram vendidos anualmente para serem levados às Índias Ocidentais." *Missions*, Louise Creighton.

sinais de conhecer os males horríveis que aconteciam em casa. Ele nunca deu a impressão de ter profunda consciência do sofrimento infantil em fiações de algodão, embora sem dúvida concordasse que crianças de doze anos não deveriam trabalhar mais que onze horas por dia. Ajudou a fundar a Sociedade Missionária da Igreja e também a Sociedade para a Supressão do Vício, mas não tinha nenhuma intenção de conceder liberdade mental aos pobres da Inglaterra. Mesmo assim, de fato, por mais que carecessem de compaixão e justiça, ele e seus amigos lutaram pelo seu conceito de compaixão e justiça. Permitiram que uma quantidade excessiva de horror grassasse livremente, mas na verdade interferiram no horror; a dor era pouco menos normal quando eles concluíram sua missão. De modo sincero ou insincero, sustentaram que os bárbaros não devem ser transformados em escravos. E o fizeram com a convicção de estarem cumprindo seu dever cristão.

O próprio Wilberforce passara por um período de mundanidade: frequentava teatros, jantava com o primeiro-ministro e desfrutava das atividades sociais. Mas foi tomado por pruridos de consciência, por "uma forte convicção de culpa"[5] e pela depressão. Foi recuperado (somos levados a pensar que por uma coincidência do Espírito Santo) desse estado pelo reverendo John Newton, outrora traficante de escravos, agora membro do clero evangélico, reitor de St. Mary Woolnoth e amigo de Cowper. Independentemente de qualquer influência que Newton tenha exercido sobre Cowper, sua influência sobre Wilberforce foi inteiramente positiva; ele o trouxe de volta para a "serenidade, a tranquilidade,

[5] *Wilberforce*, R. Coupland, de onde foram extraídas as outras citações.

a compostura que não pode ser destruída". E parece provável que foi por intermédio de Newton que ele foi incentivado em sua missão, ou pelo menos que foi com Newton que ele aprendeu o suficiente para abraçar sua missão. Ele tivera predecessores: romanos, anglicanos, dissidentes. As colônias americanas haviam protestado contra o comércio de escravos. Em 1772 Lorde Mansfield escrevera que o poder de possuir escravos "nunca estivera em vigor aqui ou fora reconhecido em lei". No dia 12 de maio de 1789, Wilberforce apresentou na Câmara dos Comuns doze resoluções a favor da supressão do tráfico de escravos. Os altamente humanitários cavalheiros do século 18 juntaram-se a ele quando, "por graça divina" (como ele escreveu em seu diário), apresentou suas propostas. "A Câmara, a nação e a Europa têm uma grande e séria dívida de gratidão para com esse honrado cavalheiro", disse Burke. Pitt, em noite posterior, encerrou um debate que durara a noite inteira citando versos latinos sobre liberdade e esperança sob a crescente luz do amanhecer na Câmara. "Vá em frente", escreveu o moribundo Wesley a Wilberforce, "em nome de Deus e da força de seu poder." Mas a oposição era grande. O Conde de Westmoreland, como um pagão menos respeitável do segundo século, declarou: "Mesmo que eu visse o presbiteriano e o prelado, o metodista e o pregador do interior, o jacobino e o assassino unindo-se em defesa disso [a proposta contra o tráfico de escravos], ainda assim nesta Câmara eu levantaria minha voz contra isso". De fato, ele previu algo não muito distante da verdade: um movimento não muito diferente da união do prelado, do metodista e do jacobino marcaria o século seguinte. No dia 25 de março (Festa da Anunciação) de 1807, a Lei da Abolição foi aprovada: "todas as formas de tráfico e comércio" de escravos foram "completamente abolidas, proibidas e declaradas ilegais". O resultado foi atribuído por Wilberforce à "bondade e glória" do Deus Todo-poderoso. Ele se esforçou para abolir a escravidão no mundo inteiro. Pressionou Castlereagh; foi recebido pelo czar Alexandre. No fim obteve êxito: a Europa proibiu tal comércio. Ele conseguiu mais: destruiu a instituição da escravidão. No dia 31 de julho de 1834, oitocentos mil escravos foram declarados livres pela ação da lei britânica.

Enquanto isso, na França, a própria massa se movimentara; havia chegado a Revolução, e toda a Europa foi alterada. Em 17 de junho do 1789, um mês após Wilberforce ter proposto suas resoluções, a Câmara dos Comuns da França, a terceira Casa dos Estados Gerais, acompanhada por alguns membros do clero, declarou-se a si mesma como Assembleia Nacional da França, e os membros juraram não separar-se antes de dar à nação uma Constituição. A história da Revolução não faz parte do tema deste livro. O que é notável é que, como foi exatamente a Cristandade que conduziu o ataque contra o comércio de escravos e o derrotou, numa época em que se suponha que ela estava praticamente morta, da mesma forma na França, numa época em que predominava a mesma hipótese, descobriu-se que a Cristandade já estava revivendo. A Revolução de 1790 decretou a Constituição Civil do Clero; ela foi denunciada pela Sé romana. O afetado gênio de Robespierre dedicou as multidões de Paris e das províncias à Deusa da Razão, e o casaco azul-celeste que ele trajava na ocasião fulgura a nossos olhos como o derradeiro brilho de um céu deísta e racional. Os massacres de sacerdotes mostraram a cor sombria do martírio cristão.

Nos últimos cinquenta anos do século 18 a Igreja havia desaparecido; nos primeiros cinquenta anos do século 19 ela voltou em todas as partes com assombrosa vitalidade; e voltou não como normas morais ou como humanitarismo, mas como doutrina. A doutrina poderia levar ou não ao humanitarismo e à revolução social, e ela cada vez mais tendeu para isso; mas dentro da Igreja essas coisas derivaram do fortalecimento e não do enfraquecimento da doutrina. A força do dogma voltou e, em geral, voltou sem líderes individuais. Havia líderes, mas se eles se perdessem o movimento não seria interrompido. Não houve calvinos ou domingos ou agostinhos. O homem que mais se assemelhava a esses gigantes foi um dinamarquês, contemporâneo de Hans Andersen, mas embora Andersen conseguisse fama mundial de imediato, Søren Kierkegaard precisou esperar pela sua durante uns setenta anos. A Cristandade levou todo esse tempo para alcançá-lo; levou cinquenta anos para alcançar Tomás de Aquino, e ainda não conseguiu alcançar Dante. Ele coordenou a experiência de um modo novo; digamos que, usando a velha expressão, ele fez coinerir experiências estranhas e opostas. Foi o modelo do novo estado de coisas em que a Cristandade tinha de existir, e da nova mentalidade com que a Cristandade as conhecia. Viveu com um senso de julgamento, de contrição, de asceticismo; mas também (e igualmente) de censura, de recusa, de descrença. Quase sempre antes de seu tempo uma dessas duas coisas havia triunfado sobre a outra; ou, se haviam existido outros como ele, então suas palavras tinham sido lidas tão superficialmente que se havia suposto que uma das duas havia triunfado. Sem dúvida, assim que Kierkegaard entrar na moda, o que já está começando a acontecer, o mesmo acontecerá com ele. Ele será explicado; a outra metade dele (seja lá o que isso for) será dispensada. Sua imaginação será atribuída a sua história pessoal, e suas palavras serão tão mitigadas em nossa mente que logo se tornarão palavras não dele, mas nossas. É uma coisa muito terrível considerar com que frequência isso tem acontecido com os grandes e com que frequência nos satisfazemos com o entendimento do que habilidosamente supusemos que eles disseram. "Não existe", escreveu Kierkegaard, "nenhum ladrão do templo, labutando preso a ferros, que seja tão maldoso quanto aqueles que tomaram de assalto coisas sagradas; e nem mesmo Judas, que vendeu seu Mestre por trinta moedas de prata, é mais desprezível que aqueles que traficam com grandes feitos." O fato de traficarmos por bons motivos, para aliviar um amigo ou suavizar um leito de morte ou encorajar uma consciência, não altera o abominável fato do tráfico.

Ele nos proibiu a resignação; negou a tragédia; era um realista e descrente, tanto em relação a este mundo quanto ao outro; e sua vida de ceticismo estava enraizada em Deus. "Deus é aquilo que exige amor absoluto." Seu pai, como criança, se plantara nas dunas da Jutlândia e amaldiçoara a Deus, mas é falso explicá-lo e desculpá-lo por causa disso, pois sua espiritualidade aceitou isso e sua reconciliação vem de algo além disso. Nesse sentido ele é como Adão. Sua imaginação nasce do gesto de seu pai e trouxe de volta o ato de seu pai para a economia do temor e do tremor e da divina Salvação. Nesse sentido ele é como São João. Transformou católicos em agnósticos, pois eles não foram capazes de suportar essa síntese de reconciliação que não pode ser definida a não ser em seus livros. Transformou agnósticos em católicos, pois eles perceberam nele uma resposta da mesma espécie da pergunta, uma resposta tão grande quanto a pergunta. As reações cristãs ao agnosticismo em sua maioria parecem nem começar a entender o agnosticismo; parecem invocar a compaixão de Deus. Em Kierkergaard nós sentimos que Deus não entende essa espécie de compaixão.

Foi em 1853, no último ano de sua vida, que ele desferiu um ataque contra a Igreja dinamarquesa. Ele a atacou por ser a Igreja de seu país, a Igreja que ele conhecia, não porque fosse menos cristã ou mais culpada que outras, uma vez que na opinião dele todas as Igrejas instituídas eram culpadas — tão culpadas a ponto de não terem consciência de sua culpa. O ataque, embora ele talvez não o percebesse em toda sua extensão, seguia a melhor tradição da Cristandade; fazia soar a velha trombeta profética. Era, de fato, parte do reavivamento cristão; era o grito e a exigência de contrição *agora*, sempre agora. Um velho e venerável líder da Igreja, o bispo Mynster, havia morrido; no sermão do funeral ele fora chamado de "testemunha da verdade". Kierkegaard atacou: "Foi Mynster a testemunha da verdade?". A resposta provavelmente fosse sim, mas isso era o que o próprio Mynster pensava, e quanto mais a hierarquia (exceto sob perseguição) pensa estar dando testemunho da verdade, tanto mais oficial, tanto mais falso se torna o testemunho dessa certeza.

Mas Kierkegaard não estava sozinho nesse ataque. Por toda a Europa alguma espécie de gritante chamado à doutrina e ao dogma fazia-se ouvir. Formava-se uma consciência, às vezes de um jeito, às vezes de outro. Na Inglaterra, o Movimento de Oxford já entrava em ação; o Tratado 90 de Newman aparecera em 1840, e o próprio Newman foi recebido na Igreja romana em 1848. Supunha-se que ele seria seguido pelos seus seguidores, mas eles mais que segui-lo seguiam a religião, e a religião não os levou com ele. Nenhum desses dois grandes cismáticos, nem Wesley nem Newmam, abalou o centro da Igreja da Inglaterra, nem poderia fazê-lo;

o que eles fizeram foi chamar a atenção para algum pecado, alguma negligência, alguma indiferença. O fervor despertou novamente, e a doutrina também, ou talvez não tanto a doutrina quanto a afirmação dela. E o que aconteceu na Inglaterra aconteceu em outras partes. Em 1840 houve uma discussão acerca das leis matrimonias na Prússia; bispos foram encarcerados, e mais uma vez na Cristandade despertou uma consciência militante. Na França, Lamennais e Montalembert chamaram a Igreja romana em socorro da Revolução e dos pobres; eles visavam separar a Igreja de seus amigos burgueses, e quando as teorias de Lamennais foram rejeitadas ele abandonou a Igreja. Mas, como os demais, ele preservou uma profunda consciência disso, e a Cristandade continuou consciente dos pobres.

A Via da Afirmação das Imagens havia retornado. Dentre todos Kierkegaard talvez fosse o que mais se assemelhava à outra atitude, a Via Negativa. "Deus é aquilo que exige amor absoluto." Mas ele não negava a Afirmação, e os outros tampouco negavam a Negação. De fato, todo o período se mostrou repleto da combinação dessas duas grandes Vias. A Negação reavivou-se com a diferença; a Afirmação preservou a doutrina e a caridade. Em 1854, Pio IX, praticamente representando a imagem mais apropriada das duas vias, baseado em sua própria autoridade, decretou para o mundo inteiro o dogma da Imaculada Conceição da *anthropotokos*, da Virgem Mãe do Deivirilis. A Cristandade não estava de acordo sobre isso; nem as Igrejas orientais nem as Igrejas protestantes o aprovaram, e talvez não o tenham entendido. Mas com certeza a Virilidade havia retornado; dentro e fora da Cristandade os milhões das massas se agitaram, e Karl Marx escreveu sobre uma sociedade no mundo em que não haveria classes.

Mais que Karl Marx, sobre o qual poucos haviam ouvido falar, o inimigo naqueles anos era supostamente o liberalismo. O número de significados possíveis dessa palavra tem dificultado seu uso puro e simples. Pois em geral aqueles que buscaram a liberdade não apreenderam o dogma, e aqueles que apreenderam o dogma não buscaram a liberdade. O liberalismo na religião e o liberalismo na política não são a mesma coisa, por maior que seja a frequência com que são confundidos pelos amigos e inimigos de uma e de outra posição. Mas a difusão da doutrina havia sido acompanhada, tanto dentro quanto fora da Igreja, pela difusão daquele outro desejo que superficialmente pode ser descrito pela palavra Liberdade. Não seria correto dizer que a Liberdade como ideia não fora considerada em si mesma desde o início do Império Romano, mas também não seria tão errado. Durante toda a Idade Média e toda a Reforma a frase de Agostinho de que a liberdade vem com a graça e não a graça com a liberdade estivera na base da organização e imposição da crença. Para ser adequadamente livre, o homem precisa encontrar-se em estado de salvação, e ao longo daqueles séculos houvera menos entusiasmo pela ideia de o homem ser inadequadamente livre — livre num sentido apenas temporal. Isso era aprovado, era até incentivado, mas estava condicionado pela necessidade muito mais importante de oferecer ao homem a liberdade sobrenatural. O que importava não era que ele fosse capaz de especular como quisesse, mas que fosse capaz de agir como quisesse. Apenas o serviço de Deus proporcionava essa liberdade perfeita, e os homens, na medida do possível, deviam ser compelidos a prestar esse serviço. O Messias e seus apóstolos não haviam empregado grande parte de seu tempo falando de liberdade e independência pessoal, de individualismo e do direito de cada um às próprias opiniões. Tampouco, quando a qualidade da descrença foi redescoberta e as classes mais altas aderiam todas ao deísmo ou ao paganismo, alguém supôs que aquela liberdade se relacionasse às classes mais baixas. Lorde Chesterfield achava que não se devia discutir religião diante dos empregados domésticos, assim como achava que seus empregados não deviam ajudar a governar o país. Mas por uma coisa e por outra, a ideia de que todos deveriam ser livres no máximo grau possível havia-se difundido amplamente durante o século 19. Mesmo então (e mesmo atualmente) a evolução mais ampla da liberdade que foi elegantemente definida como "a proteção e não a perseguição da oposição"[6] não se difundira muito. Não era fácil difundi-la no seio da Cristandade uma vez que, por definição, a Cristandade não pode fundamentalmente admitir a existência do direito a uma oposição a seus dogmas; rejeitar a coinerência é separar-se da natureza das coisas. Some-se a essa dificuldade abstrata a dificuldade mais concreta própria de qualquer hierarquia que evita interferir em coisas além de seu escopo e a tendência dos amigos da liberdade a negar que o dogma possa em algum caso justificar-se, e a discussão entre as reivindicações da liberdade e as reivindicações da graça estava colocada de modo muito claro, sem depender em nada daquelas perturbadoras novas ideias da ciência e da intelectualidade que iriam incentivá-la.

Em 1850 Kierkegaard havia definido, de seu ponto de vista pessoal, o movimento do mundo a seu redor. Ele já zombara do tipo fácil de "dúvida" moderna que naquele mundo ele via sendo louvada e admirada. Não era a dúvida

[6] *The Times*, 7 de janeiro de 1939.

que Pascal havia combatido e Montaigne havia incentivado; era algo de que os homens se orgulhavam, e portanto não era uma experiência real, pois é impossível orgulhar-se de uma experiência: ela apenas acontece. Diante dela não se pode ter outra atitude a não ser a da humildade. Desse modo Kierkegaard achava que a oposição à Cristandade era tão fútil quanto fútil era boa parte do cristianismo contemporâneo. Ele via isso — via sua própria época — como um esforço de livrar-se de "o incondicional". "Deixemos que a raça, deixemos que cada indivíduo faça a experiência de prescindir do incondicional — é um sorvedouro e permanece como tal. Entrementes, por um período mais longo ou mais curto, pode parecer o contrário, pode parecer estabilidade e segurança. Mas no fundo é e continua sendo um sorvedouro. [...] Viver no incondicional, respirando apenas o incondicional, é impossível para o homem; ele perece, como um peixe forçado a viver fora d'água. Mas, em contrapartida, se o homem não se relacionar com o incondicional, não se pode dizer que ele esteja 'vivo'." De fato, é óbvio que a melhor oposição não se via desse modo; pelo contrário, como Lucrécio, ela concebia a si mesma agindo para libertar a humanidade de uma condição que atrapalhava seus próprios movimentos e que ela havia imaginado estar a ponto de expirar. Parece provável que o grande esforço da Idade Média visando a imposição da crença se estampara de forma tão profunda na mente da Europa que, em qualquer parte onde a Igreja ainda vivia e atuava, ela era vista (embora falsamente) como ainda dominante. Mas também a Igreja exigia e prometia não a liberdade de tempo e lugar, mas a liberdade do Reino coinerente, que era precisamente livre em relação a tempo e lugar. Mas se ela não promete a liberdade menor, ela não a rejeita; é uma questão de comparativa indiferença para com ela.

"Nunca", escrevera Kierkegaard, "as 'opiniões' (as mais heterogêneas, nos mais variados campos) sentiram-se em 'Liberdade, Igualdade, Fraternidade', tão livres, tão desimpedidas, tão felizes, seguindo as regras do faça-o-que-quiser que se expressa no lema 'até certo ponto'." "A liberdade de cada um limitada pela liberdade de todos", escreveu John Stuart Mill, e nessa relação ele definiu o "certo ponto". Liberdade significava ter opiniões próprias, propagá-las e comportar-se de acordo com elas — sujeitando-se a uma liberdade semelhante inerente em cada membro da comunidade e ao todo organizado por toda a comunidade ou pela maior parte possível da comunidade. A Cristandade reavivada e militante negou o "direito" de defender opiniões falsas. Infelizmente, uma Cristandade moribunda e estagnada estava sempre dizendo a mesma coisa. Não era motivo de surpresa que o coração da Igreja, sentindo que (citando mais uma vez Kierkegaard) "perante Deus o homem está sempre errado", abandonasse todas as reivindicações e todos os direitos. Mas a frase alternativa, "perante Deus o homem é sempre justificável", estranha à Igreja atuante, era uma espécie de lema da oposição, e sua rejeição por uma hierarquia vocal era muito diferente de sua rejeição pela Igreja atuante. Infelizmente a Igreja não é a hierarquia; muito menos o é qualquer membro estranho da hierarquia. A Igreja conhecia (apesar de Lorenzo Valla) tudo o que era importante conhecer, e o que ela não conhecia — se não era exatamente "não conhecimento" — era algo sem importância para o homem em sua condição presente. Mas, em contrapartida, a plebe da Cristandade (a plebe intelectual) tendia a chocar-se e horrorizar-se com qualquer mudança nesse conhecimento por definição sem importância. As grandes descobertas científicas dessa época (ou aquelas que pretendiam ser descobertas científicas) provocaram muito descontrole tanto na Cristandade quanto na não Cristandade. Os pios temiam que elas pudessem perturbar a cristandade, e os ímpios pensavam que elas sem dúvida já a tinham perturbado. Isso era desculpável nos ímpios, mas indesculpável nos pios. Os pios, todavia, então e sempre, encontravam-se em estado de grande ansiedade querendo defender e proteger o Deus Todo-poderoso, e geralmente estavam dispostos a lutar por ele. A expansão do tempo e espaço levou os líderes científicos bem como os religiosos a se expressarem como se a Onipotência talvez não pudesse devotar a uma estrela menor a mesma atenção devotada a uma estrela central — como se aquilo que subjaz a toda proporção fosse fadado a ser dominado pelo tamanho. Ainda paira vagamente em alguns lugares a imagem da Divindade abandonando a terra a suas próprias preocupações por ela ser "tão pequena". E naqueles dias a disputa era muito mais intensa. Mas "o incondicional" não estava, de fato, envolvido.

O grande avanço da erudição era mais aceitável. As numerosas oportunidades de aprendizado, o fato de que (praticamente pela primeira vez) a erudição tinha liberdade de pronunciar seu próprio julgamento sobre certos pontos complicados, a intensa integridade moral implicada tanto para os estudiosos ortodoxos quanto para os não ortodoxos, a multiplicação infinita do que se poderia chamar de "o condicional" em toda aquela pesquisa, tudo isso deu às novas escolas, fosse qual fosse sua tendência, um valor verdadeiro e respeitável. Crítica bíblica, história, arqueologia, antropologia, tudo rejubilava-se na festiva luz: a luz da mente que lia hieróglifos, a luz do sol que novamente brilhava sobre casas, fortificações, ruas e templos enterrados por dois ou três mil anos. O Jesus humanitário apareceu, com a terrível e fanática face de São Paulo olhando por sobre os ombros e hipnotizando a simples credulidade da Igreja primitiva e levando-a a aceitar mistérios orientais. Logo de fato nada mais sobrava exceto São Paulo, pois o Jesus histórico desapareceu completamente e São João se dissolveu em Platão. No entanto, a única certeza que foi ganhando cada vez mais força de todos os lados era a de que a Igreja havia começado no meio de ritos e dogmas. O belo e desvanecido sonho de um evangelho simples tornava-se cada vez mais um sonho.

Em contrapartida, o ataque contra os milagres ganhou novo impulso. Na Inglaterra Lecky e Huxley definiram com a mais lúcida e admirável moderação sua tese contra os milagres e deixaram claro que o único argumento *definitivo* contra os milagres era o dogma de que eles não aconteceram. Assim ficou claro que o único argumento *definitivo* contra a Encarnação era o dogma de que a Natureza de Deus não podia ou não iria se encarnar. Tudo o mais era indício, debate, opinião. As grandes discussões continuaram e continuam atualmente; deve-se esperar, e muito, que elas não acabem. Nunca antes as argumentações históricas e críticas contra o cristianismo tinham tido a oportunidade de serem apresentadas de modo apropriado — não de serem respondidas (que argumentações dessa espécie podem ser respondidas?), mas de serem entendidas e desfrutadas. Em todas as direções eclodiu a erudição, e em todos os lados ela descobriu suas limitações.

Pois todos os lados se aproveitaram dela. A doutrina avançou nas fileiras da erudição como também avançaram seus adversários. A cultura auxiliou e desenvolveu a crença. Respeitáveis membros do clero inglês foram parar em prisões — provavelmente prisões não muito desconfortáveis, mas mesmo assim prisões — por causa de questões teológicas técnicas e ritualísticas. A Comissão Judicial do Conselho Privado travou uma batalha fadada à derrota contra ideias que, na Igreja da Inglaterra, estavam não tanto esquecidas quanto em estado comatoso. Tampouco se deixou que a erudição lutasse sozinha. Surgiram os cristãos da Bíblia e os irmãos de Plymouth. A comunidade wesleyana dividiu-se e tornou a dividir-se, e cada corpo multiplicava seus membros; e de um dos menores desses corpos emergiu a figura de William Booth, o general do Exército da Salvação, e os tambores e as bandeiras vermelhas se apresentaram em lugares horríveis, e homens foram atacados e esbordoados por seu testemunho, mas o Precioso Sangue pulsava na marcha do Exército em direção a Deus, enquanto na França ele frutificara no silêncio e na doçura do Cura d'Ars e em Lourdes brotavam as águas que curavam sob a orientação da *Anthropotokos*, e também em toda parte a prática da comunhão mais frequente começava a retornar. A idade da crisma começou a baixar: a oblação mística impunha-se a todos.

Mas a maior união de reivindicações de erudição e do sobrenatural não se deu nem na Inglaterra, nem na França — nem sequer na Alemanha, onde sacerdotes foram presos (com mais rigor que na Inglaterra) e até mesmo certos membros da hierarquia durante a luta denominada a *Kulturkampf* [luta pela cultura]. A mais espetacular e, incomparavelmente, a mais importante declaração de doutrina aconteceu em Roma, no dia 18 de junho de 1870, em meio à mais famosa tempestade da história: a infalibilidade do pontífice romano foi decretada na Basílica de São Pedro, e a declaração do Concílio do Vaticano reafirmou o plano sobrenatural de todas as coisas. Não eram passados nem cem anos desde a morte de Voltaire, e por toda parte "o incondicional" era novamente um pensamento comum — goste-se disso ou não, acredite-se nisso ou não.

O fim do século 19 viu, portanto, a posição da Cristandade na Europa parecer-se muito com o que ela fora depois da conversão de Constantino. Havia a massa da Cristandade ativa do ponto de vista doutrinário, e havia a outra massa da oposição, também baseada fundamentalmente em dogmas. Havia, porém, duas grandes diferenças. A primeira era que, em geral, o movimento da moda intelectual da época se posicionara contra a Cristandade, ao passo que no período de Constantino se posicionara a favor dela. A importância social, a partir de 1870, continuou por um breve espaço de tempo do lado cristão, como acontecera no século 18. A classe média inglesa, por exemplo, não perdeu por inteiro o hábito de frequentar a igreja até que os cidadãos adquiriram automóveis (no fundo o intelecto em si é muito insignificante). Mas a ciência e a erudição já os proviam acidentalmente com conhecidas conveniências para o abandono desse hábito. "O condicional" (que logo seria calorosamente recebido como relatividade — a relatividade popular, não a científica) era adquirido com até mais facilidade que o automóvel. Supôs-se com demasiada facilidade que uma obra tão excelente como *O Ramo de Ouro*, por exemplo, tivesse provado o que ela jamais se propôs — ou nunca deveria ter-se proposto — provar. Em geral se pensou que sua sugestão da tese de que todas as religiões surgiram de um desejo de incentivar a colheita anual havia explicado de modo satisfatório como a colheita simplesmente começou a existir, e suas multidões de deuses condicionados por mágica foram identificados com uma Divindade incondicionada a não ser por sua própria vontade. Na eterna luta acerca da velha questão do que veio antes — o ovo ou a galinha — os defensores da galinha haviam desenvolvido novas escolas e novas energias. Mas o ovo foi se tornando cada vez mais uma preferência social, e os defensores da incubação rapidamente imaginaram, nas palavras de um líder ateu francês, ter apagado no céu as luzes que homem nenhum deveria reacender.

Mas a segunda diferença entre aquele período e os anos de Constantino foi de uma importância muito maior. O movimento dos deserdados havia atuado durante todo aquele século. A consciência das necessidades físicas básicas das multidões oprimidas espalhou-se e tornou-se militante. No século 13 definira-se formalmente a existência do sagrado Corpo e Sangue na eucaristia. Mas agora, tanto fora quanto dentro da Cristandade, o corpo e sangue naturais dos homens comuns afirmavam seus direitos. No seio da Cristandade essa certeza estivera implícita desde o início — implícita na vida e nos atos do Messias, implícita na crença de que a matéria era capaz de salvação, implícita na insistência na justiça declarada quase na mesma medida em que fora negligenciada. Fora muitas vezes explicitada no Apocalipse, em muitos sermões medievais, nas definições de teólogos, nos discursos de Latimer e Bossuet, na simpatia de muitos sacerdotes pela Revolução, nas labutas de Wilberforce e Shaftesbury. Nunca poderia ser a preocupação principal da Cristandade: essa deve sempre ser a "substância" em oposição à "sensualidade", para usar as palavras de Lady Juliana. Mas nem Lady Juliana, nem a Igreja jamais separaram essas duas coisas. "O corpo e a alma", diziam os rituais;

e Lady Juliana dizia: “No exato ponto em que nossa alma se torna sensual, nesse exato ponto a Cidade de Deus é preparada para ele desde todo o sempre”. A comunhão eucarística continha a dupla coinerência. A justiça natural era uma preliminar necessária para toda a caridade. Isso, que sempre fora um princípio, agitou-se como outras doutrinas no século 19 — especialmente, mas não de forma exclusiva, na Cristandade americana. Mas agitou-se de forma ainda mais violenta fora da Cristandade.

Os numerosos problemas de justiça social tendiam a concentrar-se num só: a questão da propriedade. Existe no homem um direito natural e inalienável a ser proprietário? A Cristandade afirmara que existia; aqueles que haviam rejeitado esse princípio receberam no passado o tratamento dispensado aos hereges, e aqueles que haviam rejeitado a propriedade fizeram em geral sua profissão religiosa. E a Cristandade não negaria essa decisão. Mas era também verdade que jamais antes do século 19 houvera tanta propriedade a ser possuída ou (proporcionalmente) tão poucos em condições de possuí-la. Milhões em vez de milhares eram deserdados, completamente deserdados. O povo romano fora antigamente aplacado com pão e circos. Mas nessa época posterior as duas coisas haviam desaparecido. Os pobres não tinham nem farinha, nem carnaval. O esplendor deixara de ser uma virtude, e as refeições deixaram de ser fornecidas. A simples fome preocupava as classes mais baixas, e a insegurança se insinuava cada vez mais na vida da classe média. Os patamares mais baixos da burguesia escorregavam continuamente para o abismo; os mais altos se juntavam e se mantinham unidos e lutavam desesperadamente entre si.

Os revolucionários amplamente identificaram a Cristandade com os donos de propriedade e também com a defesa abstrata da propriedade. Essa visão não era tão incorreta quanto deveria ser. Os teólogos poderiam definir os pobres com precisão, e os santos poderiam trabalhar em benefício deles, mas tudo isso era atrapalhado por três coisas. A primeira era o fato óbvio de que a coinerência da sensualidade na substância, por mais verdadeira e justa que fosse, não tinha muito interesse para aqueles cuja sensualidade era apenas um desespero contínuo. Uma angústia da necessidade incessante só pode ser usada como a Via por quem já está avançado na santidade; as autoridades da Igreja nunca pretenderam impor (ou sequer parecer impor) essa terrível Rejeição de Imagens a seus co-herdeiros de glória. Sem dúvida houve alguns que mesmo assim seguiram essa Via, mas havia milhões para os quais isso era um escárnio e uma paródia obscena da graça. A segunda dificuldade era que a massa dos que professavam o cristianismo definitivamente não carecia de comida, nem dava sinais de vender muito do que tinha e dá-lo aos pobres. Talvez moralmente eles não tivessem da agir assim, mas a retenção de suas posses com o beneplácito da cruz transformava a cruz num sinal mais que evidente de suas posses. "Nada tendo", escreveu São Paulo, "mas possuindo tudo." A segunda oração era óbvia; a primeira estava escondida em Deus. Uns poucos sacerdotes, uns poucos leigos entregaram a vida em socorro das necessidades dos destituídos; o resto os consolava só com preces rituais. A terceira dificuldade era (resumidamente) a filantropia, empregando essa palavra em seu sentido menos suportável. Até mesmo aqueles que desejavam ajudar também queriam dirigir. Professavam uma espécie de guarda paternal. Leão XIII, em sua excelente encíclica *Rerum Novarum* de 1891, exigia que os capitalistas tratassem os trabalhadores com justiça. Mas também exigia que os capitalistas cuidassem para que o trabalhador "não fosse exposto a influências corruptoras e ocasiões perigosas, e que o trabalhador não fosse levado a negligenciar sua casa e família ou a dissipar seus salários". Os trabalhadores normalmente não veem com gratidão os empregadores que cuidam para que eles não esbanjem seus salários ou que tentam protegê-los de influências corruptoras. Em tempos ainda não esquecidos os capitalistas industriais haviam agido assim empregando um sistema de taxas, e as terríveis e precisas páginas de Disraeli registraram o significado daquilo. A percepção de um salário justo devia implicar para o trabalhador a liberdade de empregar seu dinheiro como ele quisesse, caso contrário não fazia sentido. O papa, sem dúvida, não visava nada além do bem. Mas o papa não era um trabalhador de fábrica.

Por todos esses motivos a organização das Igrejas cristãs, com exceção de corporações como o Exército da Salvação e de ordens como as damas pobres de Santa Clara, continuou sendo aos olhos das massas humanas o grande sustentáculo da ordem social dominante. "Os profetas profetizam falsamente, e os sacerdotes dominam de mãos dadas com eles." Ou melhor, os sacerdotes pregaram falsamente e os ricos dominaram de mãos dadas com eles. "*Le bon sansculotte Jésus*" ainda parecia para alguns ser o príncipe dos revolucionários, mas aos olhos da maioria seu nome era a senha dos cruéis parasitas da tirania financeira. Os dogmas, profecias e fantasias de Marx soavam como música aos ouvidos dos homens assim como acontecera outrora com o Apocalipse. O próprio título *Das Kapital* corria de boca em boca como um verso de alguma nova e surpreendente paixão amorosa. O despertar não se restringia aos marxistas. Pio XI, por exemplo, apresentou a questão de modo mais enfático que Leão XIII. A população, disse ele, estava dividida em duas classes. "A primeira, menor em números, desfrutava praticamente de todas as vantagens [...] a segunda [...] era composta por aqueles que, oprimidos por árdua pobreza, lutavam em vão para fugir das dificuldades que os envolviam. Esse estado de coisas era bastante satisfatório para os abastados que viam a situação como a consequência de inevitáveis leis econômicas e, portanto, se contentavam em deixar exclusivamente à caridade todo o trabalho de ajudar aos desafortunados; como se fosse tarefa da caridade corrigir as explícitas violações da justiça." Essa citação foi tirada da encíclica de 1931. Mas em 1931 outras coisas já haviam acontecido, e a Igreja, visível e militante, estava mais uma vez descobrindo sua própria mensagem estampada no rosto de seus inimigos formais.

No leste da Europa, nos domínios da grande Potência que era a herdeira de Bizâncio, uma nova operação e uma nova imagem haviam surgido. Marx fizera muito; ele compusera de algum modo um sistema de história, de moral e de metafísica. Mas ele não conseguiu criar o mito de Marx da mesma maneira que São Tomás não conseguiu criar as escolas de São Tomás. O fato aconteceu. Sete séculos antes haviam sido as caudalosas vozes cantando o grande poema filosófico do *Pange, lingua* que levaram a doutrina de Corpus Christi através da Europa. Mas o corpo fora demais esquecido em benefício de seus próprios louvores. Agora o materialismo dialético surgiu com algo daquele mesmo fervor, e a concepção materialista da História impressionou como o ferro das definições de São Tomás. A oportunidade (chamemo-la assim) de Lênin no momento da queda do trono russo conferiu um novo escopo à imagem.

No início a situação não estava clara. Depois da Revolução, enquanto os governantes "burgueses" estavam no poder, os bispos da Igreja russa se reuniram em Moscou. O Iluminismo na Rússia, mais ainda que no Ocidente, restringira-se às classes mais altas do século 18, e não se permitiu que ele se espalhasse entre as classes mais baixas nem mesmo no século 19. Obviamente não havia nenhuma Câmara dos Comuns na Rússia, mas se tivesse havido seria ainda menor a probabilidade de alguém da classe média como Bradlaugh forçar seu acesso a ela. E o sucessor dos Santos Imperadores não tinha nenhuma intenção de secularizar seu Estado como haviam feito os governantes franceses. Tão augusta quanto Roma e muito mais distante que Roma, a Igreja Ortodoxa da Rússia suprimiu a infidelidade da mesma forma que suprimiu as heresias. Algumas duvidosas e oprimidas seitas mantiveram uma vida difícil. Talvez Tolstói tivesse uma reputação demasiado grande para ser tocado, mas tolstóis menores das estepes não foram incentivados. E de fato basta simplesmente ler Tolstói para ver com que infeliz e estéril amargor o evangelho da Cristandade lhe fora apresentado. Um gênio tão intenso quisera entender o significado da Igreja, e ele nos disse o que lhe foi apresentado.

Os bispos se reuniram — um pouco perturbados, mas aparentemente sem se darem conta do tipo de perigo. O governo, em uníssono com eles, havia abolido o ofício de Procurador do Santo Sínodo, e os bispos em novembro de 1917 reconstituíram o Patriarcado de Moscou, "a Terceira Roma". Elegeram um patriarca, Tikhon. Mas mesmo antes dessa data, em outubro, o governo Kerensky havia caído e o governo bolchevique o substituiu. O patriarca lançou algo semelhante a uma convocação contrarrevolucionária. O governo declarou completa liberdade de consciência, secularizou o Estado e confiscou todas as propriedades lucrativas da Igreja. Também lançou toda sua influência oficial e não oficial contra a Igreja — de modo semelhante e inverso ao que por ela fizera Constantino quando este também proclamou completa liberdade de consciência. A história da Cristandade, como a história pessoal do cristão, está repleta de realizações notáveis da promessa de Cristo de retribuir plenamente o que ela houvesse dado. A reprimida tempestade da descrença, incentivada pela nova, entusiástica (e grandemente estrangeira) rejeição da crença, explodiu sobre a Cristandade na Rússia. Exibiram-se imagens que se afirmava terem sido usadas para operar falsos milagres; prenderam-se sacerdotes por atividades contrarrevolucionárias; e quando, em 1921, num tempo de carestia, o patriarca denunciou o confisco dos preciosos vasos usados nos ritos, houve uma perseguição total. Deus foi negado com uma apaixonada sensação de vida nova só comparável àquela com que um dia ele fora afirmado. Por toda a Europa homens e mulheres ouviram com prazer que lá o terror de dois mil anos, a arma espiritual dos ricos, fora quebrado — e mais que isso, pois não era apenas o cristianismo, mas a própria religião que estava sendo destruída. Mas, localmente, era o cristianismo: a hedionda muleta dos pregadores do Judeu crucificado tinha sido eliminada da vida humana. Talvez não seja injusto em relação a uma sinceridade tão exaltada, ou demasiado fácil na evocação desse grande sofrimento, dizer que na Inglaterra nós havíamos ouvido muito sobre isso — aqueles dentre nós que leram Swinburne na juventude — e ainda nos lembrávamos com prazer daquelas fervorosas tensões românticas.

Declarou-se a ditadura do proletariado — e declarou-se que a liberdade viria logo depois do costumeiro período de transição. "O condicional" foi estabelecido — sob a única condição de que ele negava incondicionalmente o incondicional. A coinerência do comunismo foi estabelecida. Era, por assim dizer, a resposta da oposição à exaltação da Mãe humana de Deus. A pretendida salvação material da sensualidade tinha, inevitavelmente, uma limitação temporal; ela não poderia redimir o passado. Aquela coinerência não poderia atingir os milhões que haviam morrido na miséria; a República do futuro deveria ser erigida sobre seus ossos. Isso era inevitável. Mas a Cidade da Cristandade havia declarado que todos devem ser capazes de inclusão — a menos que eles deliberadamente preferissem um exílio perpétuo.

A agitação se acomodou numa paz desconfortável e incerta. A Igreja da Rússia foi em parte dispersa, em parte suprimida e em parte recebeu a permissão de voltar coberta de desprezo para seus prédios agora em número muito menor. Uma Cristandade perturbada e ansiosa ainda supervisionava a imagem da nova sociedade que de forma tão chocante emergira quando foi perturbada pela aparição de outro mito mais sombrio. A perseguição russa, por mais perversa que fosse, havia pelo menos em parte surgido da intenção de salvar os pobres. Seus crimes, suas traições, suas tiranias, suas cruzadas haviam nascido daquela ideia universal. Se ela havia abolido o cristianismo, ela estava, num sentido geral, igualmente disposta a abolir a Rússia, exceto como o quartel-general da Revolução Mundial. Suas sociedades ateias e suas demonstrações de oposição a Deus visavam honestamente quebrar os grilhões dos homens, mesmo se nesse processo quebrassem os ossos; seria uma consequência infeliz do período de transição. Mas o novo movimento que agora surgia no centro da Europa não se distinguia, mesmo teoricamente, por alguma imagem de uma humanidade universal. O Corpo e o Sangue da Cristandade haviam sido declarados divinos, humanos e comuns; o corpo e o sangue do comunismo eram considerados humanos e comuns; o corpo e o sangue do novo mito eram meramente germânicos. Ele se posicionava contra a própria ideia da Cidade; levantava contra o mundo o grito fatalístico da Raça. Havia, sem dúvida, todos os tipos de desculpa; a Europa não se comportara bem com os alemães, nem a Cidade com os bárbaros. Mas fosse qual fosse a causa, toda a Cristandade na Alemanha sentiu as consequências. A nova imagem racial foi além até mesmo da exclusividade judaica, pois não admitia nenhuma falha e não procurava nenhum Messias; admitia liberdade de consciência em apenas um ponto: em relação a saber se Deus havia criado a Raça Nórdica ou se ela surgiu espontaneamente. A Raça e a grandeza da Raça e do Líder da Raça eram seus dogmas, e em prol deles ela rejeitava a Cidade de Augusto bem como a outra Cidade de Agostinho. "Agora é evidente", disse um de seus pregadores, "que o domínio da Cristandade sobre as regiões germânicas foi apenas um episódio de mil anos, um período que agora pertence ao passado." "A fonte do ensinamento judaico-cristão é o dogma do pecado original", dizia o regulamento de uma escola secundária. "A fundação de nosso sentimento pagão pela vida é uma crença no valor do Sangue sadio."[7]

[7] *The Struggle for Religious Freedom in Germany*, A. S. Duncan-Jones, deão de Chichester.

Mil anos antes haviam acontecido as guerras das fronteiras e as conversões em massa. Aqueles tempos haviam retornado e estão de volta. As massas continuam sendo reconvertidas para este ou aquele princípio ou deus. O avanço doutrinário da Cristandade foi refreado pela doutrina. As verdadeiras fronteiras atuais, mesmo as geográficas, acerca das quais serão travadas as novas guerras ainda não estão inteiramente definidas, como ficou demonstrado recentemente na Espanha. Lá a coinerência natural do comunismo dogmático e a coinerência sobrenatural do catolicismo dogmático lutaram entre si com o mais intenso rancor. Um lado já estava assassinando e destruindo em nome da liberdade; o outro chamou os mouros do Islã e os técnicos alemães do Sangue Sadio para apoiar os crucifixos do Sangue derramado para redimir os enfermos. Extremo a esse ponto, terrível a esse ponto é o inevitável delírio do homem caído. Tudo o que há de certo é que, do ponto de vista da Cristandade, o que quer que venha acontecer pode ser apenas uma guerra de fronteiras. O Centro não pode ser tocado; tudo o que ali se pode fazer já foi feito, fora de Jerusalém, sob Tibério.

Tampouco falhou o conhecimento da contrição. As separações no seio da Cristandade permanecem, e não encontrarão em breve ou facilmente seu fim. Mas as discussões orais estão um pouco suspensas, e as cortesias entre as organizações litigantes são mais fáceis; como quando o católico romano Paul Claudel escreveu em homenagem do luterano Niemoller: "*ce courageux confesseur de Christ*" [o corajoso confessor de Cristo]. Talvez agora fosse possível elogiar os confessores de outras denominações sem supor que vamos comprometer a nossa; como, por exemplo, Donne bem como Dryden são reconhecidos como sinceros quando o primeiro se filiou à Igreja da Inglaterra e o segundo à Igreja de Roma. Talvez fosse possível promover a "troca" de nossa ignorância, mesmo que nossas decisões e certezas devam permanecer absolutas. Excetuadas essas definições, o que existe em qualquer lugar a não ser ignorância, graça e esforço moral? Sobre nosso esforço moral, quanto menos dele se falar melhor; a graça é sempre o que é sozinha, e exige apenas nossa adoração; e portanto nosso amável Senhor talvez fizesse acontecer a troca entre nossas ignorâncias, até que a própria troca se tornasse uma invocação do adorável Espírito que com muita frequência se dignou instruir e corrigir a Igreja por meio de vozes de fora ou de dentro dela. A última virtude que a organização da Cristandade pode conquistar é a humildade, pois embora seja composta de membros da Igreja visível ela sempre se considera uma imagem da invisível. No entanto, até ali, houve momentos. Em 1920 os bispos da Igreja da Inglaterra lançaram de Lambeth um "apelo a todo o povo cristão". Foi extraordinário pelo menos para uma coisa: pela primeira vez um "grande e sagrado Sínodo", convocado formalmente e falando como tal, admitiu sua própria culpa espiritual. "Pareceu bem", disseram eles, quase com essas palavras, "ao Espírito Santo e a nós" que deveríamos confessar que temos pecado. Se a Cristandade de fato sentir intensamente em seu seio as três energias estranhas que chamamos de contrição, humildade e doutrina, ela mais uma vez estará próxima, não apenas das guerras das fronteiras, não apenas de Constantino, mas da Descida da Pomba. Sua única dificuldade será conhecê-la e suportá-la quando ela vier, e isso, goste a Cristandade ou não, o Messias jurou que certamente fará.

Posfácio

No começo da vida na ordem natural das coisas há um ato de substituição e coinerência. Um homem não pode ter nenhum filho a menos que seu sêmen seja recebido e carregado por uma mulher; uma mulher não pode ter nenhum filho a menos que ela receba o sêmen de um homem — literalmente carregando o fardo. Não se trata apenas de um ato mútuo; é um ato mútuo de substituição. A própria criança durante nove meses literalmente coinere em sua mãe; não existe nenhuma criatura humana que não tenha surgido de um período assim de crescimento interior.

Nessa coinerência natural a Igreja cristã percebeu outra; o nascituro já coinere numa culpa ancestral e contemporânea. Ele é plasmado na fraqueza, e sua mãe o concebeu no pecado. O fato fundamental de sua existência já se opõe ao princípio do universo; ele conhece aquele bem como mal e, portanto, deriva e deseja seu próprio bem de modo desordenado. O nascituro foi semeado na corrupção e na corrupção ele emerge para uma vida separada.

Tem sido o hábito da Igreja batizar a criança assim que ela emerge, usando a fórmula da Trindade-na-Unidade. Ao deixar a coinerência mais material, a criança é recebida na sobrenatural; e é recebida por meio de um ato deliberado. Os padrinhos se apresentam como seus substitutos; pela intenção deles e por sua crença (e eles estão ali para representar até mesmo "aqueles de idade mais madura") o recém-nascido recebe "aquilo que por natureza não pode ter", ele é "incorporado" na Igreja, é feito "partícipe" na morte e ressurreição. É essa coinerência que, na confirmação, ele mesmo confessa e ratifica.

A Fé no seio da qual ele é recebido declarou que esse princípio é a raiz e o padrão tanto do mundo sobrenatural quanto do natural. E a Fé é o único corpo que fez isso. Ela proclamou que isso se deve à escolha e operação deliberadas da Palavra Divina. Houvesse ele assim desejado, presume-se que poderia ter criado para sua encarnação um corpo de algum modo diferente daquele que escolheu. Mas ele preferiu formar-se no ventre, tornar-se hereditário, dever à humanidade a carne por ele divinizada seguindo o mesmo princípio — "não pela conversão da Divindade na carne, mas pela elevação da humanidade em Deus". Por meio de um ato de substituição ele reconciliou o mundo natural com o mundo do Reino dos céus, a sensualidade com a substância. Restaurou a substituição e a coinerência em toda parte; subindo e descendo a escada da grande substituição todas as nossas substituições menores passam; nessa divina coinerência todas as nossas coinerências menores inerem. E quando a Igreja cristã desejou definir a natureza do Único, ela não encontrou outro termo; ele coinere mutuamente por sua própria natureza. A fórmula triúnica pela qual a criança é batizada é precisamente a fórmula incompreensível disso.

É sobrenatural, mas é também natural. Os sonhos de nacionalidade e comunismo não usam outra linguagem. A denúncia do individualismo significa isso, caso contrário não significa nada. O elogio do individualismo deve abrir espaço para isso, caso contrário é mera anarquia impossível. Isso é vivido, em seus melhores momentos de prazer, por amantes e amigos. É o processo do parto. É a imagem em toda parte da caridade sobrenatural, e a medida disso ou da rejeição disso é a causa de todas as imagens.

A apreensão dessa ordem, na natureza e na graça, fora e dentro da Cristandade, deveria ser, agora, uma de nossas principais preocupações; poderia de fato merecer a fundação de uma ordem dentro da Igreja cristã. Essa fundação, em certo sentido, não significaria nada, pois tudo o que poderia fazer já está exposto e pronto, e a Igreja já sofreu um pouco por suas organizações interiores. A respeito disso exige-se pouca organização; não se poderia fazer mais que comunicar uma consciência ampliada do dever que faz parte da própria natureza da Igreja. Mas em nossas aflições atuais, causadas por cismas sociais e internacionais, entre elogios da separação aqui e ali, o padrão poderia ser enfatizado, a imagem afirmada. A Ordem da Coinerência existiria apenas para isso, para mediar e praticar isso. O princípio é um daqueles segredos manifestos dos santos; se fizéssemos uso dele, poderíamos nos aproximar minimamente da santidade. Substituições no amor, trocas no amor, fazem parte disso; o "si mesmo" e os "outros" são apenas os termos especializados dessa técnica. A técnica requer muita descoberta; a Ordem não teria uma missão fácil. Mais, porém, do que se pode imaginar, ela poderia descobrir que, no mundo atual, sua ação nunca foi mais necessária, sua concentração nunca foi mais importante e seu benefício talvez nunca tenha sido mais grandioso.

Tabela cronológica[1]

d. C.

30	Ascensão de Nosso Senhor e Descida do Espírito Santo
37	Conversão de São Paulo
50	Concílio de Jerusalém; admissão dos gentios
64	Incêndio de Roma e primeira perseguição romana
104	Investigação de Plínio sob Trajano; cristianismo ilegal
115	Martírio de São Inácio
130-200	Difusão das heresias dos gnósticos
150-215	Clemente de Alexandria
160-220	Tertuliano
160-240	Difusão do montanismo
161	Imperador Marco Aurélio; perseguição
185-254	Orígenes
200-258	Cipriano de Cartago
202	Perseguição sob Severo; Felicidade martirizada
202	*Apologia* de Tertuliano
251	Os confessores e os apóstatas
251-356	Antão, o Heremita
270	Morte de Plotino
270	Difusão do maniqueísmo
298-373	Atanásio
303	Perseguição sob Diocleciano
313	Edito de Milão

[1] As primeiras datas são aproximadas. Sobre algumas outras, renomados historiadores discordam.

318 Debate de Alexandria sobre a Divindade absoluta de Cristo
323 Constantino único imperador
323 Fundação de Constantinopla ou Bizâncio
324 Concílio de Niceia
328 Atanásio eleito Bispo de Alexandria
354-430 Agostinho
360-420 Pelágio
361-363 Imperador Juliano
374 Ambrósio eleito bispo de Milão
379 Regra de São Basílio no Oriente
386 Conversão de Agostinho
392 Proibição imperial de ritos não cristãos
389-461 Patrício
393 Agostinho eleito bispo de Hipona
400 Difusão da heresia pelagiana
400 *Confissões* de Agostinho
410 Queda de Roma
428 Nestório em Bizâncio
432 Patrício na Irlanda
476 Fim do Império do Ocidente
529 Regra de São Bento no Ocidente; escolas de Atenas fechadas por Justiniano
557 Dedicação de Santa Sofia
563 Columba em Iona
570-632 Maomé
575 Missões irlandesas na Europa
590 Gregório Magno eleito papa
622 Fuga de Maomé de Meca
680-755 Bonifácio, apóstolo dos alemães
717 Derrota do Islã pelo imperador Leão III
725 Editos contra imagens
732 Derrota do Islã por Carlos Martel
771 Carlos Magno se torna rei dos Francos e começa a conquista dos saxões
800 Carlos coroado imperador

842 Restauração final das imagens; Festa da Ortodoxia
867 Fócio redige artigos contra o Ocidente
879 Alfredo derrota e batiza os dinamarqueses
910 Fundação de Cluny
988 São Vladimir estabelece à força o cristianismo na Rússia
994 São Olavo estabelece à força o cristianismo na Noruega
1033-1109 Anselmo
1054 Separação formal entre Oriente e Ocidente
1080-1142 Abelardo
1097-1099 Primeira Cruzada
1119 Fundação da Ordem do Templo por nove cavaleiros
1100-1200 Fundação das universidades
1184 Edito de Verona
1204 Saque de Bizâncio
1215 Quarto Concílio de Latrão
1218 Fundação dos Dominicanos
1225-1274 São Tomás de Aquino
1233 Estabelecimento da Inquisição
1234 Promulgação do direito canônico
1252 Permissão da tortura
1259-1274 *Summa Theologica*
1264 Instituição da Festa de Corpus Christi
1265-1308 Duns Escoto
1265-1321 Dante
1270 Morte de São Luís
1300 Visão formal da *Divina Comédia*
1302 Bula *Unam Sanctam*
1306-1376 Residência papal em Avignon
1307 Prisão dos templários
1346-1348 Peste Negra
1373 Manifestações a Lady Juliana de Norwich
1378-1417 Grande Cisma do Ocidente
1430 Morte de Santa Joana d'Arc
1440 Morte de Gilles de Rais
1463 Queda de Constantinopla

1486 *Malleus Maleficarum*
1490-1546 Lutero
1496-1556 Loyola
1492 Alexandre VI eleito papa
1509-1564 Calvino
1513 Leão X eleito papa
1517 Protesto contra a venda de indulgências
1521-1522 Lutero no isolamento
1522-1523 Loyola no isolamento
1530 Dieta e Confissão de Augsburgo
1533 Declaração de Nulidade na Inglaterra; nascimento de Elisabete; nascimento de Montaigne
1534 Bíblia de Lutero; *Institutas* de Calvino; fundação da Companhia de Jesus
1542-1591 São João da Cruz
1545-1563 Concílio de Trento
1558 Entronização da rainha Elisabete
1575-1624 Boehme
1576 Primeira edição da *Vida Nova*
1588 Derrota da Armada
1591 Criação do Patriarcado de Moscou
1592 Morte de Montaigne
1593 Conversão de Henrique IV da França
1623-1662 Pascal
1624 *De Veritate* de Lorde Herbert de Cherbury
1624-1691 George Fox
1635-1705 Movimento jansenista
1685 Revogação do Edito de Nantes
1694-1778 Voltaire
1696-1787 Afonso de Ligório
1703-1791 John Wesley
1762 Caso Calas em Toulouse
1773 Supressão dos jesuítas; divisão da Polônia
1789 Resoluções contra o comércio de escravos na Inglaterra
1790 Constituição Civil do Clero da França

1813-1855	Kierkegaard
1814	Restauração dos jesuítas
1818-1883	Marx
1833	Movimento de Oxford
1837	Reavivamento na Alemanha
1853	Ataque de Kierkegaard contra a Igreja dinamarquesa
1854	Promulgação do dogma da Imaculada Conceição
1858	Aparições em Lourdes
1865	Começo do Exército da Salvação
1867	*Das Kapital*, primeiro volume
1870	Promulgação do dogma da Infalibilidade Papal
1871-1878	A *Kulturkampf*
1890-1907	*O Ramo de Ouro*
1891	A encíclica *Rerum Novarum*
1914	Guerra Europeia: primeiro período de operações militares
1917	Revolução Russa
1918	Decreto russo sobre liberdade de consciência
1920	*Apelo a Todo o Povo Cristão* de Lambeth
1921	Perseguição da Igreja na Rússia
1933	Governo nazista na Alemanha
1937	Perseguição da Igreja na Alemanha
1937-1939	Guerra na Espanha
1939	Guerra Europeia: segundo período de operações militares

Compartilhe suas impressões de leitura,
mencionando o título da obra, pelo e-mail
opiniao-do-leitor@mundocristao.com.br
ou por nossas redes sociais

Esta obra foi composta com tipografia Janson Text
e impressa em papel Pólen Soft 70 g/m² na Geográfica